눈
부
신

안
부·

눈부신 안부

백수린 장편소설

문학동네

차
례

눈부신 안부

작가의 말

프롤로그

야자수. 나는 야자수를 떠올리고 있다.

물론 내가 떠올리고 있는 것은 하와이나 발리에 놀러가면 볼 수 있는 야자수가 아니다.

*

내가 헝가리 출신 사진작가의 전시회장에서 사진의 분위기와 조금도 어울리지 않는 야자수에 대해 생각하게 된 것은 관람객들 사이에서 우재와 닮은 뒷모습을 발견했기 때문이었다. 우재와 나는 십여 년 전에 한 문학 동아리에서 처음 만났다. 우재는 규모가 작은 동아리 내에서 몇 안 되는 동기였고, 이십대 초반 나를 들뜨게도 갈급하게도 하던 사람이었다. 그리고 우리가 함께 있을 때 그런 마음이 되는 것은 나 혼자만이 아니라는 걸 그 시절 나는 어렴풋이 느끼고 있었다. 우리가 벚꽃이 만개한 텅 빈 캠퍼스를, 마음을 흐트러뜨리는 바람이 부는 한강 둔치를 달아오른 얼굴로 함께 걷던 밤들이 있었으니까. 하지만 몇 번의 우연과 엇갈림 끝에 연인 관계로 발전하지는 않았고, 우리는 각자 연애를 하는 동안엔 서로에게서 멀어졌다가 한쪽의 연애가 끝나면 다시 조금쯤 애달파지는 그런 사이로 차츰 변해갔다.

내 기억이 정확하다면 우재는 2학년 겨울방학에 군대에 갔다. 우재가 나에게 이따금씩 보내오던 편지들, 다른 무늬는 없이 검은색 줄만 그어진 편지지에 정갈하게 적힌 문장들이 무슨 내용을 담고 있었는지는 이제 잊었다. 우재가 내게 편지를 자주 보내던 그 즈음 나는 아르바이트하다 만난 인근 학교의 남학생과 밋밋한 연애를 막 시작한 참이었고 우재는 군대에 가기 얼마 전부터 사귀기 시작한 연상의 애인에게 실연을 당한 상태였다. 애인이 갖고 있던 우재의 물건들을 돌려주고 싶어한다는데 우재가 본가로 보내라 하고 싶지는 않다고 해서 소포를 우리집으로 받았던 기억이 난다. 택배 상자 속에 들어 있던 김광석과 이문세의 테이프들―시디도 아니고 테이프였다!―과 1920, 30년대에 프랑스나 미국 등지에서 활동했던 사진작가들의 사진집 같은 것들. 그 물건들을 내가 우재에게 돌려줬던가? 그건 잘 모르겠다. 우리가 언제부터 서로의 소식을 모르고 살게 되었는지 명확히 기억나지 않는 것처럼. 우재가 군대에 간 이후부터는 우리의 캠퍼스 생활이 많이 겹치지 않았다는 것도 우리가 멀어지게 된 이유 중 하나였을 것이다. 우재가 복학했을 때는 내가 휴학중이었고, 내가 복학하니 우재가 전공 공부에 몰두하느라 도서관에 처박혀 있는 식이었다.

졸업하면서 자연스럽게 더 소원해진 우재를 동아리 선후배들의 결혼식장에서 몇 번인가 마주친 적이 있긴 했다. 결혼 계획도 없는데 남의 결혼식 따위 가고 싶지 않아서 늑장을 부리다가 예식이 시작된 후에나 헐레벌떡 식장 안에 들어서면 나처럼 늦은 것인지 자리에 앉지 못하고 문가에 선 우재의 모습이 보일 때가 있었다. 아이라인을 그리고 마스카라까지 칠한 내가 어색한 것은 우재도 마찬가지였겠지만 말쑥한 정장 차림의 우재는 정말이지 낯설어서 내가 나이를 먹고 있구나 하고 실감하게 했다.

하지만 그렇게 지인들의 결혼식장에서 우재와 스치듯 마주친 것도 벌써 오래전의 일이었다. 서른 살까지는 그래도 청첩장을 받으면 일정을 비워두곤 했지만 언젠가부터는 축의금만 보내고 있었으니까. 어차피 친한 사람 중 결혼할 사람들은 진즉 다 했고, 그나마도 나는 인간관계를 좁게 유지하는 편이었다. 그런 이유로 나는 서울 한복판에 열린 사진전에서 우재와 마주칠 가능성에 대해서는 조금도 상상하지 못하고 있었다. 서울은 넓고, 천만 명이 사는 도시니까. 물론 안드레 케르테스를 내게 처음 소개해준 사람이 우재이기는 했지만 말이다.

　내가 우재를 발견한 것은 2월 중순의 어느 금요일, 폐관 시간이 가까워졌을 즈음이었다. 퇴사 후 할일이 딱히 없던 나는 거의 한 달째 아침 겸 점심을 먹고 출근 도장 찍듯 전시관에 가서는 폐관 시간까지 똑같은 사진들을 관람하고 있었다. 사진을 보는 것이 좋기도 했지만 내가 전시관을 찾은 데는 또다른 이유가 있었다. 전시회장에서는 누구와도 사교적인 대화를 나눌 필요가 없었고, 누구도 나를 바라보지 않았으니까. 그런 이유로 우재의 뒷모습을 처음 보았을 때 반가운 마음이 들었던 것과 별개로 알은척을 할까 말까 잠시 망설일 수밖에 없었다. 늦은 시간이라 전시회장엔 사람이 거의 없었고, 우재인 것이 확실해 보이는 남자 관람객 혼자 벽면에 쓰인 작가의 문장을 읽고 있었다.

　나는 빛으로 글을 쓴다. 무엇인가 일어나기를 기다리거나 찾지 않고 보기만 한다. 나는 기록하지 않는다. 해석할 따름이다.

　나는 우재의 뒷모습을 바라보다가 발길을 돌려 먼저 전시회장을 빠져나왔다.

　전시회장 입구에는 안드레 케르테스의 〈엘리자베스와 나〉 연작 중 하나로 만든 포스터가 붙어 있었다. 절반만 모습을 드러낸 한 여성과 그 여성의 어깨에 얹힌 남성의 손을 찍은 그 흑백사진은 오랜 세월 동안 작가가 아내와 함께 찍어온 사진들 중 하나로, 엘리자베스를 향한 깊은 사랑이 느껴지는 이 연작을 볼 때마다 나는 알 수 없는 쓸쓸한 감정에 휩싸이곤 했다. 바깥에 진눈깨비가 날리는 탓이었을까? 그날따라 마음이 평소보다 더 스산했다. 을씨년스럽기까지 하네. 출입문 앞에서 나는 목도리를 여민 후 가방 속에 접어 넣어두었던 우산을 꺼냈다.

"혹시 이해미?"

우산이 활짝 펴지는 순간 뒤쪽에서 나를 부르는 목소리가 들려왔다. 고개를 돌려보니, 그곳엔 잿빛 코트 차림의 우재가 서 있었다.

"이게 얼마 만이야."

"그러게."

커피 한잔하고 헤어질까? 하는 우재의 말에 근처 눈에 띄는 카페에 들어오긴 했지만 막상 마주앉자 어색해서 대화가 자꾸 끊어졌다. 우리의 정적 사이로 〈My Funny Valentine〉이 나지막이 흘렀다. 여기서 볼 줄은 몰랐네, 여전히 케르테스를 좋아하나보구나, 우리가 마지막으로 본 게 S의 결혼식이었나? 어색한 기분에 이런저런 말들을 늘어놓다가 "아, 너는 결혼했어? 소식을 들은 게 없어서 못 갔는데, 혹시 했으면 미안" 하고 말하자 우재가 고개를 저었다.

"나 결혼 안 했어."

"아, 그래?"

"애인도 없고…… 넌?"

무심한 말투로 질문을 던진 우재는 커피잔 손잡이를 엄지손가락으로 만지작거리고 있었다.

"나도."

"너나 나나 외로운 인생이구나."

우재의 농담에 웃음이 났고, 그러자 어색했던 분위기가 조금 누그러졌다.

"아냐, 희망을 버리진 말자. 우리도 머지않아 엘리자베스 같은 존재를 찾을 수 있을 거야."

자연스럽게 전시회를 언급하며 우재가 장난처럼 덧붙였다. 그러고 보면 우리 둘 중 누구도 연애를 하지 않는 상태로 만나는 건 스물한 살 이후 처음인데 우재는 그걸 알까? 나의 마지막 기억 속 우재의 애인은 중학교 선생님이었다. 문득 우재같이 다정한 사람이랑 왜 다들 헤어진 걸까 궁금해졌다. 하긴, 연애를 하다보면 이별할 수밖에 없는 이유가 한둘은 아니지. 사람이 살면서 어떻게 계속 꽃길만 걷나. 나 역시 모든 것이 원하는 대로 술술 풀렸다면 백수가 되어 평일의 전시회장을 날마다 찾지는 않았을 것이었다.

"하지만 케르테스보다 엘리자베스가 먼저 죽었잖아. 그렇게 소중한 누군가를 가졌다가 잃는 건 너무 무서워."

나는 나를 쳐다보는, 세월 탓에 볼이 꺼진 우재의 눈을 피하며 창밖으로 고개를 돌렸다. 진눈깨비는 어느새 비가 되어 내리고 있었다. 빗줄기가 금을 긋는 유리창 위로 잊고 살았던 동아리방의 풍경이 떠올랐다.

기자가 된 이후엔 바빠서 대학 때를 추억할 겨를이 거의 없었지만 그래도 아주 가끔은 동아리 시절이 그립기도 했다. 정확하게는 동아리방. 옹색한 동아리방에 앉아 있으면 비가 올 때마다 후드득 소리가 가득 울렸다. 문학에는 관심이 조금도 없던 내가 신입생 시절 그 방의 문을 열고 들어갔던 진짜 이유는 문학 동아리에는 순하고 소극적인 사람들이 있을 것 같다는 편견 때문이었다. 매일같이 술을 강권하고, 21세기인데도 불구하고 20세기인 것처럼 운동권의 율동을 가르쳐주는 사회학과 선배들의 소란스러움에 입학한 달 만에 지쳐 있었던 나로서는 공강 시간에 숨어 있을 과방 아닌 장소가 필요했고, 그때 발견한 것이 복사실 벽에 붙은 문학 동아리 신입생 모집 공고였던 것이다.

물론 동아리의 모든 사람들이 내 선입견대로 조용하거나 온순했던 것은 아니다. 리비도는 정신활동의 에너지, 운운하며 주색에 빠져 살다가 지칠 즈음 탕아처럼 동아리방으로 돌아오던 선배나, 근대문학의 종언이란 말을 핑계삼아 소설이나 시는 쓰지 않고 염세주의만 설파해대는 선배도 있었다. 사람들의 면면은 나의 상상속 이미지와 그다지 닮은 점이 없었지만 나는 동아리 활동을 그만두지는 않았다. 왜냐하면 그때도 이미 문학 동아리는 존폐의 갈림 길에 놓여 있었고, 제 역할을 잃어버린 동아리방은 혼자 밥을 먹거나 허름한 소파에서 낮잠을 자기에 너무 제격인 공간이었으니까. 텅 빈 동아리방에 앉아 홀로 짬뽕을 시켜 먹고 있으면 누군가가 말없이 들어와 돌솥비빔밥을 시키고, 그렇게 각자의 자리에서 각자의 속도로, 대화를 나눠야 한다거나 무언가를 해야 한다는 강박 없이 자기 몫의 음식을 먹을 수가 있었는데, 양치식물처럼 고요히 모여 앉아 있을 수 있는 그 공간이, 각종 아르바이트와 조별 과제로 지쳐 있던 나에게는 무척 애틋했다.

"선배들이 문집에 실을 글 내놓으라고 하면 맨날 도망만 다니던 네가 글 써서 먹고사는 몇 안 되는 동아리 출신이 됐다니, 인생 참 아이러니야."

우재가 그렇게 말한 것은 어색함이 조금 풀려서 이런저런 추억담을 나누던 중이었다.

"글 안 쓴 건 너도 마찬가지잖아."

그렇게 말하긴 했지만 우재가 글을 쓰지 않았다는 것은 정확한 표현이 아니었다. 우재는 출사를 다니며 찍은 사진들을 블로그에 올리면서 짤막한 여행기 같은 것도 즐겨 남겼으니까. 우재의 글은 제법 감수성이 풍부하고 세련된 구석도 있어서 방문자가 많은 편이었다. 하지만 우재 역시 선배들 구미에 맞는 시나 소설은 쓰지 않았다. 일 년에 두 번씩 정기적으로 발간하던 문집을 만드는 시기만 되면 우재와 내가 나란히 동아리방에 서서 선배들에게 욕을 먹던 일이 떠올라 우리는 마주보고 웃었다. 하지만 그러던 끝에 우재가 "난 약대 나와서 약사가 됐으니 얼마나 시시하냐. 그거에 비하면 넌 참 멋있다. 글로 세상을 바꾸는 일을 하다니"라고 말하는 바람에 나는 계속 웃을 수가 없었다. 내가 신문사에 취직한 것은 글에 대한 신념이나 의지와는 무관한 선택이었으니까. 게다가 나는 더이상 기자 생활을 하고 싶지 않아서 한 달 전 퇴사를 한 상태였다.

"멋있는 걸로 치면 약사가 훨씬 더 멋있지. 너 어디서 일해? 영양제 좀 사러 가야겠다."

내가 그 질문을 던진 것은 순전히 대화의 흐름을 바꾸기 위해서였다. 하지만 나의 질문을 들은 우재는 눈을 반짝이며 몸을 의자 등받이에서 떼었다.

"야, 나 다음달 초에 제주로 내려가서 거기서 약국 한다."

"너 정말 돌아가는구나."

그의 말이 반갑게 들렸던 것은 우재가 늘 마흔이 되기 전에 고향인 제주로 내려가 살겠다고 했던 기억이 났기 때문이었다. 서울에선 모든 게 너무 소란하잖아, 빛조차도 시끄러워, 라고 말을 했던가?

그리고 우재가 제주도로 돌아간다는 말을 듣자, 오래전 동아리 사람들과 우재의 집으로 엠티 아닌 엠티를 떠났던 1학년 겨울방학의 기억이 떠오르면서 잊고 있었던 어떤 감정들이 되살아났다. 대성리나 가평은 지긋지긋하다던 선배들이 우재가 제주 출신이라는 걸 알고는 무턱대고 제주를 종강 엠티 장소로 정해버렸던 그 겨울, 나는 난생처음 가본 제주에서 서울은 빛조차 시끄럽다던 우재의 말을 처음으로 이해할 수 있을 것도 같았다.

"어머니는 잘 계시지?"

"그럼."

"그 집도 그대로고?"

"응, 근데 엄마는 조카들 돌보느라 서울에 와 있어. 그래서 내가 집도 관리할 겸 제주에 내려가게 된 거지."

"그렇구나."

낮은 돌담이 둘러싸고 있던 단층집. 세모난 붉은 지붕. 돌담 너머로 가지를 드리운 귤나무. 우재 부모님—당시엔 아직 우재의 아버지도 살아 계셨다—은 진즉 주무시러 들어가시고, 마당에 텐트를 쳐놓고 파카를 껴입은 채 놀던 선배들도 모두 술에 취해 곯아떨어진 틈을 타 우재와 단둘이 바다 쪽으로 산책을 갔던 그 밤을 우재 역시 기억할지도 모른다니 조금 쑥스러운 기분이 들었다. 우재를 짝사랑하는 것만 같아서, 이것이 정말 사랑인 것 같아서, 취중에 나 혼자 애달프던 밤이었으니까.

"그때 네가 바닷가에서 야자수 이야기 해준 거 기억 안 나지?"

짐짓 태연한 척하느라 목소리를 높여 물었는데, 우재가 "야자수

이야기? 제주도에 가로수로 서 있는 야자수들은 일부러 수입해서 심은 거라는?" 하고 되물었다.

"응."

"왜 기억이 안 나. 그 이야기 듣고 네가 이모 이야기 해준 것도 기억나는데."

"내가 이모 이야기를 했어?"

나는 이모 이야기를 사람들에게 거의 하지 않기 때문에 우재의 말을 듣고 깜짝 놀랐다.

"응. 그때 네가 선배들 등쌀 때문이 아니라 언젠가 그럴 마음이 생겨서 정말로 글을 쓰는 날이 온다면 이모 이야기를 쓰고 싶다고 그랬잖아. 이모라고 했나, 이모들이라고 했나, 아무튼."

우재는 내가 조금도 기억하지 못하는 이야기를 하고 있었다.

"그런데 졸업할 때까지 네가 끝내 아무것도 안 써서 사실 늘 그 이야기가 궁금했었어."

내가 정말 그런 이야기를 했었다고? 우재에게 이모에 대해 정확히 뭐라고 했는지는 도무지 짐작이 되지 않았다. 그 이야기가 궁금했었어. 그렇게 말하고 우재는 내가 무언가를 답해주길 기다리는 것처럼 옅은 미소를 머금은 채 아무 말 없이 나를 바라보았다. 우리 사이에 잠시 침묵이 흐르는 동안 내가 잊고 살았던 무언가, 이를테면 오랫동안 방치해두어 먼짓더미에 뒤덮인 어떤 책의 한 페이지가 비밀스럽게 열리는 기분이 들었다. 갈피에 사진 한 장이 끼워져 있는 책. 눈을 감자 그 사진이 보일 것만 같았다. 오렌지색 스웨터를 입고 소파 등받이에 오른팔을 걸치고 앉은 채 왼편을 바라보며 웃고 있는 한 여인의 사진. 그녀는 앞머리가 가지런한 단발머리에 금테 안경을 낀, 수줍어 보이지만 작은 눈만은 장난꾸러기처럼 반짝이는 동아시아계 여인이다. 사십대 중반의, 나의 이모.

1

사람들에게 잘 이야기하진 않지만 우리 가족은 내가 열세 살이 된 겨울부터 열다섯 살이 된 겨울까지 독일에서 살았다. 우리 가족이라고 해봤자 엄마와 나, 그리고 동생 해나뿐이었지만. 우리가 살았던 G시는 독일 중부에 위치한 작은 도시였다. 엄마가 유학을 결정했을 때, 대학 시절 독어교육을 전공했던 경험을 살려 독일로 가기로 한 건 어찌 보면 자연스러운 일이었다. G시로 가려고 애쓴 건 그곳이 대학 도시로 유명했기 때문만은 아니었지만. 엄마가 유학할 장소로 그 도시를 선택한 가장 결정적인 이유는 G시에 이모가 살았기 때문이었다.

이모는 엄마의 큰언니였다. 엄마에게는 여자 형제가 이모밖에 없기 때문에 '큰언니'라고 부를 필요는 없었다. 하지만 엄마는 마치 구분해야 할 다른 여자 형제가 있는 것처럼 언제나 이모를 큰 언니라고 불렀다. 그것은 나의 쌍둥이 외삼촌들도 마찬가지였는 데, 여자 형제는 이모와 2남 2녀 중 막내인 엄마밖에 없는데도 외삼촌들은 이모를 언제나 큰누나라고 불렀다. "큰누나가 없었으면 우리들은 대학도 못 갔제" "아, 긍께. 큰누나 없었으면 우리 고향 집도 없제. 그것이 남아 있었냐?" 하는 식으로. 명절이나 제삿날 누군가 이모에 대해서 말을 꺼내면 외할아버지는 무엇인가가 못마땅한 듯 재떨이를 찾아와 담배를 피웠다.

독일에 가기 전 내가 이모에 대해서 알고 있던 것은 단편적인 정보들뿐이었다. 전라남도에서 손꼽힐 정도로 공부를 잘한 수재였고, 오래전부터 독일에 살고 있다는 것. 독일로 떠난 이후 한국에는 단 두 번 다녀갔다는 것. 그리고 의사라는 것. 그러므로 이모를 실제로 만나기 전까지 나는 오랫동안 이모라는 단어를 들을 때마다 유니콘을 떠올렸다. 아니면 용이나 봉황. 무엇이어도 상관없다. 상상 속에만 존재하는 동물이라면. 한 번도 실물로 본 적 없던 이모는 나에게 하늘을 날 수 있다는 페가수스처럼, 오로지 어른들의 말 속에만 존재하는 신기루였다.

이모에 대한 제대로 된 첫 기억은 우리 가족이 독일에 도착한 다음날 이모네 집에 초대받아 저녁식사를 하러 간 장면에서 시작된다. 물론 그전에도 이모를 본 적은 있었을 것이다. 이모는 외할아버지의 장례식에도 다녀갔었고, 우리가 독일에 도착했을 때 공항으로 마중을 나오기도 했으니까. 하지만 너무 어린 나이에 뭐가 뭔지 모르고 지나간 장례식은 물론이거니와 공항에서 만난 이모에 대한 인상도 내게 그다지 남아 있지 않다. 난생처음 경험한 장거리 비행의 피로와 갑자기 쏟아지는 외국어 소음에 압도된 탓이었을 것이다.

낯가림이 심한 편이었던 나는 이모와 같이 밥을 먹기로 했다는 사실에 너무 긴장해 배가 사르르 아파왔다. 엄마는 그런 내 사정을 신경도 쓰지 않는 듯이 해나의 머리를 땋아주고 내 원피스의 옷깃을 정리해주었다. 엄마는 오랜만에 다소 들뜬 얼굴이었다. 오랜만, 그러니까 언니가 우리 곁을 떠난 이후 처음으로. 엄마는 망설이다가 현관문 앞에서 옅게 립스틱을 발랐다. 언니와 아빠까지 모두 함께 살았던 때라면 그런 엄마를 보면서 아빠가 틀림없이 "당신 오늘 아주 예쁘네"라고 말해주었으리란 걸 알았기 때문에 이번에는 내가 엄마에게 말했다.

"엄마, 아주 예쁘다."

"그래? 고마워."

엄마가 나를 보며 희미하게 웃었다.

이모의 집은 우리 가족이 살게 된 기숙사에서 그리 멀지 않은 곳에 위치한 아파트였다. 오층짜리 건물이었는데, 이모의 집은 꼭대기 층에 있었다. 엘리베이터가 없어서 막 여덟 살이 된 해나가

계단을 오르다가 힘들다고 자주 주저앉았다. 나는 의젓하게 보이고 싶어서 아무런 투정도 하지 않았다. 벨을 누르자 이모가 기다렸다는 듯이 문을 열었다. 안경을 쓰고 머리가 짧다는 것 말고는 엄마와 똑 닮은 얼굴을 한 이모. 이모는 나와 동생을 보자마자 눈이 보이지 않을 정도로 환하게 웃었고, 나는 그 웃음을 보는 순간 이모가 좋아졌다.

이모의 집은 그다지 크지는 않았다. 하지만 결혼한 적도 없고 아이 또한 없는 이모가 혼자 살기에는 충분히 넓었다. 검소함이 묻어나는 세간들. 오래된 식기들. 거실에 놓인 서랍장 위에는 한국에서 가져온 듯한 나무탈이 놓여 있었다.

"배고프지 않니?"

이모가 나를 돌아보며 물었다.

"괜찮아요."

나는 수줍어 개미만한 목소리로 대답했다. 잔꽃무늬 식탁보가 깔린 원형 테이블 위에는 이미 많은 음식들이 차려져 있었다. 정어리를 넣어 담근 양배추 김치, 오리고기가 들어간 잡채처럼 한국에서 먹던 것과는 다소 다르지만 한국 음식이 아니라고는 할 수 없던 음식들. 이모의 요리는 간이 세지 않고 재료 고유의 식감이 살아 있어서, 하나같이 맛이 좋았다. 해나는 시차 때문에 밥을 먹다가 꾸벅꾸벅 졸았다. 나 또한 졸린 눈을 비비며 고개를 돌려보면 이모가 따라주는 맥주를 마시며 웃는 엄마가 보였는데, 언니가 우리 곁을 떠난 이후 엄마가 웃는 모습은 내게 다소간 연기처럼 보였고, 그래서 마음이 아팠다.

그날 밤, 엄마가 술에 취해버리는 바람에 우리는 기숙사로 돌아가지 않고 이모의 집에서 하룻밤을 묵었다. 그후로도 가끔 이모네 집에 놀러갈 때마다 내가 자고 가던 그 방은 이모가 경제적으로 좀더 궁핍했을 때 여대생들에게 세놓기도 했던 작은 손님방이었다. 나와 해나는 손님방의 소파를 펼쳐 만든 침대 위에 시트를 깔고 누웠고 엄마는 이모가 창고에서 꺼내온, 공기를 주입해서 부풀리는 매트리스를 바닥에 깔고 누웠다.

"집이 조금 더 컸으면 다 같이 살 수 있었을 텐데." 이모가 아쉽다는 듯이 말하자 "이렇게 가끔 언니랑 같이 있을 수 있다는 것만으로도 나는 좋아" 하고 이모에게 빌려 입은 잠옷 차림으로 엄마가 말했다.

까무룩 잠이 들었다가 시차 때문에 깨어버렸을 때는 아직 새벽 한시밖에 되지 않은 시간이었다. 누워 있는 것도 심심하고 요의도 느껴져 방을 살짝 빠져나왔는데 이모가 노란 불빛의 램프를 켜놓은 채 거실 소파에 앉아 책을 읽고 있었다.

"잠이 안 오니?"

나를 발견한 이모는 책을 내려놓으며 물었다. 내가 이모에게 가까이 다가가지도, 그렇다고 방으로 돌아가지도 못하고 쭈뼛거리며 서 있자 이모가 손짓으로 나를 불렀다.

"낮밤이 바뀌면 잠이 잘 안 오지. 이모도 독일에 처음 왔을 때 그랬어. 모든 게 낯설어 밤마다 울던 때도 있었단다."

"이모가 독일에 왔을 땐 스물한 살이었다고 엄마가 그랬는데, 어른도 울어요?"

"그럼, 어른도 울지. 겉만 커다랗지 어른도 사실은 아이랑 다를 게 없거든."

이모는 나의 뒤통수를 가만가만 짚으며 말했다. 나는 그런 이모를 똑바로 바라보는 것이 부끄러워 이모의 무릎께를 쳐다보며, 언니가 사라진 이후 혼자 울던 엄마를 떠올렸다. 잠든 줄 알고 나의 침대맡에 앉아 있다 조용히 흐느끼던 엄마와, 내가 깬 걸 알면 엄마가 울음을 그칠까봐 눈을 꼭 감은 채 이불 속에서 주먹을 쥐고 있던 나를.

"지난 일 년 동안 네가 감당하기 어려울 만큼 많은 변화가 생겼을 거라는 걸 이모도 안다. 많이 힘들었을 거라는 것도."

이모가 말하는 변화라는 게 평소와 다를 바 없이 등교한 언니가 전국을 떠들썩하게 한 가스 폭발 사고로 갑자기 사라져버린 일을 가리키는지, 언니를 잃은 고통으로 엄마 아빠의 사이가 멀어져버린 일을 가리키는지, 아니면 사람들이 우리 가족을 대하는 방식이 바뀌어버린 일을 가리키는지 궁금했지만 묻지는 않았다. 아니면 그 모든 것에 대해서였을까?

"하지만 이제부터는 조금씩 나아질 거야. 한 번에 괜찮아질 리는 없지만, 천천히 회복되고 있나보다 싶은 날도 찾아올 거야. 그러니까 이모는 네가 씩씩하게, 이곳에서 잘 지내면 좋겠다. 가끔은 엄마도 도우면서."

"네."

나는 무거운 마음으로 고개를 끄덕였다.

"하지만 기억하렴. 그러다 힘들면 꼭 이모한테 말해야 한다. 혼자 짊어지려고 하면 안 돼. 아무리 네가 의젓하고 씩씩한 아이라도 세상에 혼자 감당해야 하는 슬픔 같은 건 없으니까. 알았지?"

독일에 도착한 지 닷새가 지나자, 엄마는 나와 해나를 새로운 학교로 데리고 갔다. 해나가 다니던 초등학교와 내가 다니던 학교는 바로 붙어 있었고—그 당시 G시의 5, 6학년 학생들은 실업계와 인문계 중등학교 중 어디로 진학하는 것이 적합한지 탐색하는 별도의 학교에 다녔다—한 블록 너머에는 한국의 중고등학교에 해당하는 인문계 중등학교가 있었는데, 그래서 학교에 갈 때면 자연스럽게 언니 생각이 났다. 독일에서는 한국과 달리 1학년부터 13학년까지 모두 다 비슷한 시간에 등교를 했기 때문에 등교 시간이면 도로는 체격이 저마다 다른 수많은 학생들로 가득찼다. 나는 아무렇지 않은 척, 해나의 손을 잡은 채 고개를 빳빳이 들고 걸었다. 하지만 자전거를 타고 우리 곁을 스치고 지나가는 덩치 큰 학생들을 볼 때면 자꾸만 슬퍼지는 것은 어쩔 수 없는 일이었다. 언니는 정말 누구보다도 멋진 사람이었으니까. 우리가 부천에서 서울로 이사해 난생처음 전학이라는 걸 하게 되었을 때, 나에게 기선 제압이 중요하다는 걸 알려준 사람도 언니였다. "너희들은 결국 다 나한테 빽갈 거야, 이런 마인드가 중요해." 당시 초등학교 6학년이던 언니는 진지한 어투로 그렇게 말했다. 긴장이 될 때는 지우개 같은 걸 주머니에 넣고 만지작거리다보면 괜찮아질 거라고도. "중요한 건 눈을 절대 내리깔지 않는 거야." 언니의 표정은 심각했다. "정수리를 보이는 순간, 끝이라고." 자기도 전학 같은 건 그때까지 해본 적도 없었으면서.

독일에서 나는 학교에 갈 때마다 지우개 대신 언니의 머리끈을 주머니에 넣고 다녔다. 검정색 고무줄 끝에 연노란색 털뭉치가 방울처럼 달린 머리끈이었다. 나는 그 머리끈을 주머니에 넣고 있다가 아무 말도 알아들을 수 없어 투명인간처럼 앉아 있는 것이 괴로워지면 고무찰흙 반죽하듯 손바닥 안에 넣고 만지작거렸다. 그러면 언니가 나와 함께 있는 것 같았고, 언니와 함께라면 위축될 이유가 없었으니까. 언니는 가끔 무서울 때도 있었지만 결정적인 순간엔 언제나 내 편을 들어주는 사람이었다.

나의 언니—언니의 이름은 이해리다—에 대해서 또 무얼 말할 수 있을까. 그즈음은 언니가 나의 삶에서 사라진 지 일 년이 조금 넘었을 때였는데 벌써 언니의 얼굴이 기억 속에서 점점 희미해져가 나는 무척 화가 나 있었다. 우리는 십일 년이나 같이 살았는데.

그래서 나는 독일에 올 때 가져온 언니의 증명사진을 일기장 속에 숨겨두고는 매일 밤 자기 전 한 번씩 꺼내 봤다. 학생증에 붙이려고 찍은 사진 속에서 어색한 단발머리를 한 채 웃고 있는 언니. 엄마는 언니를 임신했을 때 태교로 소피 마르소의 사진을 매일 보았다고 했는데, 그 탓인지 언니는 얼굴이 길쭉한 편이었고 눈동자 색이 연했다. 자연보호를 해야 한다며 샴푸 대신 폐식용유로 만든 빨랫비누로 머리를 감던 언니의 꿈은 환경운동가였다. 언니는 얼마나 똑똑했는지 나와 맨날 같이 놀아놓고는 혼자 전교 십등 안에 들어서 나를 혼나게 만들기도 했다. 게다가 생전 수업 같은 걸 땡땡이쳐본 적도 없고, 열이 나도 결석을 하지 않는 모범생이었다. 그래서 엄마는 사고가 난 그날 그 시각에 언니가 왜 학교에 있지 않고 길거리를 걷고 있었는지 도무지 이해하지를 못했다. "도대체 조퇴를 왜 하겠다고 하던가요?" 엄마는 언니의 담임에게 묻고 또 물었다. 담임은 안타까운 목소리로, "배가 아프다고 했어요"라고 반복해 말할 뿐이었다.

언니가 사라지고 난 후에도 언니의 물건들은 오랫동안 집에 그대로 있었다. 엄마와 아빠는 유품을 치울 마음을 좀처럼 먹지 못하는 것 같았지만, 시간이 흐를수록 나는 집에 돌아가보면 물건들이 모조리 사라져 있는 건 아닐까 두려운 마음이 들었다. 그래서 어느 날부터인가 나는 엄마 아빠의 눈을 피해 언니의 물건들을 나

와 해나가 쓰는 방으로 조금씩 옮겨오기 시작했다. 언니의 노트
들, 자물쇠가 달린 새 일기장, 색색의 형광펜, 스웨터, 목도리, 그
리고 무엇보다도 양말들을. 나는 엄마 아빠가 잠든 사이에 언니의
붙박이장 서랍에서 양말을 하루에 몇 켤레씩 꺼내서 내 방 서랍장
에 넣었다. 막 중학생이 되어 교복을 입던 언니의 양말은 대체로
교칙에 맞게 흰색이나 검정색이었지만, 서랍 속엔 연하늘색 줄무
늬나 베이지색 물방울무늬 양말도 섞여 있었다. 한밤중 언니의 방
에서 돌아와 이제는 세제 냄새도 사라져버린 그 양말들에 코를 대
어보면 희미하게 먼지 냄새 같은 것이 났다. 언니의 양말들은 생
각보다 작았고, 손을 넣어보면 부드러웠다. 처음에는 그냥 갖고만
있을 생각이었다. 엄마가 버리지 못하도록. 하지만 더이상 훔쳐올
양말이 남지 않게 되었을 즈음부터는 이따금씩 마음이 울적해지
면 언니의 양말을 꺼내 신어보기도 했다. 언니의 양말은 내 발에
꼭 맞았고, 너무 따뜻해서, 그것을 신고 거리를 걸으면 나는 언니
가 곁에 있는 것처럼 잠시 행복해졌다. 하지만 언니는 내 곁에 없
었고, 집에 가까워질 무렵이면 나는 양말이 언젠가 해질지도 모른
다는 생각에 금세 두려워졌다.

언니의 유품은 내가 우려했던 것처럼 하루아침에 증발해버리
지는 않았다. 하지만 우리 가족이 독일로 떠나기로 결정했을 때,
유품 중 상당수는 우리의 이삿짐 속에 포함되지 않았다. 언니의
사고가 있은 이후 달라진 것이 많았지만 그중 엄마가 나에 대해

가장 못마땅해했던 점은 내가 사람들의 눈치를 보고 별것도 아닌 일로 쉽게 움츠러든다는 것이었다. 그도 그럴 것이, 언니가 그해 겨울 온갖 신문의 1면에 동네 이름이 실리게 했던 가스 폭발 사고로 사망한 열두 명 중 한 명이란 것이 알려진 이후, 학교에서는 누구나 나를 보면 뒤에서 수군거렸다. "쟤가 걔래. 그 사고로 언니를 잃은 애." 그런 말을 떠올리면 나는 해나와 〈뽀로롱 꼬마 마녀〉나 〈바람돌이 소닉〉 같은 만화영화를 보며 하하하, 웃다가도 입을 다물어야 했다. 누구든 웃고 있는 나를 발견하면 어떻게 언니를 잃고도 그렇게 웃을 수 있냐고 다그칠 것 같았으니까. 너는 언니를 사랑하지 않았구나, 나에게 그렇게 비난하듯 말할 것만 같았으니까. 그건 엄마나 아빠도 마찬가지였겠지?

그러므로 엄마 아빠가 비가 내리던 어느 일요일, 저녁식사를 다 마쳤는데도 내게 자리에서 일어나지 말라고 하더니 "잘 들어. 엄마랑 너희들은 이제부터 아빠랑 잠깐 동안 따로 살 거야. 아빠는 부산에 가서 일할 거고, 엄마는 독일에 가서 신학을 공부하기로 했거든. 미안하다. 갑작스럽지? 너희는 이해 못할지도 모르지만, 엄마 아빠는 여기에서는 이대로 더이상 살 수가 없어"라고 말했을 때, 해나는 몰라도 나는 엄마 아빠의 마음을 이해할 수 있을 것만 같았다. 아무것도 모르면서 언제나 우리 엄마를 탓하길 좋아하던 작은아빠는 딸의 '몸값'으로 남편까지 내팽개쳐놓고 고고하게 유학을 떠난다며 엄마를 비난했지만, 그건 우스운 말이었다. 언니가 사라져버린 이후, 서로의 괴로움을 견디지 못하고 서로를 탓하며 매일같이 싸우던 엄마 아빠에게는 떨어져 있을 시간과, 어딜 가든 딸아이의 흔적이 떠오르고 누구를 만나도 딸을 잃은 부모로 기억되는 동네에서 멀리 떠날 계기가 필요했으리라는 걸 나는 이해하고 있었다. 언니를 잃은 이후 나는 가족 중 누구든 눈 깜짝할 사이 내 앞에서 없어져버릴지 모른다는 두려움에 항상 시달리고 있었고, 동시에 언제 사라져버리더라도 후회가 남지 않도록 무엇이든 다 해주고 싶은 마음 때문에 조바심을 느끼곤 했다. 살아 있는 게 내가 아니라 언니였다면 언니는 틀림없이 엄마 아빠를 기쁘게 해주었을 텐데. 그런 생각이 들면 참을 수 없이 괴로웠다. "좋아요." 나는 한국에서 사람들이 수군거리는 소리를 듣는 것만큼이나 낯선 나라로 가는 것이 싫었지만, 엄마 아빠를 위해 그렇게만 말했다. 다른 사람을 행복하게 해주기 위해서는 때로 체념이 필요했다.

*

전출 신청을 해 부산에 단신 부임한 아빠와 헤어져 엄마, 해나와 셋이 G시로 온 이후, 생활은 단조로웠다. 일찌감치 새로운 환경에 잘 적응한 동생과 달리 나는 새 학교 생활에 좀처럼 익숙해지지가 않았지만 엄마에게 걱정을 끼치고 싶지 않았기 때문에 아무런 문제도 없는 척을 했다. 유학을 결심한 이후부터 엄마는 나와 해나에게 독일어를 열심히 가르쳐주었지만 그 노력이 무색하게 나는 학교에 마련된 어학 수업을 제외하면 아무 말도 알아들을 수 없었고, 교실에 앉아 있으면 습관적으로 딴생각에 빠져들었다. 아직 잎도 움트지 않은 나무들이 즐비한 창밖을 바라보면 언니와의 추억이 끊임없이 떠올랐다. 금낭화와 백일홍이 자라던 외갓집 마당에서 언니와 내가 꽃잎을 따다가 장독대를 도마 삼아 소꿉장난을 하던 일이나, 〈후뢰시맨〉 비디오를 본 후 지구를 지키는 영웅 놀이를 하느라 정글짐에서 뛰어내려 다쳤던 일 같은 것들이.

엄마는 언니가 사고를 당한 이후 언제나 나와 동생의 귀가 시간을 체크했고, 어쩌다 피치 못한 이유로 하교 시간에 맞춰 우리를 기다리지 못할 때면 집으로 전화를 걸었다. 내 귀가가 조금만 늦어져도 엄마가 불안해하는 걸 알았기 때문에 나는 수업이 끝나면 옆길로 새지 않고 곧장 집으로 갔다. "친구들은 많이 사귀었니? 학교에선 별일 없었어?" 집에 도착하면 식탁에 앉아 독일어 공부를 하던 엄마가 안경을 벗으며 내게 물었다. "응, 응, 친구가 오늘은 두 명이나 생겼어." 나는 엄마를 안심시켜주기 위해서 거짓말을 했다. 그러면 엄마는 안심한 듯 나를 끌어안으며 말했다. "참 다행이구나."

리자, 야나, 리암. 그들은 내가 처음으로 사귄 독일 친구들이었다. 물론 상상 속에서. 호기심을 가지고 다가와 말을 걸어보다가 간단한 독일어만 더듬더듬 말하는 나를 시시하게 여기며 다시 멀어졌던 반 아이들 중에서 떠오르는 대로 엄마에게 친구라고 소개했던 아이들. 그 아이들과 나 사이엔 물론 아무런 접점이 없었다. 하지만 엄마에게 들려줄 거짓말을 사실적으로 만들기 위해선 디테일이 필요했고, 나는 그 아이들을 남몰래 관찰하기 시작했다. 야나가 왼손잡이라거나 리암이 수업시간에 책을 세워두고 그 뒤에서 콧구멍을 후벼댄다는 걸, 리자가 간식 시간에 마실 카프리썬을 늘 두 개씩 싸온다는 걸 알게 된 것은 모두 관찰의 결과였다. 오전 간식 시간에 나는 늘 혼자 샌드위치를 먹었지만, 엄마에게 들려주는 거짓말 속에서는 언제나 리자와 함께 먹었다. "목이 많이 메나보네. 너도 두 개 싸줄까?" 리자의 이야기를 들은 엄마는 걱정스러운 듯이 물었다. 그러고는 곧이어 수심에 찬 얼굴로 먼 곳을 응시했다. 아마도 오렌지주스를 유난히 좋아했던 언니 생각이 났던 것이리라. 나는 엄마에게 들려줄 에피소드로 주스 이야기를 택한 것을 이내 후회했다.

내가 친구들을 집에 데려오거나 친구네 집에 놀러가는 법이 없는데도 엄마가 내 거짓말들에 속아넘어갔던 것은 여전히 언니를 잃은 상심에서 완전히 벗어나지 못한 상태였기 때문이었을 것이다. 학위 과정을 시작할 준비를 하면서 낮에는 대학 부설 어학원에 다니고 가끔은 이모의 병원에 가서 일을 돕기도 하는 엄마는 겉으로는 괜찮아진 것처럼 보였다. 하지만 엄마는 기숙사나 어학

원에서 마주치는 한국인들과 어울리는 걸 경계했고 해나를 주재
원이나 유학생 자녀들과 사귈 수 있는 한글학교에 보내지 않았으
며 한인 교회에도 가지 않았다. 엄마가 독일에 온 지 얼마 안 된
한국인들과의 만남을 유난히 피하는 것은 언니를 잃은 사고 이야
기를 누군가 꺼내지 않을까 두려워하기 때문이라는 걸 나는 알고
있었다.

그 시절 나는 엄마에게 무척 많은 거짓말을 했지만 그것이 잘못
이라는 생각은 하지 않았다. 나는 엄마를 행복하게 하기 위해서는
무엇이든 할 수 있었고, 당시 내가 한 거짓말은 누구도 다치게 하
지 않는 것들이었으니까. 내가 거짓말을 하는 대상은 엄마만이 아
니었다. 나는 한국에 있는 아빠나 친구들에게 편지를 쓸 때도 늘
거짓말을 했다. "아빠, 부산은 어때요? 여기는 봄에도 비가 많이
와요. 엄마와 나는 아주 잘 지내고 있어요. 엄마는 이제 매일 적어
도 세 번씩은 웃어요. 나도 최소 다섯 번은 웃고 있고요." 내가 편
지를 주고받는 친구들은 서울에 살던 시절 알고 지내던 아이들이
아니라 초등학교 3학년 때까지 살았던 부천의 친구들이었다. 서
울에서 사귄 친구들 중 몇 명도 한두 번쯤 편지를 보내왔지만 나
는 누구에게도 답장을 쓰지 않았다. 그 친구들이 싫었던 것은 아
니다. 다만 그 아이들의 편지 속에는 언니를 잃은 나에 대한 걱정
이 넘쳐났고, 내겐 그런 편지에 답장할 말이 없었을 뿐이다.

대신 나는 한국에서 가져온 수첩을 뒤져서 부천에 살던 시절 친하게 지냈던 수정이와 호영이의 주소를 찾아냈다. 그 아이들은 내가 언니를 잃었다는 것도, 그 때문에 아빠와 헤어져 독일로 왔다는 것도 알지 못했기 때문에 나는 얼마든지 행복한 일상을 들려줄 수 있었다. "안녕, 오랜만이야. 나는 지금 독일에 살고 있어." 수정이나 호영이에게 보낸 편지 속에서 나는 엄마뿐 아니라 아빠, 언니와도 다 같이 살고 있었다. "안녕, 해미야. 오랜만이야. 이렇게 연락을 줘서 고마워. 그런데 네가 독일에 있다니 참 신기하다. 지구본에서 독일이 어디인지 찾아보았는데 정말 먼 나라구나." 수정이나 호영이가 아는 사람 중 외국에서 사는 사람은 나 말고는 아무도 없었다. "안녕, 해미야. 답장 고마워. 얼마 전에는 소풍을 갔어. 독일에도 소풍이 있니?" "안녕, 해미야. 잘 지내지? 오늘 네가 보내준 독일 엽서를 친구들에게 보여줬어. 그런데 정말 독일 애들은 머리가 금발이야? 눈이 파래?"

　나는 그 아이들에게도 리자와 야나, 리암의 이야기 같은 것들을 들려줬다. 학교에서 혼자 지내는 상황은 시간이 흘러도 나아지지 않았지만 나는 더이상 개의치 않았다. 나에게 문제가 되는 것은 거짓말을 거듭하면서 내가 무엇을 거짓으로 말했는지가 헷갈리기 시작한다는 사실뿐이었다. 결국 거짓말을 할 때 실수하지 않기 위해 모든 것을 적어두기로 했다. 나는 한국에서 가져온 짐 속에서 언니의 자물쇠 달린 일기장을 찾아냈고, 내가 해온 거짓말(리자가 간식 시간에 같이 먹자고 내 자리로 다가와서 함께 먹었는데 오이를 싫어한다고 해서 내가 오이만 대신 먹어줌)을 오른쪽 페이지에 파란색 펜으로, 거짓말을 하기 위해 필요한 관찰의 기록(리자: 고수머리의 여자아이. 내 대각선 앞 자리에 앉는다. 매일 오이를 넣은 샌드위치와 오렌지맛 카프리썬 두 개를 들고 옴)은 왼쪽 페이지에 빨간색 펜으로 적었다. 그러고 나서 자물쇠를 잠근 후 엄마에게 들키지 않도록 언제나 가방 속에 가지고 다녔다. 매일 밤 일기장에 그날의 기록을 한 후에는 열쇠를 책상 서랍 맨 아래 칸 가장 깊숙이 스카치테이프로 붙여두었다.

한 달 조금 넘게 지속된 내 거짓말을 알아챈 사람은 이모였다. 어느 토요일, 저녁식사를 마치고 모처럼 이모까지 불러 넷이서 산책을 하고 돌아오는 길에 이모가 불쑥 학교생활이 어떤지를 물었다. 나는 늘 엄마에게 그래왔듯이 상상 속의 친구들에 대해서 떠들었다. 이모는 아무런 말 없이 부드러운 눈으로 나를 바라보며 이야기를 끝까지 들었는데, 그 무렵 내 이야기를 그렇게 진지하게 들어주는 사람이 없었기 때문에 나는 이상하게도 울고 싶어졌다. 이모가 어느 대목에서 내 이야기가 거짓말이라는 걸 알아챘는지는 모르겠다. 이모는 독일에서의 삶에 대해 아주 잘 아니까 모든 걸 쉽게 간파했을지도 모른다. 하지만 내 이야기를 듣는 동안 이모는 나를 거짓말쟁이로 취급하지 않았고, 거짓말은 잘못된 것이라며 나무라지도 않았다. 다만 이모는 얼마 후 내게 진짜 친구를 소개해주었다. 그게 바로 나의 첫번째 독일인 친구, 레나였다.

레나를 처음 만난 것은 봄이 깊어진 어느 날, 오리 연못 가에서였다. 오리 연못은 한국으로 돌아온 후에도 아주 오랫동안, 가만히 눈을 감고 마음속의 환등기를 돌려볼 때마다 떠오르는 풍경이었다. 나의 기억 속에는 푸른 잔디와 높다란 나무들로 둘러싸인 초록빛 연못이 하나 있고, 이모와 나, 해나 그리고 엄마가 널따란 담요를 연못가 잔디에 깔아놓고 앉아 피크닉을 하고 있다. 이모의 병원 근처라 종종 찾아가던 그곳을, 나는 연못에 떠다니다 이따금씩 수면 위를 달리듯 날아오르며 퍼덕이던 오리들의 날갯짓 소리와 그럴 때마다 튀어오르던 물방울들의 반짝임으로 기억했다. 그리고 눈부신 풍경과 달리 자꾸만 가라앉던 그 시절의 마음으로도. 레나를 처음 만난 그날도 이모와 우리 가족―나는 당시 '우리 가족'이라는 단어를 사용할 때마다 죄책감을 느꼈다―은 연못가에서 피크닉을 하고 있었다. 그날은 평소와 달리 낯선 아이들이 우리와 함께 있었는데, 이모가 나에게 친구를 소개해주기 위해 내 또래의 아이들 몇을 일부러 초대한 것이었다.

"네 이름이 해미지?"

모르는 사람들과 함께 있는 것이 어색해 혼자 연못 가까이로 가 오리에게 빵조각을 던져주고 있을 때 누군가 말을 걸어왔다. 백인처럼 보이는 여자애였는데 그 아이가 내게 건넨 말은 분명 한국어

였기 때문에 나는 깜짝 놀랐다.

"해미 아니야?"

멜빵바지를 입은 그 여자아이가 내 옆에 쭈그리고 앉으며 물었다.

"어, 맞아."

"너 독일어를 잘 못한다며? 그러니까 앞으로 도움이 필요하면 말해."

레나는 나보다 한 살이 위라 우리 학교 근처의 중등학교에 다녔다. 레나가 한국어를 할 수 있었던 것은 엄마는 한국인이고 아빠는 독일인이기 때문이었다. 레나가 처음 내게 말을 건 것은 이모의 부탁이 있었기 때문이고, 내게 호의를 베풀었던 것은 엄마의 나라인 한국에서 온 또래의 아이를 처음 보았기 때문이었겠지만, 우리가 단짝이 된 것은 그 이유만은 아니었다. 지금 생각해보면 우리가 빠르게 친해졌던 것은 그 아이나 나나 그 시절엔 다른 아이들과 함께 있을 때 제대로 섞이지 못한다는 느낌을 지니고 있었기 때문은 아니었을까? 레나는 누구하고나 잘 어울렸고 언제나 사람들의 중심에 있는 것처럼 보였지만, 곧잘 외로워하고, 마음 깊은 곳에서는 스스로를 외톨이라고 느끼는 그런 아이였다.

레나와 친해진 이후부터 독일에서의 내 생활은 조금씩 변해갔다. 내 주변에는 상상 속의 친구들이 아니라 실제의 친구들이 조금씩 생겨나기 시작했다. 레나의 한국어 실력은 좋은 편이 아니었고 내 독일어 실력이 점차 나아지면서 우리도 독일어로 대화를 나누게 되었지만, 처음엔 레나가 다른 독일 아이들과 나 사이의 통역이 되어주었다. 학년이 달라 같이 할 수 있는 것이 많지 않았기 때문에 우리는 하교 시간이 같은 날엔 반드시 서로를 기다렸다가 같이 집으로 향했다. 숙제를 하다가 내가 독일어를 이해하는 데 애를 먹어 쩔쩔매고 있으면 레나가 도와주는 일도 많았다. 내가 사전을 찾아가며 작문 숙제를 하고 있으면, 진즉 숙제를 끝내놓은 레나는 재촉하는 법 없이 내 옆에서 조용히 청소년용으로 축약되어 나온 추리소설을 읽었다. 레나는 추리소설 마니아였고 아르센 뤼팽을 이상형으로 생각했는데, 그런 소설들을 읽기엔 내 독일어 실력이 형편없어서 나는 아르센 뤼팽이 얼마나 근사한 남자인지 알고 싶어 조바심이 났다. 볕이 좋은 날이면 우리는 각자의 집으로 돌아가기 전, 알록달록한 젤리를 사기 위해 터키인 아저씨가 운영하는 가판대에 들르곤 했다. 벤치에 앉아 젤리를 먹으며 이야기를 나누거나 구립도서관에 들러 책을 보는 것—레나는 물론 『바스커빌가의 개』나 『뤼팽과 홈스의 대결』 같은 소설을 읽고 나는 나의 어설픈 독일어로 읽을 수 있는 만화책을 주로 읽었다—이 언제부터인가 우리의 의식이 됐다. 학기말이 되었을 때, 진로심사위원회가 인문계 중등학교에 진학하고 싶다는 내 바람을 들어준 데는 한국에서의 내 성적뿐 아니라 몇 달 새 독일어가 부쩍 능숙해졌다는 사실이 영향을 미쳤을 것이다. 레나와 어울리면서 수업을 조금이나마 따라갈 수 있을 만큼 독일어 실력이 좋아졌으니까. 가을이 되어 우리가 같은 학교에 다니게 된 이후에는 일주일에 서너 번씩 빵집에서 베를리너라고 불리는 독일식 도넛을 사서 잔디밭을 찾았다. 그럴 때면 저 멀리에서 한 무리의 아이들이 축구 경기를 하고 있었고, 우리는 그것을 구경하거나 각자 풀밭에 엎드린 채 숙제를 했다.

우리가 친하게 지냈으므로 레나의 엄마와 우리 엄마도 자연스럽게 가까워졌다. 레나의 가족과 우리 가족(엄마, 해나, 이모, 그리고 나)은 잔디밭이 드넓게 펼쳐진 야외 수영장에 함께 가거나 아이스링크로 스케이트를 타러 갔다. 한 달에 한두 번씩 주말에 다 같이 저녁식사를 하기도 했는데 그러다보면 이모처럼 독일에서 수십 년을 산 다른 한국인 가족이 합류할 때도 있었다. 그렇게 많은 사람들이 모이는 건 대체로 한국 식료품을 잔뜩 산 다음날이었다. G시엔 한국 식품점이 따로 없었기 때문에 한국인들은 한 달에 한 번씩 프랑크푸르트에서 오는 트럭을 애타는 마음으로 기다렸다. 배추며 장, 젓갈 같은 것을 파는 그 트럭이 오는 날이면 엄마와 이모는 잊지 않고 나가 식재료를 샀다.

우리는 모이면 대부분 한식을 만들어 먹었지만 독일인 아버지들은 매운 것을 잘 먹지 못했기 때문에 엄마와 이모는 식탁 위에 아스파라거스 샐러드처럼 맵지 않은 음식들도 잊지 않고 준비해

두었다. 저녁식사를 마치고 나면 어른들이 맥주를 마시는 동안 나와 해나 그리고 레나를 비롯한 다른 아이들은 트럭에서 삼 마르크나 주고 사온 양파링이나 새우깡을 먹으면서 보드게임을 했다. 지금 생각해보면 이모의 친구들은 독일에서 나고 자란 그녀들의 아이들이 나와 해나와 교류하며 한국 문화에 조금 더 친숙해지길 바랐던 것 같다. 우리 엄마와 이모가 레나와의 교류를 통해 나와 해나의 독일어 실력이 향상되길 바랐던 것처럼. 하지만 그 당시의 나에게는 그런 계산 같은 건 없었다. 그 아이들과 있을 때면 나는 들어본 적 없는 낯선 나라에서 이주해온 이방인도, 언니를 사고로 잃은 아이도 아니었으니까. 그곳에서 나는 그저 온전한 나였고, 레나는 온전한 레나였으며, 우리는 온전한 우리였다. 그런 시간은 이모가 시장에서 떨이로 사온 무른 산딸기나 살구로 만들어주던 잼처럼 은은하고 달콤해서, 나는 너무 큰 행복은 옅은 슬픔과 닮았다는 걸 배웠다.

엄마도 그랬을까? 그 시절의 엄마는 영화 속 비련의 여주인공들이 그렇듯 유난히 아름답게 나의 기억 속에 남아 있다. 애수에 젖은 아름다움. 발목까지 내려오는 물방울무늬 원피스를 입은 채 이모의 팔짱을 끼고 녹음이 우거진 거리를 걷던 엄마가 기억난다. 한껏 들뜬 목소리로 "언니들은―" 하며 어리광을 부리던 엄마. 엄마는 이모뿐 아니라 레나의 엄마나, 이모와 친하게 지내서 우리 모임에 자주 합류하던 다른 아주머니들 모두를 '언니'라고 불렀다.

"너도 다들 이모라고 불러."

엄마가 그렇게 말했던 게 언제였던가? 그것은 기억나지 않지만 갑작스럽게 한꺼번에 많이 생겨버린 '이모'들 앞에서 쑥스러워 고개를 푹 숙이며 조그맣게 "이모"라고 부르자 이모들이 동시에 박수를 치며 좋아했던 건 생각이 난다.

어쩌다 맥주에 거나하게 취한 밤이면 마리아 이모─레나의 엄마인 그녀의 한국 이름은 최말숙이지만, 그녀는 언제나 자신을 마리아 이모라고 부르라고 했다─는 노래를 불렀다. "헤일 수 없이 수많은 밤을 내 가슴 도려내는 아픔에 겨워"로 시작하던 노래나 "미워하는 미워하는 미워하는 마음 없이 아낌없이 아낌없이 사랑을 주기만 할 때" 하던 노래. 화려한 얼굴에 〈로마의 휴일〉 속 오드리 헵번 같은 머리 스타일을 하고, 그 나이 또래의 다른 아주머니들과 달리 육감적인 몸매를 돋보이게 하는 홀터넥 블라우스나 가슴이 깊이 파인 원피스 같은 걸 입는 데 주저함이 없던 마리아 이모가 부르는 이미자나 심수봉 노래는 애절했다.

그리고 그런 밤 기숙사로 걸어 돌아가는 길에는 엄마 역시 무언가로 인해 달뜬 사람처럼, 벅차오른 감정을 주체할 수 없는 사람처럼, 졸린 눈을 끔벅이는 나와 해나를 끌어안고는 뽀뽀를 해달라고 졸랐다.

"엄마 취했어?"

"응, 취했어."

"엄마 술냄새 나."

해나는 술에 취한 엄마가 무서운지 엄마 품에서 벗어났다.

나 역시 술냄새를 좋아하진 않았지만 동생이 빠져나가고 나면 엄마는 나만을 더 꼭 끌어안았고, 그것이 너무 좋았으므로 나는 숨을 꾹 참았다. 그러면 엄마는 나의 뺨에 뜨거워진 입술을 비비고는 울 것 같은 목소리로 조그맣게 속삭였다.

"해미야, 너는 아무리 동생을 사랑하더라도 절대로 모든 걸 희생해선 안 돼."

*

독일에 있을 때 엄마가 술에만 취하면 그 말을 내게 반복했던 이유를 이해하기 위해서는 한국에 돌아오고도 한참의 시간이 더 흘러야 했다. 독일에서 우리 가족과 함께 어울렸던 이모의 친구들과 이모를 다른 한국 사람들이 부를 때 사용하던 '파독간호사'라는 말의 의미를 온전히 이해하게 되었을 때까지. 그 당시의 나는, 열여섯 살의 나이에 헤어졌던 이모와의 재회가 엄마에게 얼마나 애틋했을지는 충분히 헤아릴 수 있었지만—나도 언니와 어른이 되어 다시 만날 수 있다면 얼마나 좋을까!—이모의 영향을 받아 대학 전공까지 결정했던 엄마가 이모를 볼 때마다 느꼈을 복잡한 감정은 조금도 짐작할 수 없었다. 스물한 살부터 타향살이를 한 이모가 처음엔 간호조무사로, 나중엔 의사로 일하며 보내준 돈으로 대학을 나오고 결혼자금을 마련한 엄마가 품고 살았을 미안한 마음 같은 것에 대해서는.

'파독간호사'라는 단어를 생각하면 떠오르는 풍경이 있다. 암울했던 고등학교 교실. 엄마가 유학을 포기하고 한국으로 돌아온 지 벌써 삼 년이 더 지난 때였다. 수능이 끝난 직후였고, 곧 고3이 된다는 초조함 탓인지 교실에는 전에 없던 우울과 적막이 흘렀다. 나는 한국 고등학교의 경쟁적인 분위기에 여전히 잘 적응하지 못했고, 누군가 밟고 있기라도 한 것처럼 가슴이 항상 답답해 야간 자율학습을 하다가 석양이 지는 창밖을 내다볼 때가 많았다. 어느 오후, 말끝마다 '엉?'을 붙이고, 수업을 시작하기 전에 꼭 애국가를 4절까지 부르게 했던 육십대의 '윤리'가 요란한 소리를 내며 미닫이문을 열고 교실 안으로 들어왔다. 그리고 교과서 진도는 나가지 않고 뜬금없이 비디오테이프 하나를 반장에게 건넸다. 그건 독일로 파견된 간호사와 광부에 대한 다큐멘터리였다.

어느새 아이들은 다른 참고서를 꺼내놓고 자습을 시작하거나 책상 위에 엎드려 자기 시작했다. 그 아이들과 달리 내가 그 다큐멘터리를 끝까지 본 것은 물론 이모 때문이었다. 겨울의 초입이라 난방이 아직 제대로 되지 않은 탓에 더플코트를 어깨에 걸친 채로 봐야 했던 흑백 영상 속에서는 한 무리의 젊은 여성들이 프랑크푸르트공항에 착륙한 항공기에서 내리고 있었다. 긴 한복 치맛

자락을 밟기라도 할까봐 한 손으로 잡고서는 조심스럽게 낯선 땅을 향해 한 발씩을 내딛던 누군가나, 그림책에 나올 법한 흰색 모자와 앞치마를 착용한 채 링거 줄을 정리하고 환자의 체온을 재던 또다른 누군가의 얼굴을 나는 유심히 보았다. 그 사이에서 이모를 찾아내려는 듯이. 물론 이모는 다큐멘터리 어디에도 등장하지 않았다. "늬들 말이야, 엉? 누구 덕에 이렇게 호의호식하며 사는지 알고는 있냐, 엉? 윤리가 뭐냐, 엉? 민족과 국가를 위해 희생한 불쌍한 누이들을 잊지 않는 거, 엉? 그게 윤리고 애국이라 이거야, 엉?" 다큐멘터리가 끝난 후 '윤리'는 핏대를 세워가며 말했다. '애국'과 '희생' '불쌍한 누이'. '윤리'의 입에서 흘러나온 그런 단어들은 나를 한없이 이상한 기분에 빠져들게 했다. 마치 내가 알고 있는 사람이 눈앞에서 연기처럼 희미해지는 걸 볼 때처럼, 겨울 강 아래 얼어붙어 있는 파문을 볼 때처럼 아득해지는 그 감정의 이름을 나는 여전히 모른다.

*

우리가 독일에 처음 도착했던 2월 말엔 부슬비만 내렸는데, 다시 찾아온 그해 겨울에는 눈이 많이 왔다. G시치고는 이례적인 일이라고 사람들이 말했다. 거리마다 반짝이던 크리스마스 조명들. 인형으로 장식된 진열창들. 11월 말이 되자 거리는 온통 크리스마스를 맞이하기 위한 장식들로 화려해졌다. 성탄 카드에서나 보았던 그 풍경은 무척 아름다웠는데, 얼마나 아름다웠는지 나는 함께 하지 못하는 아빠와 언니가 그리웠고, 시도 때도 없이 눈물이 왈칵 쏟아질 것 같았다. 12월은 우리 가족에겐 언니를 빼앗아간 잔인한 달이었으니까. 하지만 나는 엄마가 울기를 원하지 않았고, 눈물이 쏟아지려 할 때마다 입을 앙다물었다. 언니가 세상을 떠난 그날이 되자 엄마는 나와 해나를 데리고 시내의 예배당에 갔다. 엄마가 언니를 위해 기도하는 걸 지켜보고 돌아오는 길에 본 크리스마스 마켓은 지나치게 환했고, 그래서 아빠의 목말을 타고 있는 꼬마나 서로의 손을 잡고 저만치 뛰어가는 여자아이들을 보는 내 안에서는 누군가를 원망하고 싶은 마음이 자꾸만 샘솟았다. 하지만 언니의 사고가 난 당시에 너무 어렸던 해나는 밤마다 불빛이 휘황한 거리를 산책하고 싶다고 엄마를 졸랐다. 그러면 엄마와 나는 해나를 위해서 사람들이 몰려 있는 흥성한 거리로 기꺼이 나갔다. 어디선가 풍겨오던 소시지나 치즈 냄새, 향신료 섞인 와인 냄새 같은 것들. 즐겁게 웃는 사람들과 호객하는 사람들의 외침을 들으며 한참을 걷다보면 코끝이 시려왔다. 그러면 우리는 가판대에서 파는 핫초코나 뜨거운 오렌지주스 같은 것을 사 마시면서 몸을 녹였고 행복해하는 동생의 얼굴을 보며 같이 웃었다.

그해 겨울, 이모는 우리를 위해 아주 커다란 전나무를 구해다가 거실 한구석에 세워놓았다.

"내가 트리를 산 건 독일에 온 지 이십 년이 넘도록 처음이구나."

그것은 플라스틱 트리가 아니라 정말 살아 있는 나무였기 때문에 천장에 닿을 것처럼 거대한 나무를 처음 보았을 때 해나는 "엄마 이거 진짜 나무야!" 소리를 지르며 자리에서 깡충깡충 뛰었다. 밤 산책을 할 때마다 크리스마스 마켓에 들러서 우리가 사 모았던 천사나 병정 모양의 목각인형들, 금빛으로 반짝이던 구슬들, 빨간 리본을 단 솔방울들. 나는 길거리 크리스마스 마켓의 요란한 즐거움은 그다지 좋아할 수 없었으나 우리가 매일같이 밤 산책을 마친 뒤 이모 집에 들러 장식들을 하나씩 더해가며 직접 꾸몄던 트리는 퍽 좋아했다. 스위치를 누르면 조명이 반짝이던 그 크리스마스트리는 우리에게 이제는 행복해질 일만 남았다고 부드럽고 다정한 목소리로 속삭여주는 것만 같았다.

크리스마스이브에는 파티를 하기 위해 일찌감치 이모의 집에 모였다. 이모는 독일식 크리스마스 식사를 우리에게 선보여주기 위해서 땀을 뻘뻘 흘리며 요리를 했다. 이모가 시키는 대로 엄마가 적양배추를 채 써는 사이 이모는 커다란 오리고기의 겉면에 소금과 후추를 발랐다. 생오리는 나도 해나도 태어나서 처음 보는 것이었다. 그것이 어쩌나 징그럽고 또 신기했는지 이모의 손놀림에서 좀처럼 눈을 뗄 수가 없었다. 맨손으로 능숙하게 생오리의 겉면을 쓱쓱 매만지던 이모가 다음으로 한 것은 뱃속을 사과로 채

워넣는 일이었다.

"엄마, 엄마! 이모가 오리 똥구멍에 사과를 쑤셔넣어!"

동생이 느닷없이 발음한 똥구멍이라는 단어 때문에 우리 모두 얼마나 많이 웃었던가.

오븐에서 익어가는 오리고기의 고소한 기름냄새가 집안을 가득 채우고, 우리는 식탁에 둘러앉았다.

"기도하자."

식탁 위에 불을 밝혀둔 긴 촛대 앞에서 엄마가 눈을 감았다. 어쨌든 크리스마스는 예수님의 생일이었으니까. 고등학생 때까지 교회를 다녔지만 스무 살 이후로는 교회 근처에 얼씬도 하지 않았던 엄마는 신을 통해서 언니의 죽음을 이해하고 무언가를 극복할 수 있을 거라고 믿는 것 같았다. 하지만 나는 신을 통해서는 아무것도 이해할 수도, 극복할 수도 없을 거라고 은밀히 생각하고 있었다. 신이 존재한다면 그렇게 잔혹한 방식으로 언니가 죽을 수는 없었다.

그리고 크리스마스 날 아침, 이모네 집에서 눈을 떴을 때 머리맡에는 선물이 놓여 있었다. 나는 오래전 이미 산타가 엄마라는 걸 언니에게 들어서 알고 있었지만, 어린 해나를 위해서 몇 해째 속아주고 있었다. 계속 갖고 싶다고 노래했던 바비 인형을 선물로 받은 해나는 아침부터 신이 나 있었다. 산타 역할을 한 엄마에게 내가 받은 선물은 미키 마우스가 그려진 실내용 슬리퍼였다. 미키 마우스라니! 그 외에 산타가 아닌 엄마와 동생이 준비한 선물도 있었지만—노란 털장갑과 색종이로 접어 만든 꽃다발이었다— 내가 그해 받은 선물 중에 가장 근사한 것은 이모가 준 선물이었다. 마리아 칼라스의 노래가 담긴 시디. 클래식 시디를 나는 그때까지 단 한 번도 선물로 받아본 적이 없었는데 그것은 마치 어른이 어른에게 주는 선물 같았기 때문에 미키 마우스 슬리퍼를 보며 시무룩했던 마음이 금세 풀렸다.

"마리아 칼라스가 누구예요?"

나는 시디에 적힌 글자를 읽으며 이모에게 물었다.

"그리스계 미국 이민자 출신의 성악가란다."

거실 소파에 잠옷 차림으로 앉아 있던 이모는 마리아 칼라스라는 오페라 가수에 대해서 몇 가지를 더 알려주었다. 나는 그녀가 천상의 목소리를 가진 세계적인 가수라는 사실보다는 뚱뚱한 외모와 내성적인 성격 때문에 스스로 사랑받지 못한다고 생각하는 어린 시절을 보냈다는 사실에 더 마음이 끌렸다.

집으로 돌아오자마자 침대에 걸터앉은 채 이모가 써준 카드를 다시 읽었다.

사랑하는 해미야,

이모는 사랑하는 사람을 잃고 울고 싶었을 때 마리아 칼라스가 부른 슈베르트의 〈아베마리아〉가 큰 위로가 되었어. 너에게도 울고 싶거나, 위로받고 싶은 날들이 있을 것 같아 이것을 선물한다. 메리 크리스마스. 새해에는 더 좋은 일이 가득하길 이모가 기도할게.

나는 책상 서랍을 열어 시디플레이어를 꺼냈다. 침대에 드러누운 뒤 이모가 알려준 슈베르트의 〈아베마리아〉를 찾아 플레이 버튼을 눌렀다. 낮게 시작하다가 점점 고조되는 목소리가 이어폰을 타고 들려왔다. 가사를 조금도 이해할 수 없었는데도, 곡을 끝까지 듣고 나자 이것이 누군가를 위한 기도일 거라는 확신이 들었다. 그렇지 않고는 이토록 슬프고도 아름다울 리가 없었으니까. 나는 정적 속에서 천장을 망연히 바라보다가 반복재생 버튼을 눌렀다.

언니를 잃은 직후에는 나에게도 기도할 것이 많았다. 언니가 다시 돌아오기를, 한 번이라도 언니를 다시 볼 수 있기를. 하지만 나는 언니를 두 번 다시 보지 못했다. 언니의 시신조차 나는 끝내 볼 수 없었으니까. 언니의 사인에 대해서도 아무도 내게 알려주지 않았다. 언니가 어떻게 죽었는지 너무 알고 싶어서 엄마 아빠 몰래 신문 기사를 훔쳐본 적이 있었다. 그 기사에는 "도로공원 옆을 지나다 가스 냄새가 난다고 생각한 순간 갑자기 '펑' 하는 폭발 소리가 들리더니 회오리바람이 몰려오면서 간판이 날아왔어요"라거나

"고막이 터질 듯한 굉음이 들리고 뜨거운 바람이 밀려들어 전쟁이 난 줄 알았어요", 혹은 "주민들이 언제나 가스 냄새 같은 게 난다고 그랬는데 어떻게……" 같은 생존자 인터뷰가 실려 있었지만 언니가 어떤 식으로 죽었는지에 대한 이야기는 전혀 없었다. 물론 당시에도 나는 어른들이 내게 아무런 이야기도 해주지 않는 이유가 나를 보호하기 위해서라는 것을 알고 있었다. 나는 어른들의 사정을 다 알았지만 어른들은 내가 아무것도 몰라서 오히려 너무 많은 상상을 멈출 수 없고 그래서 괴롭다는 사실을 결코 알지 못했다. 잠을 자면 시도 때도 없이 언니가 커다란 불길 속에서 고통스럽게 타들어가는 모습을 본다는 것을, 자다 깨서 새까만 천장을 보고 있노라면 언니를 다시 만나게 해줄 수 없다면 차라리 언니가 최대한 고통을 느끼지 않고 단숨에 죽었기를 신에게 빌게 되지만 이내 신 따위는 없다는 생각이 들어 숨을 쉴 수 없을 때가 있다는 것을 어른들은 몰랐다. 언니, 나는 시디를 듣고 또 듣다가 오랜만에 언니, 라는 단어를 입 밖으로 발음했다. 일주일만 지나면 해가 바뀌고 나는 언니와 동갑이 될 것이었다. 그리고 일 년 후부터는 내가 언니의 언니가 될 것이었다. 언니가 살아보지 못한 나이를 나 혼자 살게 된다는 사실을 견딜 수 없었지만 그 역시 엄마에게도 아빠에게도 물론 해나에게도 말할 수는 없었다. 그러므로 그 당시 나에게는 거짓말밖에는 할 것이 없었다.

2

해가 바뀌어 독일에서의 체류가 이 년 차에 접어든 이후부터는
시간이 빠르게 흘렀다. 독일 생활에 익숙해질수록 엄마에게 거짓
말을 해야 하는 사소한 일들은 줄어들었다. 하지만 그렇다고 내가
거짓말을 아예 끊은 것은 아니었다. 무엇보다도 나는 여전히 한국
에 편지를 보낼 때마다 거짓말을 했다. "엄마가 아빠를 그리워해
요" 같은 말들. 직장 상황 탓에 첫해 여름에 독일을 방문하는 데
실패했던 아빠는 7월이 되면 무슨 일이 있어도 우리를 보러 오겠다
고 했지만 나는 이렇게 오래 떨어져 살다가는 엄마 아빠가 이혼하
게 되지 않을까 두려웠고, 엄마가 길거리에서 독일 남자와 이야기
하다 미소를 짓기만 해도 신경이 쓰였다.
　한번은 배관이 막혀 배관공 아저씨가 우리집에 온 적이 있었다.

키가 크고 팔뚝이 내 허벅지보다도 굵은 아저씨였는데 내가 봐도 잘생겼고, 엄마와 나란히 서면 둘은 썩 잘 어울리는 한 쌍처럼 보였다. 그날 아침 엄마는 파자마 위에 샤워 가운을 입은 채로 아저씨 앞에 서 있었다. 이유는 모르겠지만 엄마가 그런 차림새로 낯선 남자 앞에 서 있는 것이 나는 여간 신경 쓰이는 게 아니었다. 게다가 아저씨가 땀을 닦으며 화장실 밖으로 나오자 엄마는 레모네이드가 담긴 유리잔을 아저씨에게 건네며 웃기까지 했다. 그것도 핑크 레모네이드를! 엄마는 아빠가 이제 싫어진 걸까? 나는 하는 수 없이 엄마가 잠깐 부엌으로 간 사이 아저씨에게 다가가 "아빠가 출장을 가지만 않았어도 아저씨를 부를 필요가 없었을 텐데 하필 아빠가 오늘 급히 베를린에 갔지 뭐예요"라고 말해야만 했다. 해나는 내가 우리 가족을 위해 얼마나 애를 쓰는지는 알지도 못한 채 아침부터 디즈니 만화영화만 볼 뿐이었다.

거짓말을 하는 빈도수는 줄어들었지만 그런 이유로 나는 비밀 노트를 들고 다니지 않을 수가 없었다. 완벽한 거짓말을 위해선 무엇보다 철저한 통제와 검토에 기반한 일관성이 중요했으니까. 그런데 내가 어디에나 노트를 들고 다니며 무언가를 적다보니 엄마는 언젠가부터 내가 작가가 되고 싶어한다고 철석같이 믿기 시작했다. 그리고 엄마가 그런 확신을 다른 사람들 앞에서 처음으로 말한 것은 이상 고온 탓에 예외적으로 늦봄처럼 따뜻했던 3월 초의 어느 날이었다.

"작가가 될 거라고? 참 근사하구나."

그때 나와 해나, 엄마는 이모, 마리아 이모와 함께 분수가 있는 광장에서 젤라토를 사 먹고 있었다. 작가가 되려고 한다는 말에 근사하다고 답한 사람은 챙이 넓은 모자를 쓰고 있던 마리아 이모였다. 사실 나는 작가 따위엔 관심도 없었고, 그때까지 미래에 무엇이 되고 싶은지 제대로 생각해본 적조차 없었다. 하지만 그날 오후 내 장래 희망에 대해 이모들에게 말하는 엄마의 얼굴이 기뻐 보여서 나는 그렇다고 말하며 고개를 끄덕였다. '내 꿈은 작가가 되는 것.' 나는 젤라토를 한 스푼 떠서 입에 얼른 넣은 후 노트를 펴고 어른들의 눈을 피해 오른쪽에 파란 글씨로 그렇게 적었다.

"언제부터 작가가 꿈이었던 거니?"

"『어린 왕자』를 읽고 나서부터요."

나는 노트를 펴고 또다시 '『어린 왕자』를 읽고 나서부터 꿈꾸기 시작'이라고 적었다.

"해미야, 너 작가가 되고 싶었어?"

며칠 후 우리가 기숙사 앞 공원에서 만났을 때 레나는 벤치에 자리를 잡자마자 대뜸 나를 보며 물었다.

"응? 응."

그 이야기가 레나의 귀에까지 들어갔구나, 하고 잠깐 귀찮게 되었다는 생각을 했지만 프로 거짓말쟁이답게 담담히 고개를 끄덕였다. 그러자 레나가 눈을 반짝이며 말했다.

"진작 얘기하지. 아무튼 마침 잘됐다. 네 도움이 필요해!"

"도움?"

"응, 너한테 소개해줄 사람이 있어."

"소개를 해준다고?"

나는 바보처럼 레나가 한 말들을 따라 했다. 한수. 레나가 나에게 소개해주고 싶다고 한 그 아이의 이름은 한수였다.

레나는 몰랐지만 사실 나는 한수를 이미 몇 차례 본 적이 있었다. 한수의 어머니가 레나의 어머니나 우리 이모처럼 G시에 정착해 사는 파독간호조무사 출신으로 지난 일 년 동안 내가 이모의 집에 들락거리며 만났던 여러 이모들 중 한 사람이었기 때문이다. 하지만 나는 레나가 정식으로 소개해주기 전까지 한수와는 제대로 말을 섞어본 적도 없었다. 그것은 아마도 한수가 남자아이이기 때문이기도 했겠지만—그즈음 또래 남자아이들이 내 옆을 지날 때마다 브래지어 끈을 만져보려고 등을 쓸고 가는 일이 많았기 때문에 나는 또래 남자아이들에 대한 거부감을 지니고 있었다—그보다는 여느 이모들과 달리, 한수의 어머니인 선자 이모가 다른 가족과 함께 어울리는 자리에 잘 참석하지 않았기 때문이었다.

한수와 약속을 잡고 만나기 전, 선자 이모와 한수를 묘사하는 레나의 이야기를 듣고는 "아, 누군지 알 것 같아. 두어 번 정도밖에 못 봐서 잘 기억나진 않지만" 하고 내가 말했을 때, 레나는 알 만하다는 듯이 고개를 끄덕이며 말했다. "선자 이모는 바빠서." 선자 이모가 늘 바빴던 건 마리아 이모나 우리 이모 집에 찾아오는 몇몇 이모들과 달리 그때까지 시립병원에서 현역으로 일했기 때문이었다.

그 주 토요일, 나와 레나, 그리고 한수는 시내에 있는 패스트푸드점에서 처음으로 만났다. 약속 시간보다 오 분쯤 늦게 나타난 한수는 내가 기억하는 것보다 키가 더 작았고 나보다 한 살이 많다는 사실이 의심스러울 정도로 어려 보였다. 한수는 외모만 봐서는 한국어를 유창하게 잘할 것만 같은 인상을 풍겼다. 외꺼풀의 눈에 낮은 코, 검은 머리카락. 그 아이의 얼굴엔 혼혈의 흔적이 조금도 엿보이지 않았으니까. 나중에 알게 될 터였지만, 그것은 한수의 엄마뿐 아니라 아빠까지 한국인이기 때문이었다. 하지만 한수는 가까스로 일상어 수준의 한국어를 알아들을 뿐 레나보다도 어휘가 부족했고, 발음 또한 좋지 않았다.

"얘가 전에 말한 한국에서 온 애야."

한수가 우리가 앉은 테이블의 맞은편에 앉자 레나는 나를 한수에게 독일어로 소개하며 그렇게 말했다.

"글을 아주 잘 써. 작가가 될 거거든."

작가가 될 거라는 말은 내가 내뱉은 말이니 그렇다 치지만 글을 잘 쓰진 않았기 때문에 나는 레나의 말에 살짝 당황했다. 하지만 나의 당혹스러움을 레나도 한수도 눈치채지 못한 것 같았다. 레나는 이번에는 나를 돌아보며 역시 독일어로 말했다.

"그리고 얘가 한수. 저번에 말했지?"

나는 레나로부터 전해들은 몇 가지 이야기를 떠올리며 고개를 끄덕였다. 레나가 나에게 해준 이야기의 핵심은 한글로 글을 대신 써줄 사람을 찾고 있다는 것이었다.

"원래는 나한테 부탁했는데, 나는 한국어로 말을 할 수는 있지만 글은 잘 못 써서."

말을 마친 레나가 빨대로 요란한 소리를 내며 콜라를 들이마셨다.

"무슨 글을 써야 하는 건데?"

내가 묻자 레나는 그건 직접 말하라는 듯이 한수를 쳐다보았다. 나보다 더 낯을 가리는 건지 억지로 끌려온 사람처럼 눈도 잘 마주치지 않던 한수가 어깨를 으쓱하더니, 내 쪽으로 의자를 당겨 앉고는 속삭이듯 말했다.

"나는 엄마가 지금도 잊지 못하는 첫사랑에게 엄마를 만나러 오라고 편지를 보낼 거야. 그 편지를 써줄 사람이 필요해."

"선자 이모의 첫사랑이라니. 그 사람이 한국 사람이야?"

"응."

"그럼 너희 엄마한테 직접 쓰시라고 하면 되잖아."

내가 그렇게 묻자 한수는 입을 다물었다.

"한수는 엄마를 깜짝 놀라게 해주고 싶어서 그러는 거야."

레나가 얼른 끼어들었다.

"좋아. 편지 정도라면 얼마든지 써줄 수 있지. 근데 왜 놀라게 해주려는 건데? 선자 이모 생일 선물이야?"

나의 질문에 한수가 아무 말 없이 미간을 찌푸렸다. 꼬맹이처럼 보이는 주제에, 인상을 쓰자 생긴 미간의 주름은 꼭 심통난 어른의 것처럼 보였다.

"아니야."

"그러면?"

한수가 모든 걸 속시원히 말하지 않아 나는 점점 대화에 흥미를 잃어갔다.

"알았어, 처음부터 이야기를 할게."

한수가 한숨을 내쉬더니 다시 입을 열었다.

"우리 엄마에게 게히른투모어가 있대."

나는 한수가 말한 문장에서 '게히른투모어'라는 단어를 이해하지 못해 레나를 쳐다보았다. 레나도 그 말은 한국어로 알지 못하는지 한참 고민한 끝에 찝찝한 얼굴로 통역했다.

"머리가 아프다고."

나는 집에 가서 사전을 찾아봐야지 하고 생각하며 가방에서 펜과 노트를 꺼냈다. 레나가 불러주는 대로 노트 한 귀퉁이에 스펠링을 적고 있는데 한수가 웅얼거리는 듯한 목소리로 말했다.

"엄마가 기억을 다 잃어버리거나 세상에서 없어져버리기 전에,

나는 엄마가 보고 싶어하는 사람을 찾아주려는 거야."

Gehirntumor (남성형 명사)
1. 뇌종양

우리가 두번째로 만난 것은 부활절 방학이 시작되기 한 주 전
으로, 레나의 집에서였다. 나는 유치원 때를 제외하고 남자아이와
같은 방에서 논 적이 없어서 셋이서 레나의 방에 있는 것이 다소
어색했다. 한수는 두번째 만남이라 낯을 덜 가리게 된 것인지 처
음 만났을 때보다는 편해 보였다. 간식으로 먹으라며 초코칩 쿠키
가 든 접시를 들고 레나 방에 들어온 마리아 이모가 한수를 보고
"너희 엄마 몸은 좀 어떠니?"라고 물었을 때만 빼고. "괜찮아요"
라고 독일어로 말하는 한수의 눈빛이 조금 슬퍼 보여서 나는 얼른
고개를 돌리고 다디단 초코칩 쿠키를 우적우적 베어 물었다.

한수가 불러주는 내용을 내가 그럴듯한 한국어로 써주기만 하
면 되는 건 줄 알았는데 그렇게 간단한 일이 아니라는 사실이 두
번째 만남 만에 드러났다. 한수의 부탁을 들어주는 일―그러니까
선자 이모의 첫사랑에게 편지를 쓰는 일―이 생각만큼 쉽지 않은
가장 결정적인 이유는 한수가 그 사람이 누구인지를 모른다는 것
이었다.

"모른다니? 대체 그게 무슨 말이야?"

"말 그대로야. 그 사람이 누구인지를 이제부터 알아내야 해."

우리는 그날 대낮에 만나 해가 질 때까지 이야기를 나눴다. 한수의 목소리는 조용조용했고, R에르가 들어간 단어를 발음할 때마다 유난히 바람소리가 많이 났다. 그날 나는 한수가 선자 이모와 어떤 한국인 아저씨 사이에서 태어났다는 걸 알게 됐다. 아저씨는 독일로 일하러 온 광부 출신이었고, 독일에서 선자 이모와 만나 결혼했지만 몇 년 전 이혼을 해서 같이 살지 않았다. 한수에게는 누나가 한 명 있었는데, 한수는 독일어로 말하면서도 누나에 대해 이야기할 때면 꼬박꼬박 한국어로 "누나"라고 했다. 한국어 'ㄴ'과는 다른 N, 'ㅜ' 'ㅏ'와는 다른 U와 A로 이루어진 그 "누나"라는 발음을 독일어 문장 속에서 들을 때면 나는 어쩐지 조금 쓸쓸해졌다.

한수는 여느 남자아이들과 여러모로 달랐다. 처음엔 내가 싫어서 그러는 게 아닌가 싶었던 행동들이 사실은 수줍음 많은 성격에서 비롯된 것이라는 걸 한수와 대화를 나누는 몇 시간 사이에 이해하게 됐다. 낯선 사람과 말하는 걸 어려워하는 편인 듯했는데도 한수는 나에게 자신이 원하는 걸 설명하기 위해 열심히 노력했다. 한수는 선자 이모가 병에 걸린 것이 자기 아빠 탓이라고 생각하는 것 같았고—이혼하기 전 엄마와 아빠가 싸웠던 날들의 몇 장면을 한수는 줄곧 기억하고 있었다—가족을 두고 한국으로 가버린 아빠를 원망했다. 그 탓인지 한수는 아빠에게 충분히 사랑받지 못한 엄마에 대한 안쓰러운 마음을 가지고 있었는데—물론 한수가 '안

쓰럽다'라는 형용사를 써서 자신의 감정을 설명한 것은 아니고, 내가 그렇게 생각한 것이다─그래서 엄마가 기억을 잃어버리거나 세상에서 없어져버리기 전에 첫사랑을 만나게 해주고 싶다고 생각하게 된 듯했다.

"그런데 그게 누군지 모른다며."

"응. 엄마가 한국에 돌아가면 꼭 한번 다시 만나고 싶은 첫사랑이 있다고 예전부터 말했는데, 그게 누구인지는 말해주지 않았거든."

"그럼 엄마한테 그게 누구냐고 물어보면 되잖아."

"벌써 물어봤지. 그렇지만 절대 말을 안 해주는걸?"

"하지만 그러면 우리가 그 사람한테 어떻게 편지를 쓴단 말이야?"

나는 사정은 이해하지만 딱하다는 투로 말했다. 그 순간, 그때까지 침대에 비스듬히 누워서 이야기를 듣고 있던 레나가 벌떡 몸을 일으키며 말했다.

"간단해. 우리가 그 사람이 누구인지를 밝혀내면 돼."

"우리가 무슨 수로?"

나는 황당하다는 얼굴로 레나와 한수를 쳐다봤다.

"그 사람이 누구인지 알아낼 단서가 선자 이모 주변에 분명히 있을 거야."

레나가 의기양양하게 말을 이었다.

"걱정 마. 이런 날을 위해 내가 추리소설을 그렇게 열심히 읽었던 거니까. 단서는 언제나 가까운 데 있고, 그걸 놓치지만 않으면 탐정은 무엇이든 찾아낼 수 있어."

부활절 방학이 시작되고 사람들은 대부분 휴가를 떠났다. 레나네는 마요르카에 간다고 했다. 나와 엄마, 해나, 그리고 이모는 집에 남았다. 지난 학기부터 전공 수업을 듣게 되어 집에서도 공부에 여념이 없던 엄마는 거실에 놓인 작은 원목 책상 앞에 앉아 두꺼운 책을 읽었다. 나는 해나가 열어놓은 발코니 쪽 창문으로 밖을 내다보며 소파에 드러누워 있었고, 해나는 발코니에서 엄마가 만들어준 비눗물로 방울을 만들어 바깥으로 날렸다. "엄마, 오늘은 점심 뭐 해먹을 거야?" 엄마는 안경을 낀 채 책 속에 파묻혀 있느라 나의 질문을 듣지 못한 것 같았다. 엄마가 그즈음 읽던 건 '개굴개굴'을 연상시키는 우스꽝스러운 이름을 가진 사람—지금 생각해보면 키르케고르가 아니었을까—이 쓴 책이었다.

나는 엄마가 미간을 찌푸리고 사전을 찾는 모습을 잠시 바라보다가 우리처럼 휴가를 가지 않은 사람들이 누가 더 있을까를 생각했다. 아래층에 사는 인도인 학생 부부와 터키인 가족은 떠났을까? 한수와 그의 누나, 그리고 선자 이모는 이곳에 남아 있었다. 선자 이모는 몇 년 전에 받은 수술의 경과가 좋아서, 약간의 후유증이 남았을 뿐 겉으로 보기엔 멀쩡히 생활한다고 했다. 하지만 어른들의 대화를 몰래 훔쳐 들은 한수의 누나가 그 병은 언제고 재발할 수 있다는 이야기를 전해주었고, 한수는 엄마가 또다시 병원에 실려갈 수 있다는 생각에 두려워했다. "엄마의 종양이 다시 커지기 전에." 특유의 조용하고 다소 우울한 말투로, 하지만 힘을 주어 말하던 한수의 얼굴이 떠올랐다.

레나와 한수는 부활절 방학이 끝날 때까지 그들의 프로젝트에 함께할 것인지 정해달라고 말했지만, 그 당시의 솔직한 심정을 말하자면 나는 회의적이었다. 나는 레나가 좋았고, 내가 그 아이를 좋아하는 만큼 레나도 나를 좋아해주길 바랐다. 게다가 낯선 나라에 온 이래 중심에 들어가지 못하고 늘 겉돈다고 느끼던 나에게 무언가를 같이 하자는 친구들의 제안은 거절하기 어려울 만큼 달콤했다. 하지만 레나의 말처럼 선자 이모의 첫사랑을 쉽게 찾을 수 있을 거라고는 도무지 생각할 수가 없었다. 일단 한국은 그 아이들이 생각하는 것보다 훨씬 큰 나라고, 무엇보다도 누군가가 작정하고 마음속에 품은 비밀은 아무리 가까운 사이여도 알 수 없다는 걸 나는 언니의 죽음을 통해 알고 있었다. 만일 찾는다 해도, 주소는 어떻게 확인한단 말인가? 그 사람이 이미 유부남이라면? 그래서 부인이 먼저 편지를 읽어버린다면? 그 사람이 아직 살아 있을 거라고는 어떻게 확신할 수 있지? 사람 목숨이라는 건 짧은 찰나에도 쉽게 사그라져버리는 것이었다. "엄마, 배고파." 그런 생각에 잠겨 있는데 해나가 거실로 들어와 엄마를 끌어안았다. 그러고 보니 아랫집 인도인 부부가 커리를 끓이는지 매콤한 향신료 냄새가 열어둔 창문을 타고 올라오고 있었다. 내 말은 듣지도 못하고 책만 읽던 엄마가 해나의 말에 책을 덮고 안경을 벗었다. "점심 먹을까?" 엄마는 그렇게 대답하며 해나를 끌어안았다.

다음날 이모가 나를 찾아 우리 기숙사로 왔다. 나에게 자전거 타는 법을 가르쳐주기 위해서였다. G시에서는 대부분의 사람들이 자전거를 탔다. 버스 말고는 다른 대중교통 수단이 없는 작은 도시라 그런가보다 했는데, 이곳에서 지내며 G시뿐 아니라 어디에서나 독일인들은 자전거를 즐겨 탄다는 사실을 알게 되었다. 마치 G시에서 자전거를 타지 못하는 사람은 나와 엄마, 해나뿐인 것 같았다. 내색은 별로 하지 않았지만 이곳에 살면서 자전거를 탈 줄 모른다는 건 여간 불편한 일이 아니었다. 이번에도 나의 고충을 먼저 눈치채준 사람은 이모였다. 이모가 그런 사람이었기 때문이겠지만 나는 이모와 함께하는 둘만의 시간이 무척 좋았다. 이모는 때때로 엄마와 해나는 빼놓고 나만을 이모의 집이나 병원으로 불러내거나, 전시회장과 영화관에 데리고 가곤 했다. 늦은 나이에 낯선 언어로 공부하느라 시간에 쫓겼던 엄마는 아직 어린 막내딸을 돌보는 일만으로 벅찼을 것이고, 나는 시간이 갈수록 엄마에게 내 속마음을 말하기가 더욱 어려워졌다. 나는 엄마가 행복해지길 바랐으니까. 하지만 이모와 함께 있으면 조금 더 자유로울 수 있었다. 나를 바라보는 이모의 눈빛에는 따뜻한 애정이 담겨 있었고, 그 눈빛 앞에서는 아직 언니가 살아 있고 막내가 태어나기 전의 날들처럼 한없이 어리광을 부리고 싶어지곤 했다.

우리 기숙사 앞까지 자전거를 타고 온 이모는 커다란 챙이 달린 밀짚모자—대체 그런 건 어디서 구한 걸까!—를 쓰고 있었다. 이모의 두 뺨은 빨갛게 상기되어 있고 콧잔등에는 땀방울이 맺혀 있었다. 자전거를 끌고 걷던 우리가 기숙사 뒤편의 공터에 이르자 이모는 시범 삼아 자전거를 타고 크게 한 바퀴 원을 그리며 공터를 돌았다. 민트색 자전거는 이모가 이끄는 대로 매끄럽게 나아갔다. 페달을 밟는 이모의 단발머리가 흩날렸다. 이모의 피부는 적당히 그을려 건강해 보였고, 소매를 걷어 드러난 마른 팔뚝은 탄탄했다. 청바지를 입고 있어서 그런지 자전거를 타는 이모는 평소보다 더 싱그러워 보였다. "이렇게 타는 거야. 알았지?" 이모가 나를 지나쳐 다시 멀어지면서 큰 소리로 말했다.

나는 이모가 자전거를 잡아주는 동안은 비틀거리며 앞으로 나아가다가 이모가 손을 놓는 순간 넘어지기를 반복했다. 커서도 마찬가지였지만 그때도 나는 운동신경이 형편없었다. 하지만 이모는 포기하지 않았다. "한 번만 더!" 나는 진즉 그만두고 싶었지만 이모는 지치지도 않고 계속해서 내 뒤를 달렸다. 넘어져 손바닥이 까졌고 무섭다고 소리를 하도 지르는 바람에 목도 아팠다. 이모 도움 없이 스스로 페달을 밟으며 앞으로 나아가게 된 순간은 세

시간 만에 찾아왔다. 아직 언덕을 오르내릴 수는 없었지만 넘어지지 않고 앞으로 나아가고 멈출 수 있다는 것만으로도 커다란 성과였다. 이모가 기쁜 얼굴로 내게 다가왔다.

"자전거 타게 된 기념으로 이모가 해줬으면 하는 거 있어?"

그래서 우리는 자축하기 위해 단골 젤라토 가게로 갔다. 각자 피스타치오맛 아이스크림과 레몬맛 아이스크림을 사서 차양도 없는 테라스 자리에 앉아 거리의 사람들을 구경했다.

"그래도 오늘 고생한 보람이 있어서 다행이네."

이모가 나를 보고 웃어서 나도 따라 웃었다. 아직은 아니지만 머지않아 레나 뒤를 자전거로 좇을 수 있을 거였고 그렇게 생각하니 기분이 좋아졌다. 하지만 한수랑 하려는 일이 소용없는 짓일 게 뻔하다고 말해버려도 레나는 계속 나와 친구를 해줄까? 기분이 좋아지자마자 그런 생각이 떠올랐다. 바보 같은 한수 때문에 우리의 관계가 틀어질지도 모른다고 생각하면 괴로워졌다. '엄마가 기억을 잃어버리거나 세상에서 없어져버리기 전에.' 한수의 말을 떠올리자 자연스럽게 언니 생각이 났다. 세상에서 없어져버린 사람이란 나에게는 언니를 가리키는 말이었으니까. 큰 병을 앓은 엄마를 잃을까봐 슬퍼하는 한수 몰래 이런 생각을 해서 죄책감이 일었지만, 어쩔 수 없이 한수에게 조금 질투가 났다. 사랑하는 사람이 곧 세상에서 없어져버린다는 걸 미리 알고 그 사람을 위해 무언가를 해줄 수 있다는 건 얼마나 좋은 일일까. 언니가 그 겨울 예고 없이 내 인생에서 사라져버릴 것을 알았더라면. 그랬다면 나는 언니의 티셔츠를 훔쳐 입고 소풍을 가지도 않았을 것이고, 언니가 싫어하는 걸 알면서 일부러 언니를 이름으로 부르지도 않았을 것이고, 엄마가 언니에게 시킨 심부름을 내게 떠넘겨도 짜증을 내지 않고 다 해주었을 것이다. 나에게는 언니를 위해 무언가를 해줄 수 있는 기회가 더이상 없는데 한수에게는 남아 있다는 사실에 불쑥 화가 났다. 너무 불공평해. 불현듯 나는 줄곧 내가 그렇게 생각해왔다는 걸 깨달았다. 그리고 그런 생각을 하자 한없이 서글퍼졌다. 열네 살에 세상이 불공평하다는 걸 알아버렸기 때문만은 아니었다. 다른 사람은 나처럼 고통스럽지 않길 바라는 대신 다른 사람도 적어도 나만큼은 고통스러웠으면 하고 바라는 그런 인간이 나라는 걸 알아버렸기 때문에. 그건 내가 처음으로 또렷하게 마주한 내 안의 악의였다.

"이모, 소용없는 줄 알면서도 뭔가를 하려는 바보 같은 마음은 대체 왜 생기는 걸까요?"

나는 내 하얀 운동화 위로 녹아서 떨어진 아이스크림을 시무룩이 바라보다가 이모에게 물었다. 이모는 잠시 고민하는 듯하더니 이내 진지한 표정으로 말했다.

"간절하니까 그런 게 아닐까?"

"간절하니까?"

"응."

그리고 이모는 말했다.

"만약에 네가 무인도에 혼자 갇혀 있다고 생각해봐. 밤이 되었는데 저멀리 수평선 가까이에서 불빛이 보이고. 그러면 너는 너무 멀어서 네가 보이지 않을 거란 걸 알면서도, 무언가를 하지 않을까? 단 하나밖에 없는 성냥이라도 그어서 신호를 보내려고 하겠지. 간절하다는 건 그런 거니까."

지금 생각해보면 이모의 그 말 때문이었던 것 같다. 내가 며칠 후 한수와 마요르카에서 돌아온 레나를 세번째로 만난 오리 연못에서 "나도 할게"라고 말한 까닭은. 소용없는 짓인 줄 알면서도 하고 마는 그 바보 같은 마음이 간절함이란 말을 들은 이상 그때의 나는 외면할 수 없었을 것이다. 간절한 마음이라면 나 역시 이미 너무도 잘 알고 있었기 때문에. 그리고 어쩌면 그때 나는 증명하고 싶었는지도 모르겠다. 그러니까, 세상이 점점 더 나빠지고 있고 나 역시 앞으로 점점 더 나빠지리란 걸 덜컥 예감해버렸지만, 아직은 내게 그러한 흐름에 저항할 수 있는 힘이 있다는 걸 말이다.

"잘 생각했어."

연못을 등진 채 웃으며 말하는 레나의 금빛 머리카락이 햇살에 반짝였다. 무언가를 찾는지 물속에 머리를 처박고 있던 오리 세 마리가 날아오를 듯 날갯짓을 했고, 과묵하기만 하던 한수의 얼굴이 누군가 불을 붙인 초처럼 일순 밝아졌다.

*

　내가 우재에게 독일에서 보낸 시절에 대해 들려주기 시작한 것은 의도한 일은 아니었다. 우재와 나는 안드레 케르테스의 사진전에서 재회한 이후 이따금씩 연락을 주고받는 사이가 되었는데, 처음에는 '뭐하냐?' '뭐하긴, 그냥 있지' 같은 시답지 않은 메시지 정도였지만, 얼마간 시간이 지나자 동네 단골 식당에서 저녁식사로 꼬치구이와 온면을 사 먹고 집으로 돌아오는 길이나, 자정이 가까운 시간 캔맥주를 사러 편의점에 가는 길에 자연스럽게 전화를 걸어 그날 있었던 크고 작은 이야기를 나눌 수 있게 됐다. 주로 말을 하는 쪽은 우재였는데, 왜냐하면 제주로 내려가 약국을 개업한 우재 쪽이 퇴사 후 대학 선배가 주선해준 논술학원 첨삭 아르바이트나 하며 백수로 지내는 나보다는 훨씬 더 다이내믹한 날들을 보냈기 때문이었다.

　"약국 여는 데 그렇게 해야 할 일이 많을 거라곤 상상도 못했네."

　어떤 날에 우재는 인테리어 공사가 끝났다며 하늘색 벽을 배경으로 냉장고가 놓인 사진을 찍어 보내주기도 했고, 다른 날에는 약국의 설비가 제대로 갖춰졌는지 확인하기 위해 실사 나온 공무원과 있었던 에피소드를 들려주기도 했다. 우재가 매일같이 내게 자신의 시시콜콜한 일상까지 들려주다보니 나 역시 무언가를 말해야 한다는 의무감이 들기 시작했다. 우재는 이야기를 마치면 이번에는 내 차례라는 듯 잠깐 침묵하며 기다렸는데, 나는 우재와의 통화가 좋았지만 그 순간만큼은 곤혹스러웠다. 퇴사한 이후 사람을 만나지도 이직 준비를 하지도 않고 지내는 내겐 우재에게 공유할 만한 일상이랄 게 딱히 없었던 것이다.

고민 끝에 내가 선택한 이야깃거리가 이모였다. 정확히 말하면 파독간호사에 대한 이야기. 그즈음 나는 전시회장 대신 국회도서관에 출근 도장을 찍고 있었다. 안드레 케르테스의 전시가 아니더라도 세상엔 많은 전시회가 열렸지만 시간이 흐르면서 거의 매일 관람료를 내는 것이 슬슬 부담스러웠고, 무엇보다도 파독간호사에 대한 자료를 찾아보고 싶어졌기 때문이었다. 물론 그렇다고 분명한 목적을 갖고 자료들을 읽기 시작한 것은 아니었다. 내가 언젠가 이모에 대한 글을 쓰고 싶다고 했다는 우재의 말이 나를 국회도서관으로 이끈 것만은 틀림없었지만. 나는 내가 그런 말을 했다는 것을 여전히 기억하지 못했고 그런 욕망이 내게 있다고도 생각하지 않았지만, 시간이 갈수록 그 시절 '이모들'에 대해서 좀더 알고 싶다는 마음이 내 안에서 점점 더 자라는 걸 느꼈다. 이런 마음은 대체 어디에서 비롯된 걸까? 그 동기가 무엇인지는 모르겠지만 알고 싶은 것을 알아볼 시간은 충분했다. 더이상은 시간에 쫓기며 쓰고 싶지 않은 글을 억지로 쓰지 않아도 되었는데, 그 사실이 위안이 되었다. 게다가 현실적인 문제들로부터 도피하고 싶었던 나에겐 몰두할 거리가 필요했고, 다행스럽게도 파독간호사에 관한 자료들은 넘쳐났다.

처음 내가 도서관에 가서 열람한 책은 『파독간호사의 역사와 삶』이라는 사진집이었다. 우리나라는 1950년대부터 독일로 간호 인력을 보내기 시작했지만 흔히 말하는 '파독간호사'는 1960년대 의 실업난과 외화 부족 사태를 해결하기 위해 해외 인력수출의 일 환으로 1966년부터 1976년까지 서독에 파견한 1만 226명의 간 호사와 간호조무사들을 일컫는다고 머리말에 적혀 있던 책—조 사를 해나가면서 알게 되었지만, 문헌마다 '파독간호사'란 용어를 정의하는 방식과 집계된 인원수는 조금씩 다르다. 그 책에서 나는 1966년 1월 31일 프랑크푸르트공항에 도착한 파독간호사들의 사 진을 처음 보았다. 128명의 파독간호사들이 그들을 마중나온 현 지 교민들과 찍은 기념사진으로 독일 DPA 통신에서 찍었다고 적 혀 있었다. 한복을 입은 한국인 여성들이 카메라를 보며 환히 웃 고 있기 때문이었을까? "어서오십시요 西独 후랑꾸후루도에"라고 쓰인 플래카드 뒤에 서서 손을 흔들고 있는 그 여성들의 얼굴은 오래전 윤리 시간에 보았던 다큐멘터리 속 여성들처럼 보였고, 그 때와 마찬가지로 나에게 기이한 감정을 불러일으켰다.

"어떤 감정?"

"그걸 잘 모르겠어."

우재는 내가 도서관에서 찾은 것들에 대한 이야기를 들려주면 열심히 들었고, 간간이 나에게 질문을 던졌다. 하지만 우재가 가장 흥미를 보인 것은 내가 독일에서 지내며 파독간호사 이모들을 만나 겪었던 일화들이었다.

"네가 독일에 살았단 건 어렴풋이 들어 알았지만, 파독간호사들과 알고 지냈다는 건 전혀 몰랐어."

"내가 얘길 잘 안 했으니까."

언니와 관련된 이야기는 뭉텅뭉텅 생략한 채 이모에 대해서 말하는 데 필요한 에피소드들만을 거칠게 요약하곤 했는데도 우재는 흥미를 보였다.

"우리 이모는 73년에 독일로 갔으니까 거의 마지막 세대인 거지."

그건 마리아 이모와 선자 이모도 마찬가지였다. 그녀들이 서독행 비행기에 몸을 실었던 1973년, 우리 이모와 마리아 이모는 스물한 살이었고, 선자 이모는 겨우 열아홉이었다.

1973년의 김포공항. '김포국제공항'이라는 글자가 두드러진 하얀 건물 앞에 외갓집 식구들과 서 있는 스물한 살의 이모를 본 적이 있다. 흑백사진 속에는 외할아버지와 아직 중학생에 불과한 엄마, 외삼촌들뿐 아니라 이모할머니와 이모할아버지까지 있다. 트렌치코트 안에 리본이 달린 원피스를 입은 이모는 어른들과 함께 뒷줄에 서 있고, 삼촌들과 엄마는 그 앞에 쭈그려앉은 채 카메라를 보고 있다. 이모는 김포공항에서 그 사진을 찍을 때 어떤 일들이 자신을 기다리는지 알고 있었을까? 이모가 앞으로 남은 인생을 독일에서 보내게 된다는 것을 상상이나 할 수 있었을까?

지금은 얼굴이 가물가물한 사람들이 대부분이지만, 내가 독일에 살던 당시 알고 지냈던 이모들 중에 처음부터 독일에서 평생을 살 계획을 품고 고향을 떠난 사람은 아마 없었을 것이다. 1966년부터 십 년간 한국 정부가 파견한 간호 여성들 대부분은 삼 년 뒤 귀국할 생각으로 출국했다. 그들 중 상당수는 삼 년의 계약기간을 채우고 예정대로 한국으로 돌아왔다. 더러는 미국이나 캐나다 같은 제삼국으로 다시 떠나기도 했다. 하지만 우리 이모를 비롯해 독일에 남는 쪽을 택한 사람들 또한 많았다.

유튜브를 통해 본 한 인터뷰에서, 하노버의 작은 병원 응급실에서 일하다가 1999년에 귀국한 김금자씨는 그녀가 독일에 가게 된 이유를 이렇게 설명한다. "아, 내가 강원도 인제에서 살았거든요. 근데 거기에 간호학교가 고등학교 과정처럼 있었어요. 아마 나라에서 정책상 간호사를 많이 양성하려고 그런 특수학교를 만들었던 거 같은데, 국비에 간호사 시험 자격도 주니까 경쟁률도 세고 인기가 많았거든요. 공부도 잘해야 입학했어요. 나는 1남 8녀 집안의 장녀고 집안 형편도 넉넉하지 않으니 대학에 갈 수 없을 건뻔하고 그냥 간호학교에 가는 게 좋겠다 생각한 거죠. 게다가 간호사가 되면 외국에서 돈을 많이 벌 수 있다고 하더라고요. 간호사가 돼서 군대 갔다 온다고 생각하고 삼 년만 독일에 갔다 오면 집안을 일으킬 수 있겠다, 그런 생각이 들었어요."

도서관에 틀어박혀 읽은 많은 자료 속에서 가장 빈번히 발견한 단어는 아마도 오래전 '윤리'가 강조했던 것처럼 '가난'이나 '희생' '애국' 같은 말일 것이다. 수많은 논문에 실린 생애사들을 읽다보면 그런 단어는 파독간호사들을 설명하기에 더없이 적절해 보였다. 하지만 해질녘 도서관 밖으로 나와서 버스를 타기 위해 푸른빛과 흰빛으로 일렁이는 강변을 따라 걷다보면 어김없이 그 단어들에서 어떤 결여가 느껴지곤 했다. 예년보다 이르게 핀 벚꽃 아래를 걷는 사람들을 목격한 오후 같은 때에는 더더욱. 보행자 신호등의 불빛이 바뀌길 기다리며 바라보는 저편에는 해질녘의 빛이 내려앉은 자리마다 금빛 테두리가 환했다. 이따금씩 청신한 바람이 휘어진 나뭇가지들을 건드리며 지나가면 바람결을 따라 꽃잎들이 저마다 다른 빛깔로 반짝이며 흩날렸다. 대부분은 나무 근처로 떨어져내렸지만 어떤 꽃잎들은 조금 더 가벼운 듯 두둥실 날아가기도 했다. 멀리, 먼 곳으로. 그렇게 봄 풍경의 한가운데서서, 어디론가 멀어지는 벚꽃잎들을 보고 있노라면 완전히 잊어버린 줄 알았던 기억들이 봄밤의 꽃향기처럼 밀려왔다.

우리 가족이 독일에서 살기 시작한 지 이 년째에 접어들던 봄, 그러니까 이제 막 한수와 조금 가까워지기 시작했을 무렵의 일이었다. 우리는 그때 G대학의 중앙 캠퍼스에 있었다. 봄이 깊어지면 벚꽃이 만개하던 그곳에서 사진을 찍자고 한 사람은 이모였다. 캠퍼스에는 이모를 포함한 우리 가족, 마리아 이모와 레나 그리고 선자 이모가 있었다. 그날 밤 비가 올 거라는 예보를 확인한 이모가 꽃이 다 져버리기 전에 사진을 찍어야 한다며 우리를 이끌고 캠퍼스로 향하던 길에 우연히 선자 이모와 마주쳤던 것이다. 이모와 마리아 이모의 손에 이끌려 오긴 했지만 사진은 찍지 않겠다던 선자 이모는 사진 찍는 걸 무척 싫어했던 나와 같이 무리에서 떨어져나와 멀찍이 서 있었다. 곁에 있는 선자 이모도 그때까진 몇 번 본 적이 없어 낯설고, 내가 아무리 싫다고 해봤자 결국엔 사진을 찍어야만 하는 순간이 올 것만 같은 예감에 심란해하고 있는데 선자 이모가 혼잣말을 하듯 나지막이 말했다.

"정말 어찌할 바를 모르겠을 정도의 아름다움이지?"

나는 갑작스러운 말에 흠칫 놀라 선자 이모를 돌아다보았다. 선자 이모의 시선은 내가 아니라 흰빛이 너울대는 나무 아래서 사진을 찍고 있는 사람들 쪽을 향하고 있었다.

"내년에도 이렇게 아름다운 걸 볼 수 있을 테니 살아야지 하는 마음이 들 정도로 아름답지?"

언제나 표정이 적어 화난 것처럼 보이던 선자 이모의 얼굴에 드리워진 꽃그늘이 바람이 불 때마다 레이스처럼 어른거렸다. 마리아 이모가 우리를 웃기기 위해 일부러 우스꽝스러운 포즈를 취할 때마다 꽃물이 번지듯 환해지던 선자 이모의 얼굴.

차도 건너편에 선 채로, 곧 져버릴 텐데도 만개한 꽃송이들에 점령된 한강 변을 바라보는 동안, 상하지 않은 꽃잎들을 바닥에서 주워 치마폭에 담던 선자 이모의 쭈그린 뒷모습이나, 선자 이모가 온전한 모양으로 떨어진 꽃송이를 하나 주워 내 머리카락 사이에 꽂아줄 때 귓등에 닿았던 손가락의 감촉 같은 것들이 긴 시간을 거슬러와 이상하게 나의 마음을 흔들었다. 그리고 두서없이 그런 기억들이 떠오를 때면 나는 내가 찾는 것이 무엇이든 그것은 도서 관에는 없으리라는 걸 어렴풋이 예감할 수 있었다.

*

우리는 앞으로의 계획을 의논하기 위해 한수의 집에서 모이기로 했다. 내 실력으로 자전거를 타고 가기에는 우리 동네에서 다소 멀리 떨어진 곳이라 나와 레나는 버스를 탔다. 우리가 도착했을 때 선자 이모는 아직 병원에서 일할 시간이었고, 한수보다 네살 많은 한미 언니는 마침 외출 준비중이었다. 한미 언니는 우리를 보더니 할로, 라고 독일어로 짧게 인사를 하며 눈을 찡그렸다. 우리가 탐탁지 않아서는 아니었고, 언니가 집에선 안경을 끼지 않았기 때문이었다. 언니는 아마추어 축구팀의 미드필더였고 한수처럼 말수가 적은 편이었는데, 한수가 말이 없는 건 낯가림 탓이었지만 한미 언니는 신중하기 때문이었다.

한수네 집은 조용하고 북향이라 조금 어두웠다. 특별한 장식품 같은 건 없는 단출한 집의 거실 한쪽 책장에 책들이 빼곡히 꽂혀 있는 게 인상적이었다. 한수의 방은 복도 끝에 있었다. 방이 매우 작아 가구라곤 원목 책상과 세트인 벙커 침대뿐이었다. 아랫부분이 책상으로 이루어진 이층 침대도 낯설고 신기했지만, 한수 방에서 가장 눈길을 끈 것은 직소 퍼즐 박스들이었다. 책상의 키를 넘겨 침대에 닿을 듯 층층이 쌓여 있던 박스들. 책상 위에는 노이슈반슈타인 성 사진으로 만든 퍼즐이 삼분의 이 정도 완성된 채 펼쳐져 있었다.

우리는 그날 이후 자주 그 방에서 모였다. 한수의 집은 대체로 비어 있었지만 은밀한 일을 공모하는 사람들이 그러하듯 우리는 거실처럼 뻥 뚫린 곳에 있기보다는 방안에 숨는 쪽이 편했다. 공간이 협소하다보니 방밖에서보다 한층 더 가까이 붙어앉을 수밖에 없었는데, 그래서 우리는 그곳에서 조금씩 더 친밀해졌다.

"도와줘서 고마워."

남자아이의 방에 처음 방문한 터라 다소 긴장한 채 주변을 둘러보고 있는 나를 보며 한수가 약간 감동한 목소리로 말했다. 한수는 말수가 적지만 수줍어하면서도 꼭 필요한 말은 하는 애라는 걸 나는 그때 알았고, 그러자 그런 한수가 갑자기 귀엽게 느껴졌다.

"뭔가 도움이 될 것 같아서 이런 걸 가져와봤어."

한수는 사다리를 타고 올라가 이불 밑에 숨겨둔 철제 상자를 꺼냈다.

"그게 뭔데?"

"엄마가 독일에 처음 왔을 때 가져온 물건들."

상자 안에 들어 있는 것은 네모난 명찰 하나, 여권, 몇 장의 사진 그리고 곱게 접은 태극기였다. 명찰에는 타자기로 친 듯한 Lim Seonja라는 이모의 영문 이름과 생년월일이 적혀 있고, 그 옆에 104라는 숫자가 사인펜으로 쓰여 있었다.

"태극기는 왜 가지고 온 거지?"

레나가 태극기를 꺼내어 이리저리 살펴보는 사이 나는 여권을 펼쳐보았다. 양갈래 머리를 한 젊은 선자 이모의 흑백사진이 붙은 그 여권의 여행목적란에는 Employment라고 적혀 있었고, 직업란에는 Nurse라고 적혀 있었다.

"아, 이모가 인천에 살았구나."

나는 여권에 적혀 있는 Incheon이라는 단어가 어쩐지 반갑게 느껴졌다.

"아는 도시야?"

"응, 내가 예전에 살았던 데랑 가까워."

하지만 그런 정보들만으로 우리가 찾고자 하는 사람에게 가까워질 수는 없는 노릇이었다.

"이거 우리 엄마 아냐?"

낭패라고 생각하며 여권을 들여다보는데 태극기에 흥미를 잃고 사진들을 뒤적이던 레나가 물었다. 레나가 보여준 사진 속에는 새하얀 간호복을 입은 앳된 얼굴의 동아시아계 여자들이 서 있었다.

"그러게. 그리고 이 사람은 선자 이모고, 이건 우리 이모 같은데?"

스커트 아래로 드러난 다리를 길어 보이게 하기 위해서인지 오른다리를 왼다리보다 한 발 앞으로 내밀고 허리춤에 손을 짚은 채 멋쟁이들처럼 뽐을 내고 있는 여자들의 사진. 상자 속에는 한복을 입고 웃는 이모들의 사진이나 독일인 환자와 함께 찍은 선자 이모의 사진 같은 것들도 있었다.

"이건 누군지 모르겠다."

셋이 머리를 맞대고 사진들을 넘겨보던 중 레나가 말했다. 레나의 시선이 머문 것은 독일 사람들 틈에서 웃고 있는 또다른 동아시아인 간호사의 사진이었다. 사진의 뒷면에는 "서베를린 시립병원에서, 막자 언니"라고 쓰여 있었다.

"이건 우리 이모."

"어느 이모?"

한수의 말에 내가 되물었다.

"진짜 이모."

나와 레나가 철제 상자에서 꺼낸 물건들을 다시 정리해 넣기 시작하자 한수가 또다시 이불을 들추더니 이번에는 크기나 색깔이 제각각인 수첩을 몇 권 꺼냈다.

"이런 것도 있어."

"이건 또 뭐야?"

"일기장 같은데 나는 못 읽으니까 너희가 한번 봐봐."

레나가 수첩을 건네받고는 한두 장을 뒤적이더니 나에게 건넸다. 나는 건네받은 수첩을 아무데나 펼쳐 읽기 시작했다.

"옛날 일기 맞지?"

한수가 조바심나는 듯 물었다. 나는 극적인 연출을 위해 잠시 뜸을 들이다가 답했다.

"응, 독일에 도착했을 무렵부터 쓴 일기장이네."

우리는 몇 가지 구체적인 계획을 세웠다.

1. 선자 이모를 잘 아는 주변 사람들을 탐문하는 한편 내가 선자 이모의 일기를 읽으며 첫사랑을 찾는 데 필요한 단서를 찾아내기

2. 누가 우리가 하는 일에 대해 물으면 모든 것은 내가 소설을 쓰는 데 필요한 일이라고 말하기

3. 매주 금요일 방과후에 만나서 알게 된 정보들을 공유하기

나는 거짓말을 기록하던 비밀 노트에 계획을 적었다. 선자 이모의 첫사랑을 찾고 난 후의 문제, 그러니까 그가 어떠한 이유에서든 연락을 원하지 않는다거나, 독일로 이모를 만나러 올 수 없는

사정이 있을지 모른다는 문제에 대해서는 나중에 생각하기로 했다. 사실 첫사랑의 이름을 찾아내고 연락처를 수소문할 생각만으로도 충분히 골치가 아팠다. 선자 이모와 가까운 사람들부터 조사를 시작해야 하니 찾아갈 순서를 정하자거나 일기에 반복적으로 등장하는 단어들을 모두 적어보는 게 어떻겠냐는 아이디어를 낸 건 레나였다. "너네 알지? 내가 탐정이 되고 싶어서 혼자 여러 가지 훈련을 했던 거?" 레나가 어린 시절 공원 벤치에 앉아서 지나다니는 사람들의 차림새나 주변 풍경을 관찰하고 그 안에 담긴 의미를 추리하는 훈련을 꾸준히 해왔다는 건 나도 한수도 들어서 알고 있었다("너 갑자기 이마에 여드름이 났네. 어젯밤 또 초콜릿을 잔뜩 먹은 게 분명해, 맞지?"). "내가 지금껏 추리한 바에 따르면 선자 이모의 첫사랑은 한수 아빠와는 달리 유쾌하고 친구같이 편안한 스타일인 게 틀림없어." 레나가 뽐내는 듯한 어조로 말했다.

내가 쓸 소설을 위해 조사를 하는 중이라고 말하자는 아이디어를 낸 사람은 나였다. 어떻게 하면 탐문하는 동안 우리가 선자 이모를 위한 서프라이즈를 계획하고 있다는 걸 들키지 않을 수 있을까 고민하는 한수와 레나를 위해 내가 생각해낸 거짓말이었다. 파독간호사가 주인공인 연애소설이라고 하면 어떻겠냐고 묻자 모두들 좋은 생각인 것 같다고 고개를 끄덕였다. "그런데 아까 왜 그냥 파독간호사가 주인공인 소설이라고 하지 않고 파독간호사가 주인공인 연애소설이라고 한 거야?" 집으로 돌아가는 버스 안에서 레나가 물었다. 나는 책가방을 고쳐 메면서 대답했다. "그렇게 말하는 쪽이 좀더 그럴듯하게 들리거든."

그날 저녁, 엄마, 해나와 냉동 피자를 데워 먹은 후 같이 티브이를 보다가 나는 대수롭지 않은 일처럼 엄마에게 물었다.

"엄마, 이모들 중에서 우리 이모랑 마리아 이모, 선자 이모 셋이 제일 친한가?"

"글쎄, 그건 왜?"

"아니, 나이대가 비슷한 것 같아서."

티브이에서는 이가 고른 남자가 파스타 소스를 광고하고 있었다. 해나는 앞구르기를 할 수 있게 되었다며 소파 앞에 깔아둔 러그 위에서 몇 번이나 구르더니 엄마의 무릎을 베고 잠이 들었다.

"엄마, 만약에 사람들이 꼭 한번 다시 만나고픈 사람을 누구든 딱 한 명만 만날 수 있게 된다면 보통은 첫사랑을 가장 보고 싶어 할까?"

리모컨으로 채널을 여기저기 돌리던 엄마가 고개를 돌려 나를 바라보았다. 나는 엄마가 갑자기 그런 걸 왜 묻느냐고 물으면 뭐라고 답을 하는 게 가장 자연스러울까를 생각하느라 머릿속이 복잡했다. 하지만 다행히 그 순간 해나가 "저리 가, 저리 가" 잠꼬대를 하며 엄마 품에 파고들었고, 엄마는 아무것도 묻지 않았다. "괜찮아, 괜찮아." 엄마가 해나의 등을 토닥이며 낮고 부드러운 목소리로 달랬다. 그리고 조금의 간격을 두고 말했다. 슬픈 미소를 지으며.

"글쎄, 그런 기적 같은 일이 일어날 수 있다면 엄마가 꼭 한번 다시 보고픈 건 첫사랑이 아니라 다른 사람일 것 같은데?"

나는 왜 이렇게 바보 멍충이일까.

엄마의 답을 들으며 나는 속으로 생각했다.

시간은 빠르게 흘렀다. 여름방학이 시작되었고, 아빠가 쓸 수 있는 휴가를 최대한 붙여서 열흘가량 독일에 왔다. 그로부터 몇 해 전 공무원 해외여행 자유화가 시행되긴 했지만, 열흘씩이나 휴가를 써서 해외여행을 가는 사람은 아빠 직장에 아직 없던 시기였다. 열흘은 휴가를 쓰는 부하 직원으로서는 상사에게 밉보일 걸 각오해야만 하는 시간이었지만, 일 년 반씩이나 떨어져 있던 가족이 친밀감을 회복하기엔 턱없이 부족한 시간이기도 했다. 해나와 나는 아빠가 오기만을 손꼽아 기다렸지만 아빠와 보낸 열흘은 덧없을 만큼 눈 깜짝할 새 지나가버렸다. 처음엔 외국에 사는 친구와 연락하는 걸 신기해하던 아이들의 편지도 서서히 시들해졌다. 이제는 어쩌다 한 번씩 도착할 뿐인 편지 속에는 한국에서 인기몰이중이라는 아이돌에 대한 이야기가 빼곡히 적혀 있었다. 다섯 명의 십대 남자들로 이루어진 댄스 그룹이라고 했는데, 친구들이 편지와 함께 동봉한 멤버들의 사진을 아무리 보아도 나는 그들이 느끼는 것 같은 감흥을 느낄 수 없었고, 그래서 내가 지구 반대편에 있다는 걸 실감했다. 내가 한국의 친구들에게 거짓말을 늘어놓는 대신 선자 이모의 첫사랑을 찾는 일에 점점 더 몰두하기 시작한 데는 그런 이유도 작용했을지 모른다.

나에게 주어진 역할 중 가장 중요한 건 아무래도 일기를 빠르게 읽어내는 것이었다. 우리가 한 주의 성과를 검토하기 위해 한수의 집에 모이는 매주 금요일, 서랍장 맨 아래 칸에 연도순으로 정리되어 있던 선자 이모의 일기장 중 한 권을 한수가 몰래 빼놓고 기다리면 나는 다른 아이들이 퍼즐을 맞추거나 티브이 프로그램에 대해서 이야기하는 동안 일기를 열 장씩 읽고 우리에게 유용해 보이는 정보들을 노트에 적었다. 이를테면 선자 이모가 한국에서 즐겨 갔던 공원의 이름이나 다녔던 교회 이름, 친하게 지냈던 사람들의 이름 같은 것들을. 우리가 이런 방식으로 작업하길 택한 건 선자 이모에게 들키지 않기 위해서였다. 레나와 한수는 일을 빠르게 진행하기 위해 커다란 뿔테안경을 낀 남자가 주인으로 있는 동네 잡화점에 가서 일기장을 복사하길 원했지만 그건 내가 반대했다. 복사를 하기 위해 수첩을 펼쳐 누르다보면 책등 부분이 꺾이면서 자국이 남을 것이었고, 나는 우리가 일기장을 건드렸다는 걸 선자 이모에게 들킬까봐 조마조마했다. 그보다는 매주 일기장을 한 권씩 빌려가서 읽은 후 그다음 주에 되돌려놓는 편이 훨씬 안전할 것 같았지만 레나와 한수는 그걸 더 불안해했다.

내가 일기장에서 K.H.라는 이니셜을 처음 발견한 것은 선자이모가 독일에 도착하고 사 개월 정도 지났을 즈음인 74년 1월의 일기에서였다. "눈…… 눈이 아침부터 쏟아졌다. 지난밤 꿈에 K.H.를 본 탓일까? 오늘은 환자의 몸을 씻기거나 소변통을 비우는 중에도 계속 K.H. 생각이 났다. 꿈속에서 K.H.는 건강한 얼굴로 웃고 있었다. 다행스러운 일이다." 나는 일기장의 페이지를 빠르게 넘기며 K.H.라는 이니셜이 등장하는 곳이 또 있는지를 확인했다. K.H.는 한수가 건네준 첫번째 일기장에 총 일곱 번 등장했다. 1974년 3월 24일의 일기엔 "보드라운 햇빛. 파란 하늘. 어제는 부모님께 송금하고 돌아오는 길에 아네모네 두 송이를 샀다. 오늘은 K.H.에게서 편지가 왔다"라는 문장이 적혀 있었다. "너무나 그리운 K.H. 편지엔 나의 건강을 걱정하는 말이 들어 있다. 나의 단 하나, 나의 자랑, 나의 다정하고 사랑스러운 사람."

일기 전체에서 이니셜로 표기된 사람은 K.H.가 유일했기 때문에 나는 K.H.가 등장하는 대목 앞뒤의 일기들을 조금 더 찬찬히 살펴보기로 했다. 우선은 K.H. 옆에 오빠라든가 선생님 같은 호칭이 없다는 게 눈에 띄었으므로 '동갑'이라고 노트에 쓰고 물음표를 그렸다. 그리고 그 옆에 광훈, 경훈, 광호, 경호, 광휘, 경휘, 강호, 강혁……같이 K.H.로 만들 수 있는 이름들을 나란히 적었다.

G시에 사는 파독간호사 이모들은 진짜 자매는 아니었지만 마치 친족관계에 있는 사람들처럼 특별한 결속력을 지니고 있었다. 이모들은 서로의 경조사를 챙겼고, 명절 때 먹을 것을 나눴으며, 정보들을 공유했다. 내가 파독간호사가 등장하는 연애소설을 쓰기 위해 이것저것을 조사하고 다닌다는 소문 역시 삽시간에 퍼져 나갔다. 이모들은 나와 레나(또는 나와 한수, 또는 나와 레나와 한수)가 불쑥 연락하고 찾아가면 대부분 우리를 우호적으로 대했다. "아이고, 작가 선생님이 오셨네. 뭘 도와드릴까?" 대다수의 이모들은 내가 진짜 소설을 쓸 거라거나 먼 훗날 작가가 될 거라고 진심으로는 생각하지 않는 게 틀림없었지만 우리를 귀엽게 생각했다. 중등학교 학생인데 그런 취급을 받는 것은 다소 자존심 상하는 일이었지만, 아이 취급을 받는 것이 탐정 일에는 도움이 되었으므로 적당히 참아낼 수 있었다.

 나와 레나, 한수가 처음으로 찾아간 사람은 우리 이모(오행자)였다. 우리는 이모에게 독일에 왔을 즈음의 선자 이모에 대해서 캐물을 생각이었다. 선자 이모가 한국에 돌아간다면 첫사랑을 만나고 싶다고 했으니 그 첫사랑은 (K.H.가 맞는다면) 독일에 오기 전 알고 지내던 한국 사람이거나, 독일에 온 직후에 알았으나 몇 달 지나지 않아 선자 이모와 헤어져 한국으로 되돌아간 사람일 확률이 높았기 때문이었다. (왜냐하면 독일에 도착한 지 얼마 지나지 않아 선자 이모가 K.H.를 꿈에서 보았으니까.) 우리의 계획은 독일 정착 초기의 이야기를 들려달라고 한 뒤 자연스럽게 이모들의 연애담을 묻는 것이었다. 그렇게 이야기가 무르익어가면 한수가 개입할 차례였다("저희 엄마는 아빠를 만나기 전엔 좋아했던 사람이 없었나요?").

"독일에 처음 도착한 날 너희 엄마들을 만났단다." 이모가 해준 이야기에 따르면 이모와 마리아 이모 그리고 선자 이모는 같은 해 같은 비행기를 타고 독일로 왔다. "우리는 스무 시간도 넘게 비행기를 타야 했어. 상상이나 되니?" 그건 당시에 대한민국 국적의 비행기가 소련 상공을 지날 수 없어서 알래스카를 경유해야만 했기 때문이었다. 긴 비행 끝에 이모들이 프랑크푸르트공항에 내렸을 때는 비가 부슬부슬 내리는 늦은 오후였다. 공항에 마중나와 있던 독일인들이 명찰에 적힌 번호를 부르며 각자가 배치될 병원을 알려주었다. "인솔자가 가리키는 데로 가서 서 있는데 조금 지나니 다른 사람들도 하나, 둘 호명되어 왔어. 하나같이 피곤하고 긴장된 얼굴로. 처음에 온 사람은 커다란 라면 박스를 이민 가방 위에 올려놓고 끌고 오던 체구가 아주 작은 여자였는데 그게 선자였어. 마리아는 조금 이따가 왔는데 잔뜩 멋을 부렸더라고. 배우처럼 예쁜 얼굴인데 멋까지 부렸으니, 처음엔 콧대 높은 아가씨인 거 아닌가 싶어 경계했지. 한 시간 만에 그런 성격이 전혀 아니란 게 드러났지만."

얼마 후 마리아 이모를 찾아갔을 때 마리아 이모(최말숙)는 같은 장면에 대해서 이렇게 회상했다. "주눅들지 않으려고 일부러 이대 앞 의상실에서 거금을 들여 맞춘 살구색 원피스를 입고 갔는데, 공항이 생각보다 추워서 바바리를 입었는데도 팔뚝에 닭살이 돋았었어." 원피스 빛깔에 맞춘 베이지색 하이힐을 신고 인솔자의 안내에 따라 걸어간 곳에는 이미 두 명의 한국인이 있었다. 출구와 가까운 기둥 옆에 커다란 이민 가방 두 개와 라면 박스 하나를 세워둔 채, 불안인지 설렘인지 구분 안 가는 상기된 얼굴로 사방을 두리번거리고 있던 '키다리'와 '갈래머리'. 그것이 마리아 이모가 우리 이모와 선자 이모에게 받은 첫인상이었다.

나는 선자 이모의 일기장에서 이날의 일기를 이미 읽은 후여서 그 풍경을 쉽게 상상할 수 있었다.

G시까지 오기 위해 우리는 다시 기차를 탔다. 기차역 앞에는 머리카락을 길게 늘어뜨리고 눈이 풀린 히피들이 커다랗고 검은 개들을 데리고 쓰레깃더미처럼 자리잡고 있었다. 웃통을 벗은 남자들과 코에 징을 박은 여자들. 날씨마저 음습했던 까닭인지, 장시간의 비행으로 인한 피로 탓인지, 그도 아니면 우리가 낯선 곳으로 이름도 없이 끌려가는 탓인지, 나는 노예로 팔려가고 있는 것만 같은 기분이 들어 울적해졌다. 만약 일행 중에 행자 언니와 말숙 언니가 없었다면 나는 독일에 온 목적도 잊고 울음을 터뜨려버렸을지도. 어릴 적 플루트를 배웠고,

부모님이 서울에 있는 여대에 보내주겠다고 했지만 독일에 와보고 싶어 부모님 몰래 해외개발공사를 찾아갔다는 말숙 언니는 새로운 삶이 설레기만 하는지 기차 안에서 연신 재잘거렸다. 가정 형편이 나와 조금 더 비슷한 것 같은 행자 언니는 조용한 성격인지 말숙 언니의 이야기를 들으며 말없이 고개를 끄덕이거나 이따금씩 웃기만 했다. 하지만 기차에서 내릴 즈음이 되자 나와 말숙 언니의 손을 덥석 잡더니, "앞으론 무슨 일이 있으면 서로에게 힘이 되어주기로 해요"라고 수줍은 얼굴로 속삭였다. 행자 언니의 순박함 때문인지, 웃을 때 살짝 드러나는 덧니로 인해 앳되어 보이는 얼굴이 귀여웠기 때문인지는 모르겠지만 긴장이 풀리면서 안심이 됐다.

세 이모들은 성격도 고향도 살아온 환경도 전혀 달랐지만 같은 병원에 배정받은 또래들이라 빠르게 친해졌다. G시 시립병원에는 한인 간호사가 여럿 있었지만 나이대가 비슷한 건 셋뿐이었다. 이모들보다 앞서 와 있던 한인 간호사들은 이모들보다 나이가 훨씬 많았는데─다음은 또다른 파독간호사 이모가 우리에게 해줬던 말이다. "워매, 한국서 간호조무사들이 새로 왔대서 나가봤드니, 애기들이 와 있드만. 젖살도 안 빠지고 허리는 한 주먹만한 것들이 겁에 질려갖고 기숙사 앞에 서 있드라니께."(윤진애)─그건 간호조무사였던 세 이모들과 달리 그들 대부분이 간호학교를 나와 한국에서 간호사로 일하다 온 사람들이었기 때문이었다. "처음엔 일이나 제대로 할까 걱정했는데, 간병 일이나 청소 같은 것도 군말 없이 열심히 하더라고. 기특했지, 어린애들인데."(최정숙)

우리가 조사를 위해 만난 여러 이모들 중에서 가장 적극적으로 이야기를 들려준 사람은 역시 마리아 이모였다. 마리아 이모는 우리가 찾아가면 맛있는 간식을 차려놓고는 누군가에게 이야기를 들려주기 위해 오랫동안 기다렸던 사람처럼 "오늘은 무슨 이야기를 해줄까?" 하고 물었다. 마리아 이모는 우리가 무엇을 물어도 그게 왜 궁금하냐고 되묻지 않고―우리 이모와 다른 점이었다― 말하는 것 자체를 즐기는 사람이었지만, 그중에서도 선호하는 주제는 단연 사랑 이야기였다. 선자 이모의 첫사랑에 대한 단서를 찾기 위해 질문의 방향을 연애 쪽으로 틀기만 하면 이모의 이야기에는 활기가 돌았고, 기억에는 디테일이 살아났다.

"어느 여름이었는데, 프랑스 니스에서 만난 남자와는 이런 일도 있었어. 도착하자마자 짐을 풀고 코발트색 바다를 바라보고 있는데 젊은 프랑스 남자가 다가와 말을 걸더라고. 그가 아까부터 나에게 황홀한 눈길을 보내고 있던 걸 난 알았지. 그런 눈길은 본능적으로 알 수 있거든." 이모는 청자들이 중학생이라는 걸 잊어버린 듯 수위를 조절하지 않고 자신의 연애담을 들려주었다. "말이 통하지 않았는데도 그 남자가 싫지 않았어. 그가 이끄는 대로 시내를 구경하고 맥주를 사 마셨지. 마리아, 너는 푸른 새벽처럼 신비롭고 아름다워. 둘째 날 만났을 땐 독어를 거의 할 줄 모르던 그 남자가 내가 독일에서 왔다는 걸 알고 연습이라도 해왔는지 엉망진창인 발음으로 그렇게 내게 말했단다. 여행 마지막날엔 관광객들은 모르는 아주 아름다운 해변에 나를 데려갔어. 별이 촘촘히 박힌 밤이었는데, 거기에서 그 남자가 나에게 입을 맞췄어. 숨소리가 희미하게 들려왔고, 그가 조심스럽게 내 윗입술과 아랫입술을 번갈아 깨물었지. 가장 짧게 만난 남자지만 가장 낭만적인 남자였단다."

나보다 한 학년이 위인 레나네 학급에는 이미 첫 경험을 한 학생들도 있었지만, 그 당시 레나와 내가 알고 있던 성에 관한 지식이라곤 레나가 상급생들을 통해 구해온 『브라보』에서 얻은 것들뿐이었다. 그건 십대들을 위한 잡지였는데, 가수나 배우들의 가십을 주로 다뤘지만 뒤편에는 성관계나 피임에 관한 정보도 실려 있었다. 방문을 걸어 잠그고 레나 옆에 앉아 종이 사전을 뒤적여가며 열중해 읽던 잡지들. 하지만 마리아 이모의 연애 이야기는 잡지에서 읽던 것보다 훨씬 생동감 넘치고 황홀했다. 나는 그런 이야기쯤은 대수롭지 않은 듯, 그다지 큰 관심 없는 듯 애써 시큰둥한 표정을 지었지만, 이야기가 끊겨버리지 않을까 조바심이 나 침삼키는 것마저 조심하곤 했다.

이십대의 마리아 이모가 클럽에서, 로마에서, 니스의 해변에서 영화와 같은—마리아 이모의 표현이다—연애를 할 수 있었던 데는 마리아 이모가 다른 파독간호사 이모들과 달리 경제적으로 여유가 있었다는 사실이 크게 영향을 미쳤을 것이다. 나중에 내가 국회도서관에서 읽은 인터뷰집 『파독간호사, 희망을 노래하다』에는 베를린 결핵전문병원에서 일했던 김숙향씨의 인터뷰가 실려 있는데 그녀는 다음과 같이 회고한다. "독일에서 받은 월급이 칠백 마르크 정도였어요. 그중 팔십 마르크만 내가 쓰고 나머지는 모두 외환은행을 통해 한국으로 보냈는데, 당시엔 그게 나의 유일한 낙이었어요." 우리 이모나 선자 이모 역시 사정은 다르지 않아서 아주 오랫동안 월급의 거의 전부를 고국으로 송금했다. 하지만 마리아 이모의 경우는 달랐다. 아버지가 경북도청에서 양곡을 관리하는 공무원이었고, 할아버지로부터 물려받은 유산이 있었기 때문에 마리아 이모는 자신이 송금을 하지 않아도 한국의 식구들이 어려움을 겪지 않고 살 수 있다는 걸 알았다. 가난에서 벗어나기 위해서가 아니라 자유를 찾기 위해 독일행을 결심했던 마리아 이모는 모은 월급으로 자동차를 사서 휴가 때마다 미니스커트를 입고 유럽 전역을 누볐다. 이모가 산 첫 자동차는 빨간색 중고 폭스바겐 비틀이었다.

"한번은 클럽에 갔다가 우리 병원 독일인 방사선사를 만난 적이 있었거든. 병원에서 봤을 땐 그냥 그랬는데 사복 입은 걸 보니 키도 훤칠하고 근사하더라고. 그 방사선사가, 이름이 막심이었는데 한 반년을 사귀었나. 막심이 처음으로 날 기숙사까지 데려다주

다가 플라타너스 나무 아래로 내 손을 이끌고 갔던 밤이 생각나네. 내 등에 닿은 나무줄기는 차갑고, 막심의 입술은 뜨거웠어. 알아들을 수 없는 독일어를 속삭이며 막심이 내 귀와 목덜미에 더운 숨을 자꾸 불어넣는데 얼마나 짜릿하던지. 나무 향기가 어지러울 정도로 진동하고 달이 무척 밝은 밤이었어."

선자 이모의 첫사랑 찾기와는 그다지 관련이 없어 보이는 마리아 이모의 이야기에 넋을 잃고 빠져든 건 물론 그 당시 설익은 열정과 어디로 흘러가면 좋을지 모를 욕망들이 이른봄의 꽃망울처럼 앞다투어 피어나던 시절을 우리가 통과하고 있었기 때문일 것이다. 배우처럼 아름답고, 사십대 중반의 기혼자임에도 자신이 섹시하다는 걸 알고 즐기던 마리아 이모. 채광 좋은 부엌. 꽃으로 장식한 거실. 아름다운 집 안에서 화려한 실내복을 입은 채 미끄러지듯 걸어다니는 이모의 얼굴에 언뜻 비치던 권태로움까지. 이모는 나에겐 그즈음 뉴스를 떠들썩하게 하던 이웃 나라 왕세자비보다도 더 근사한 동경의 대상이었다. 하지만 자신의 엄마를 향한 레나의 마음은 훨씬 복잡했다. 덩치 큰 아버지를 닮은 탓인지 갑작스럽게 또래의 다른 여자아이들보다 체격이 훨씬 커져버린 레나는—나와 알고 지낸 일 년 사이에 키가 십일 센티미터나 커버려 열다섯 살이던 그해 여름 이미 백칠십 센티미터였고 몸무게가 칠십 킬로그램에 가까웠다—겉으론 태연한 척했지만 사실 자신의 신체 변화에 적응을 못하고 위축되어 있었다. 뤼팽을 사랑하는 귀여운 괴짜였던 레나가 이제 현실의 남자아이들에게 관심을 갖게 되었는데 남자아이들이 늘씬하고 예쁜 여자애들을 좋아한다는 걸 깨달아버린 것이었다. 레나는 번번이 짝사랑에 실패했는데, 그것이 자신의 커다란 덩치와 (마리아 이모와 달리) 통념적인 기준에서 미인으로 여겨지지 않는—"혼혈은 구십구 퍼센트는 미남 미녀로 태어나고 단 일 퍼센트만 엄청 못생기게 태어난다던데 내가 그 일 퍼센트야"라고 레나는 우스갯소리처럼 말하곤 했다—외모 탓이라고 생각했다. 그래서였을까? 레나가 엄마를 사랑하는 만큼 이성 관계에 대한 엄마의 무심한 농담("세상에서 남자 꼬시는 게 제일 쉽지 않니?")은 언제나 레나에게 상처가 되었고, 그런 말을 들을 때마다 레나는 그 쉬운 것도 하지 못하는 자기 자신에 좌절했다.

"게다가 엄마는 나한테 관심이 없거든. 엄마가 관심 있는 건 엄마 자신뿐이야."

레나는 언제나 엄마의 애정에 굶주려 있었다. 마리아 이모는 상상도 못했겠지만, 레나는 다른 파독간호사 출신 이모들이 그러는 것처럼 엄마가 자신에게 간섭해주기를 바랐다. 이모들과 자식들 사이에서 빈번히 일어나던 갈등—중등학교를 마칠 때까지 디스코텍에 가지 못하게 한다거나, 맥주를 마시지 못하게 하는 일 같은 것들—이 레나의 집에선 일어날 리 없다는 걸 레나도 나도 알고 있었다.

"막상 간섭받기 시작하면 넌 지금 한 말을 후회할걸."

레나가 엄마에 대한 불만을 토로할 때마다 내가 그렇게 말하면 레나는 그럴 일은 없다는 듯 고개를 세차게 저었다.

"엄마는 내가 지금 임신을 했다고 말해도 내 자유를 존중한다며 신경쓰지 않을 사람이야. 그게 얼마나 외로운 건지 너는 몰라."

하지만 외로움에 대해서라면 나도 일가견이 있었다.

레나와 헤어져 집에 돌아와보니 귀국 후 부산에서 다시 일상을 보내고 있는 아빠의 편지가 나를 기다리고 있었다. "곧 여름방학이 끝날 텐데 잘 지내고 있니?" 아빠의 국제우편 속에는 언제나 내 앞으로 온 편지 한 통과 해나 앞으로 온 또다른 편지 한 통이 들어 있었다. 엄마 몫의 편지는 없었다는 뜻인데, 아빠는 엄마에게 따로 편지를 쓰는 대신 내게 보낸 편지 끝에 엄마에게도 안부를 전해다오, 라고 쓰곤 했다. 아빠가 보낸 편지 속에는 내가 알지 못하는 부산의 일상이 종종 등장했다. 어느 목요일 퇴근길에 서면 영광도서에 들러 책을 구경했다거나, 주말에 신세화백화점에 가서 푸른색 티셔츠를 한 장 샀다는 식의 이야기 같은 것들이 말이다. 곧 아빠의 생일이었기 때문에 나는 해나와 함께 카드를 쓰기로 했다. 카드에 정확히 삼분의 일씩 칸을 나눠서 나와 해나, 그리고 엄마가 글을 쓸 자리를 마련할 생각이었다. 아빠는 이 년째 혼자 생일을 보내게 될 거였다.

오로지 서울을 벗어나고 싶다는 생각만으로 별다른 연고도 없는 도시에 원룸을 구해 사는 아빠를 생각하면 마음이 좋지 않았다. 아빠는 미역국을 직접 끓여먹을까? 우리 가족이 함께 살 적에 아빠는 음식을 만들지 못했지만 이제는 요리도 할 줄 알았다—적어도 편지에는 그렇게 쓰여 있었다. 얼마 전 아빠가 독일에 며칠을 머물렀을 때 매끼 식사를 준비하고 차린 건 엄마였지만.

아빠가 독일에 다녀간 그때, 우리 가족은 열흘 중 2박 3일 동안 차를 렌트해 브뤼셀로 여행을 갔었다. 빅토르 위고가 세상에서 가장 아름다운 광장이라고 했다는 그랑플라스에서 오렌지맛 소다를 사 마셨고, 오줌싸개 동상 앞에서 사진을 찍었다. 엄마 아빠는 나와 해나에게 무엇이든 하나라도 더 보여주려고 일정을 타이트하게 짰지만 사실 우리는 브뤼셀 시청사나 악기박물관 같은 곳에 아무런 관심이 없었다. 그래서 나는 생위베르 갤러리 안을 거닐면서도, 생미셸성당 안에서 초에 불을 붙이면서도 엄마와 아빠가 더이상 팔짱을 끼지 않는다는 사실에, 서로 멀찍이 떨어져 걷는다는 사실에 신경이 곤두섰다. 여행을 하는 중에 엄마와 아빠는 별것도 아닌 일로 자주 다퉜다. 식당에서 생수를 시킬지 그냥 수돗물을 마실지를 놓고, 아니면 아빠의 직장 동료들에게 줄 선물로 오줌싸개 동상이 들어 있는 스노볼을 살지 맥주병 모양의 열쇠고리를 살지를 놓고. 엄마 아빠는 더이상 서로 사랑하지 않는 걸까? 그 당시 나의 가장 커다란 고민은 엄마나 아빠가 바람을 피우면 어떻게 하나 하는 것이었다. 그러다가 이혼을 해버리면. 나는 더이상 우리 가족 중에 누군가가 사라지는 걸 견딜 자신이 없었다.

내가 독일에 있는 동안 아빠에게 받은 편지는 총 열한 통이었다. "파독간호사의 사랑 이야기는 계속 잘 쓰고 있니?"라고 아빠가 적은 건 아홉번째 편지에서였다. 아빠는 적었다. "소설을 쓴다는 건 정말 멋진 일이다." 그리고 편지의 말미에는 이렇게도 적었다. "하지만 수학 공부를 열심히 하는 것도 잊지 말렴. 외국에서 살다 돌아온 아이들은 수학 때문에 고생한다더라."

우리가 이모들을 찾아다니며 취재하던 때 오래전 직업학교를 졸업해 간호조무사에서 간호사가 되어 있던 선자 이모는 G시 병원의 외래 병동에서 일하고 있었다. 뇌종양만 없었더라면 수간호사가 되고도 남았을 거라고 다른 이모들이 입을 모아 말할 정도로 열심히 일했던 선자 이모는 조금 한산한 보직으로 물러나 있었다. 지금 생각해보면 선자 이모는 이혼 후 홀로 두 아이를 양육하고 있었기 때문에 일을 그만두지 못했던 것일지도 모르겠다. 하지만 그렇다 하더라도 이모가 하기 싫은 일을 억지로 하는 것처럼 보이지는 않았다. 내가 기억하는 한 선자 이모는 간호사라는 직업을 좋아했다. 백오십 센티미터가 겨우 넘는 작은 키에 선이 둥근 몸매를 지녔던 선자 이모. 선자 이모는 한수처럼 낯을 가리는 성격인지 다른 이모들에 비해 다가가기가 어려웠다. 하지만 다른 이모들에 비해 내가 쓰려(고 한다고 되어 있)는 소설에 많은 관심을 보이고 응원해준 편이었는데, 그건 어떤 상황에서도 담담하던 선자 이모치고는 꽤 의외의 모습이었다.

여러 이모들을 찾아다녀봤지만 별다른 진척이 없던 어느 날, 레나가 선자 이모에게 직접 물어보는 게 어떻겠냐고 과감한 제안을 했다.

"방법이 없다고."

우리와 함께 있을 때면 사랑스러운 추리소설 마니아 본연의 모습을 되찾던 레나가 한수의 어둑어둑한 방에서 그간의 조사 결과를 점검하며 말했다. 지난 몇 달간 우리가 알게 된 사실은 이렇게 보잘것없는 것들뿐이었으니까.

1. 선자 이모의 첫사랑은 독일 오기 전 한국에서 알던 사람일 확률이 구십구 퍼센트임(독일에 온 이후 사 개월 사이 선자 이모는 다른 이모들이 아는 한 남자를 만난 일이 없음. 참고로 그 이후에도 한수 아빠를 만나기 전까지 다른 남자를 만난 일이 없었음. 이모를 쫓아다닌 독일인 환자와 잠깐 교류는 있었음. "네 엄마는 연애에는 관심이 조금도 없고 그저 순진하기만 했다니까. 마리아랑은 진짜 달랐지."(김영옥 이모)).

2. 선자 이모의 첫사랑이 고등학교 동창일 리는 없음. 이모는 고등학교를 다니지 못했으니까. 선자 이모는 중학교를 졸업한 후 친척이 소개해준 신발 공장에

서 일함.

3. 선자 이모가 첫사랑과 같은 동네나 근처에 산 것은 구십구 퍼센트 확실. 동네에서 만난 적이 있는 걸로 일기에 나옴. "K.H.랑 저녁밥을 먹고 집 앞에서 이야기를 하다가 자유공원까지 걸어갔던 날도 이렇게 하늘이 파랬는데."

4. 키가 큰 미남일 가능성↑ 선자 이모는 중학교 시절 K.H.가 연극제에서 로미오 역 맡은 걸 보러 간 적 있음. 꽃다발을 많이 받았다고 함.

한수는 들키면 어떻게 하나 걱정을 했지만 선자 이모와 만나보는 건 꽤나 좋은 생각 같았다. 게다가 레나나 한수는 모르겠지만 거짓말 전문가인 나는 우리의 목적을 감추고 자연스럽게 대화를 이끌어나갈 자신이 있었다. 우리가 선자 이모를 취재하기로 마음먹고 찾아간 날에는 비가 왔고, 한수의 집엔 우리 셋과 한미 언니, 그리고 나를 따라오겠다고 떼를 써 하는 수 없이 데리고 온 해나까지 다섯 명의 아이들이 있었다. 그날, 선자 이모는 우리를 위해 수제비를 해줬다. 이모가 무와 멸치를 잔뜩 넣어 커다란 솥에 육수를 내는 동안, 우리들은 둥근 테이블에 둘러앉아 밀가루 반죽을 치댔다. 한미 언니와 한수는 특이하게도 수제비를 케첩에 찍어 먹었다. "수제비는 케첩 찍어 먹는 게 아닌데." 어느덧 또래 독일 아이들처럼 제법 유창하게 독일어를 구사할 수 있게 된 해나가 아는 척을 하며 말했다. 수제비와 케첩이라니, 그건 정말 이상한 조합이었다. 하지만 막상 따라 먹어보니 맛은 또 의외로 괜찮았고, 우리 모두는 마치 원래부터 수제비를 먹는 방식이 그런 것처럼 자연스럽게 케첩을 찍어 먹었다.

"이모는 독일 오기 전에 좋아한 사람 없었어요?"

케첩 튜브를 쥐어짜면서 내가 기습적으로 물은 것은 멸칫국물 덕분에 온몸이 따뜻해지고 아늑한 빗소리가 방안을 가득 채울 즈음이었다. 레나와 한수가 당황한 듯 나를 쳐다봤지만 나는 못 본 척했다.

"있었지."

나의 맞은편에 앉아 콧잔등의 땀을 냅킨으로 닦아내던 이모가 보일 듯 말 듯 미소를 지으면서 대답했다.

"어떤 사람이었어요?"

나는 조금 더 대담하게 물었다.

"근사한 사람."

이모는 그렇게 말하고 입을 다물었다.

그날 밤 나는 노트를 꺼내 거기에 적힌 여러 이름 중 광희, 광호, 광훈 세 개를 차례대로 지웠다.

"왜 그런 건데?"

다음날 전화로 그 사실을 들은 레나가 내게 물었다.

"이모가 설거지할 때 옆에서 그 이름들을 슬쩍 말해봤는데 이모 표정에 전혀 변화가 없었거든."

"선자 이모는 원래 무표정하잖아. 어쩌면 일부러 놀란 티를 안 낸 걸지도 모르고."

물론 그랬을 가능성이 아예 없는 건 아니었다. 하지만 나는 아무리 선자 이모라도 그럴 수 없었으리라고 확신했다.

"그건 말이야."

대개의 일기가 그렇듯 정해진 형식 없이 쓰여나가던 기록 속에는 누군가에게 보내는 편지 형식의 글이 상당량 섞여 있었다. 처음에 나는 일기 속 대화 상대가 일기장일 거라 짐작했다. 독일로 오기 전 엄마는 내게 『안네의 일기』를 사줬고, 나는 그 책에서 "사랑하는 키티에게. 어제까지는 당신에게 편지를 쓸 틈이 없었어요. 목요일은 종일 친구와 함께 보냈고, 금요일에는 집에 손님이 방문하셨거든요. 그러다보니 어느새 오늘이 되었군요"라는 식으로 쓰인 일기들을 읽었으니까. 하지만 선자 이모의 일기를 읽어나갈수록 나는 이모가 말을 거는 상대가 첫사랑일 수밖에 없다고 생각하게 되었다. 왜냐하면 그것들은 하나같이 슬픈 연서였으니까. 그리고 그 행간에 잔잔히 흐르던 격정과 애달픔을 느낀 사람이라면 누구든, 선자 이모가 첫사랑의 이름을 듣는다면 동요할 수밖에 없으리라 확신했을 것이다. 숨기려 해도 감춰지지 않는 게 사랑일 테니까. 봄볕이 나뭇가지에 하는 일이 그러하듯 거부하려 해도 저절로 꽃망울을 터뜨리게 하는 것이 사랑일 테니까. 무엇이든 움켜쥐고 흔드는 바람처럼 우리의 존재를 송두리째 떨게 하는 것이 사랑일 테니까.

　고백하자면 그즈음 나를 매혹한 건 사랑이라는 미지의 감정 그 자체였다. 내가 사춘기에 막 진입한 나이였고, 연애소설을 핑계삼아 누군가의 첫사랑을 찾고 있는 중이었단 걸 고려하면 자연스러운 일이었는지도 모른다. 사랑이란 감정에 대한 나의 호기심은 이따금씩 레나가 치과 진료를 받으러 가거나 친척집에 가야 해서 나와 한수 단둘이 이모들 중 누군가의 집을 방문할 때면 더욱 커졌다. 원하는 만큼 이야기를 듣고 우리가 밖으로 나서면 유럽의 여름답게 거리는 아직 환했다. 하지만 이따금 저녁을 먹고 가란 이모들에게 붙잡혀 해질녘이 다 되어서야 집으로 돌아가게 되는 날도 있었다. 전쟁중 폭격을 덜 받은 덕분에 살아남은 도시의 지붕들을 물들이는 저녁노을이, 서서히 사라지는 것만이 지닌 아름답고도 슬픈 매혹을 가르쳐주던 시간. 그런 때, 말없는 한수와 나란히 걷다보면 선자 이모가 했을 법한 연애의 풍경들이 두서없이 떠올라 마음이 분주해지곤 했다. 머릿속에 떠오르는 장면은 대부분 다른 이모들이 해준 이야기를 뒤섞은 것들이었다. 교회에서 만난 한국인 유학생과 데이트를 하던 이야기를 어떤 이모로부터 들은 날에는 내 상상 속에서 선자 이모의 첫사랑은 늦은 밤 선자 이모의 방 창문 앞을 애타게 서성이던 체격이 좋고 수줍음이 많은 한인 교인이었고, 독일어 수업을 듣기 위해 『구텐 타크』 교재를 무룐 위에 올려놓고 해외개발공사까지 가는 버스를 타고 있노라면 연대생들이 이대생인 줄 알고―해외개발공사가 이대에서 멀지 않아서 버스엔 이대생들이 많이 탔다고 했다―쪽지를 건넸다던 또다른 이모의 이야기를 들은 날에는 선자 이모의 첫사랑은 단정한 체크무늬 셔츠에 베이지색 재킷을 입은 하얀 얼굴의 연대생이었다.

하늘이 서서히 핑크빛으로 물들고, 아직 한 번도 경험해본 적 없는 연애의 설렘이 점점 더 구체적으로 그려지는 저녁이면 나는 사랑이라는 감정을 알고 싶어 조바심이 났다. 독일로 오기 전 읽었던 『캔디 캔디』나 『유리가면』 속의 주인공들처럼, 누군가를 만나는 순간 그전의 삶이 얼마나 고독했는지 깨닫게 만드는 그런 황홀한 사랑. 터질 듯 부풀어오른 마음을 들키지 않으려고 입을 꾹 다문 채 한수와 나란히 버스에 앉아 돌아갈 때, 우리 둘 사이에 흐르는 침묵의 시간을 채워준 건 음악이었다. 언제부터인가 우리는 버스에 타면 자연스럽게 한수의 시디플레이어로 음악을 들었다. 이어폰을 한쪽씩 나눠 끼고 각자의 생각에 잠겨 녹음이 우거진 창밖을 바라보면 풍경은 MTV 속 뮤직비디오보다 근사했다. 비가 내리는 날이면 이어폰을 낀 채 바라보는 물기 어린 풍경은 한층 더 투명하고 아름다웠다.

"집에 한국 노래 시디 가지고 있는 것 있니?"

한번은 한수가 침묵을 깨고 말했다.

"시디는 없고 테이프는 있어."

한수는 한국 노래를 들어보고 싶다고, 나에게 테이프를 빌려줄 수 있겠냐고 했다. 나는 알겠다고, 대신 나에게도 네가 좋아하는 가수의 시디를 빌려달라고 했다. 한수는 음악을 매우 좋아해서 너바나부터 더 프린첸까지 내가 모르던 가수들을 잔뜩 알고 있었으니까. 그렇게 우리는 음반을 교환하기 시작했다. 나는 한수를 통해 〈Smells Like Teen Spirit〉이나 〈You Could Be Mine〉 〈Küssen verboten〉 같은 노래들을 알게 됐고, 한수는 내가 빌려준 이승환이나 서태지와 아이들의 노래를 들었다.

한수는 내게 테이프를 돌려줄 때면 케이스 안에 짧은 메모를 끼워넣곤 했다. '가사는 못 알아듣겠지만, 이 노래가 나는 저번 것보다 더 가슴에 직접 꽂히는 것 같아' 하는 식의 짤막한 감상이었다. 한수의 메모를 읽고 난 후엔 나 역시 한수가 느꼈던 감정을 맛보고 싶어져 테이프를 워크맨에 집어넣고 이어폰을 낀 채 침대에 누워 노래를 들었다. 이미 가사까지 다 외우는 노래들이었는데, 한수가 들었다고 생각하면 이상하게도 특별하게 느껴졌다. 마치 어둠 속에서 처음 발견한 노래처럼. 그러면 처음으로 울리는 새벽의 종소리 같은 새로운 감각들이 내 안에서 퍼져나갔는데, 동시에 그 한국어 노래들이 환기하는 기억은 너무나도 아득히 멀었다. 그건 참으로 모순적인 기분이었다.

그즈음 나는 한수를 향한 불가해한 마음이 조금씩 자라나는 걸 바라보며 커다란 기쁨을 느꼈다. 나는 레나도 한수도 모두 좋아했고, 혼자 있을 때면 셋이 있는 시간이 어서 돌아오길 기다렸지만, 한수와 단둘이 있는 시간을 기다리는 일에 비하면 그건 견딜 만한 지루함이었다. 레나를 좋아하는 일이 아침햇살 아래 부드럽게 몸을 드러내는 연둣빛 들판처럼 완만한 것이었다면, 한수를 좋아하는 건 이유도 없이 찾아오는 슬픔과 벅차도록 밀려오는 기쁨의 계곡 사이를 곡예하듯 걷는 현기증 나는 일이었다. 평상시엔 수줍음 많은 아이가 이따금씩 내 눈을 똑바로 보고 말할 때면 언젠가부터 뱃속이 천둥을 집어삼킨 것처럼 쿵쾅거렸다. 도대체 나는 어쩌다 그렇게 되어버렸던 걸까? 내가 한수를 특별하게 여기기 시작한 것은 우리가 슬픔을 공유하는 사이가 되면서부터였는지도 모른다. 나는 한수가 기약도 없는 선자 이모의 첫사랑 찾기에 매달리는 일이, 도예가가 꿈이라 실업계 중등학교에 진학하고 싶었지만 선자이모를 기쁘게 해주려고 인문계에 진학했다는 사실이 안쓰러워 견딜 수 없었다. 한수는 속 이야기를 쉽게 하지 않는 아이였고, 그만큼 다른 이의 비밀에도 입이 무거웠는데, 그래서 나는 아무에게도 말하지 않았던 이야기들을 한수에게만큼은 할 수 있었다. 예를 들면 우리를 보러 독일에 온 아빠와 함께 보냈던 며칠에 대해서. 일 년 반 만에 재회한 아빠의 뱃살이 얼마나 불룩해져 있었고, 바뀐 안경테가 얼마나 안 어울렸는지에 대해서. 아빠를 보는 게 너무 오랜만이라 그랬겠지만 재회한 것이 기쁜 만큼이나 아빠와 같이 있는 것이 어색하고 쑥스러워 나는 당혹스러웠다. 그건 해나도 마찬가지였는지 아빠가 껴안을 때마다 품에서 벗어나려고 떼를 써서 아빠의 낯빛이 어두워졌다. 셋이 있을 때는 아늑했던 집이 넷이 되자 비좁게 느껴졌다.

나는 한수에게 언니의 죽음에 대해서도 말했다. 그리고 그 일이 있은 후 처음으로, 사고가 나기 얼마 전 내가 언니와 싸우다가 언니를 아파도 땡땡이치지 못하는 범생이라고 놀렸다는 사실을 고백했다. 한수와 나란히 자전거를 타고 어떤 이모의 집에 방문했다가 돌아오는 길에 잠시 공터에 들러 쉬던 중이었다.

"언니가 죽은 건 나 때문일지도 몰라."

항상 생각만 하던 말을 입 밖으로 내뱉고 나자 그것이 사실처럼 느껴졌다. 그 문장을 말하는 목소리가 다른 사람의 목소리처럼 멀리서 들렸고, 손이 떨렸다.

"아니야, 그렇지 않아."

한수가 부드럽지만 단호하게 말했다. 한수와 입을 맞춘 것도 그날이었다. 그건 입술과 입술이 잠깐 닿았을 뿐인 아주 짧은 입맞춤이었다. 사방에선 새들이 요란하게 지저귀고 있었다. 한수의 몸에선 아직 열기가 식지 않은 땀냄새가 났다.

돌이켜보면 독일에서 보낸 두번째 여름부터 겨울까지는 언니의 사고가 일어난 이후 내 인생에서 가장 눈부신 한때였다. 그즈음을 생각하면 차례로 떠오르는 것들. 햇살 아래 부서져내리던, 구시가지 광장 한복판에서 떨어지는 분수의 물줄기. 테라스에서 음료수를 마시고 있으면 달콤함에 이끌려 날아오던 벌들. 초록으로 빛나던 여름 나무들. 오래된 건물의 벽을 달구던 열기. 고지를 모른 채 상승 곡선만을 그리며 고조되던 감정의 음률. 수신호를 하기 위해 한 팔을 허공으로 뻗은 채 친구들과 자전거를 타고 미끄러지듯 달리거나, 스스로 어른인 줄 알고 심각한 표정을 지으며 홀로 뒷짐지고 걷던 G시 곳곳의 거리들. 카를 마르크스나 프리드리히 뵐러처럼 유명한 사람들의 이름을 달고 있던.

홀로 또는 누군가와 함께 시내를 걷다보면 이따금씩 돌멩이를 던지듯 우리를 향해 "곤니치와" "니하오" 하고 소리를 지르는 사람들도 없지는 않았다. 한번은 엄마, 해나와 함께 걷던 중에 해나가 물었다.

"엄마, 우린 일본 사람도 중국 사람도 아닌데 저 사람들은 왜 저렇게 말을 거는 거야?"

주말이라 장을 보고 돌아오다가 브레첼을 파는 가판대 앞을 지날 때였다.

"게으른 사람들은 자기가 알지 못하는 걸 배우려고 하는 대신 자기가 아는 단 한 가지 색깔로 모르는 것까지 똑같이 칠해버리려 하거든."

"그건 대체 왜 그러는 건데?"

이번엔 내가 물었다.

"사람을 사랑하는 일에는 지극한 정성과 수고가 필요하니까."

그 시절, 엄마는 온전히 알아듣지 못해도 샤워할 때마다 라디오를 들고 들어가 독일어 뉴스를 틀어놨고 우리를 여러 박물관에 데려갔으며 슈니첼이나 학센 같은 것들을 우리에게 맛보여주려 애썼다. 나나 동생보다 독일어 발음도 형편없었고, V와 W를 자꾸만 헷갈려 발음했지만, 내가 동생을 데리고 놀기 시작하면 곧바로 책상 앞으로 가 머리를 질끈 묶고 안경을 낀 채 사전을 넘겨가며 두꺼운 책들과 씨름하던 엄마. 무언가에 몰두할 수 있는 시간을 온전히 누리는 엄마의 행복해 보이던 얼굴이 가끔 생각난다.

그리고 또 이런 기억도 있다. 우리 가족이랑 파독간호사 이모들이 모두 함께 김장을 담갔던 늦가을날의 기억. 교외에 위치한 단독주택에 살았던 한 이모—그 이모의 이름은 잊었다—의 집에 일곱 명의 이모들과 그 아이들, 우리 가족이 모여 있었다. 어른들이 절인 배추를 옮기고 무채를 고춧가루에 버무리는 동안 아이들은 마당에서 원반을 던지며 놀았을 것이다. 그 집에는 커다란 개도 있었다. 한국이 그리워 몇 해 전 입양해왔다던 진돗개. 그 개의 이름은 달래였다. 눈이 말갛고, 그 집 주인이었던 이모의 말에 따르면 바우바우가 아니라 멍멍 하고 짖는다던 개.

그날 오후, 김장을 마치고 모두 둘러앉아 삶은 족발에 겉절이를 올려 먹던 중 어떤 이모가 오래전 병원 기숙사에 살던 시절 처음으로 김장을 담가보려 시도했던 날을 이야기하기 시작했다.

"그때 말이야. 우리가 처음으로 다 같이 김장했을 때 기억나?"

그러자 이모들이 일제히 기억나, 기억나고 말고, 하며 한마디씩을 보탰다.

"그때 부엌이 난장판이 되었잖여."

"전부 다 다른 데서 나고 커서 누구는 김치에 오징어를 넣어야 한다 카고 누구는 생갈치를 넣어야 한다 카고 마 시끄러버 죽는 줄 알았다."

그러다 이번엔 우리 이모가 대화를 받았다.

"제일 압권은 역시 그거지. 우리가 담근 김치를 기숙사 뒷마당에 파묻으려고 삽질하는데, 독일인 간호사들이 우르르 나왔던 거."

"왜 그랬는데?"

엄마가 리슬링 와인을 잔에 따르면서 물었다.

"왜긴 왜야. 우리가 늦가을에 흙을 파고 있으니 이듬해 봄에 화초 심을 자리를 갈아엎는 줄 알고 도와주겠다고 다들 삽을 들고 나온 거지."

수많은 간호사들이 여름이 이미 저멀리 달아난 화단에서 웃음을 터뜨리며 삽질을 하는 모습이 눈앞에 그려졌다. 얼마나 천진한 호의인지. 순수한 즐거움인지. 이모들은 왁자지껄 대화를 이어가며 서로의 빈 접시에 음식을 덜어주었다. 나와 한수, 레나는 서로

눈짓을 주고받았다. 박수처럼, 폭죽처럼 터지던 웃음소리. 흘러넘치도록 이어지던 웃음소리.

그즈음, 석사학위까지만 받기로 아빠에게 약속하고 독일로 건너왔던 엄마는 학위를 따게 되면 박사과정까지 진학하고 싶어하는 눈치였다. 해나는 한국의 기억을 잃어버린 것처럼 독일어로만 말했고, 나는 도시를 조금씩 좋아하게 되었으며, 그곳이 내 자리라고 느끼기 시작했다. 마침내 우리 가족도 행복에 거의 가까워져 있는 것 같았다. 그건 언니가 떠오르면 죄책감이 느껴질 만큼의 행복이었다. 죄책감이 가슴을 쿡쿡 찌를 때마다 속으로 언니에게 말을 걸어야 했을 만큼의 행복. "언니, 사람의 마음엔 대체 무슨 힘이 있어서 결국엔 자꾸자꾸 나아지는 쪽으로 뻗어가?"

그리고 우리가 김장을 함께 담그던 그날, 사람들의 이야기를 들으며 평소와 달리 크게 웃던 선자 이모는 더할 나위 없이 건강해 보였다. 그곳에 있던 사람들 중 누구도 선자 이모의 뇌 속에서 종양이 다시 자라고 있을 거라고는 조금도 상상할 수 없었을 만큼. 그곳에 있던 그 누구도 보름 뒤 우리나라가 유례없는 외환위기를 맞게 될 거라는 것 역시 꿈에도 상상하지 못했다. 국가 부도가 나고 기업들이 차례로 도산할 거라고는. 하지만 그 모든 일은 일어났다. 그리고 그로부터 두 달 뒤, 나는 엄마, 해나와 함께 느닷없이 한국에 돌아와 있었다.

3

금요일이었고, 간단히 점심을 사 먹고 국회도서관으로 다시 들어가려던 길이었다. 진동이 울려 휴대전화를 꺼내보니 우재가 보낸 메시지가 연이어 도착해 있었다. 클릭하는 순간 제일 먼저 뜬 것은 플라스틱 통에 담긴 생고사리나물 사진이었다. 사진 밑에는 '약 사러 오는 그때 그 할머니가 주고 가셨어'라는 문장이 달려 있었다. 언젠가 이틀에 한 번씩 약국에 들러 아무 약이나 타가는 동네 할머니 이야기를 우재로부터 들은 적이 있었다. 소화제를 사가고 나면 그다음엔 종합감기약을 사가고 그다음엔 지사제를 사가는 식이라 했는데, 그 할머니가 저번에는 데친 두릅을 주고 가셨다더니, 이번에는 고사리나물을 주신 모양이었다. 권리금이 모자라 그다지 좋지 않은 입지에 약국을 개업할 수밖에 없었다며 손님이 적을까봐 걱정하던 우재에게도 단골이 생기고 있는 듯했다. "약국 수입이 병원 접근성에 전적으로 의존하다보니 부동산 브로커도 생기고, 병원이 입주할 것처럼 거짓말해서 권리금을 뜯는 사기도 요샌 많아졌거든." 얼마 전 통화할 때 우재가 씁쓸한 투로 말했던 게 떠올랐다. "약사도 약에 대해서 얼마나 많이 알고 꾸준히 신약에 대해 공부를 하냐와 상관없이 결국 초기 자본이 많을수록 돈을 더 버는 구조라니까."

국회 정문 앞에 서서 우재에게 뭐라고 답을 할까 고민하는 사이 또 한 통의 메시지가 도착했다는 알림 표시가 떴다. 메시지를 보낸 건 지영씨였다. 지금은 정치부에 있는 지영씨는 수습 시절 함께 경찰서 마와리를 돌고 난 후 새벽에 해장국을 사 먹던 동기였다. 내가 아는 사람 중 가장 기자 정신이 투철하고 좋은 언론인이 되고자 끊임없이 노력하는 그녀는 사람들과 잘 어울리지 못하는 내가 거의 유일하게 신문사 밖에서 만나는 직장 동료이기도 했는데, 잘 지내고 있느냐 따위의 간단한 안부를 묻던 지영씨의 메시지는 이렇게 끝났다. '참, 마왕 조만간 논설실로 간다는 소문이 있더라.' 나는 선 채로 문자메시지를 열어 본 후 우재에게도, 지영씨에게도 답하는 걸 포기하고 창을 닫았다.

애당초 내가 기자가 된 건 지영씨처럼 대단한 사명감이 있어서는 아니었다. 대학에 다니는 동안 리포트를 쓰면서 글재주가 있다는 소리를 조금 들었고, 유통업계 회사에 취직해 몇 년 다녔지만 일에서 보람을 찾을 수 없어 기자를 하면 조금 낫지 않을까 하는 막연한 생각을 하게 되었을 뿐이었다. 기자가 '진실'을 말하는 직업이라는 점도 마음에 들었다. 문학 동아리에서 선배들이 쓰던 소설처럼 허구의 이야기를 만들어내는 게 아니라 진짜 이야기만을 쓰면 된다는 사실이 더이상 거짓말을 하고 싶지 않았던 이십대의 나를 안심시켰다. 독일에서 살았던 이력 탓인지 국제부에 발령을 받아 기사를 쓰며 처음엔 뿌듯할 때도 있었다. 하지만 대개의 일들이 그렇듯, 기자가 되고 얼마 지나지 않아 내가 얼마나 안일한 생각을 가지고 시작했는지가 분명해졌다. 내 기사는 데스크를 거치면서 매번 선과 악 둘 중 하나의 꼴로 깎여나갔는데, 그런 걸 볼 때마다 내가 지키고픈 무언가도 내게서 조금씩 같이 깎여나가는 듯한 기분이 들었다. 온라인 시장이 커지고 기사의 조회수가 중요해지면서 디지털 에디터들이 내 기사의 제목을 자극적으로 바꿔다는 일이 비일비재해지자 나는 기사를 쓰는 일 자체에 점점 무감해졌다. 그 일이 없었더라면 나는 계속 무감한 채로 잘 살아갈 수 있었을까? 반복되는 업무를 권태롭게 처리하면서, 허탈한 마음을 이따금씩 하는 쇼핑과 새로 찾아가는 맛집에서 먹는 식사로 달래면서?

나는 도서관으로 들어가는 대신 발길을 돌렸다. 걷다보니 당도한 곳은 여의도공원이었는데 공원에는 한낮의 빛이 가득했다. 벚꽃잎이 떨어진 가지마다 초록의 잎들이 돋아나 있었고, 철쭉과 색색의 튤립이 이곳저곳에 피어 있었다. 멀리서 농구공이 탕, 탕 튀어오르는 소리가 들려왔다. 테이크아웃 커피를 들고 삼삼오오 걷는 정장 차림의 직장인들. 저 멀리에선 한 무리의 사람들이 롤러스케이트를 타고 지나갔다. 그리고 나는 그런 사람들을 보고 있다가 내가 퇴사를 결심했던 그 겨울날 저녁에는 마로니에공원에서 사람들을 보고 있었다는 걸 기억해냈다. 느닷없이 사회부로 발령이 난 이후였고, 강원도에서 스포츠센터 화재가 발생하고 얼마 지나지 않았을 때였다. 지영씨와 내가 '마왕'이라고 부르던 사회부의 마부장은 늘 그렇듯 속보 경쟁 탓에 후배들에게 디테일이 다 빠진 기사를 찍어내게 시켰다.

"다들 매사에 여유가 넘치지? 논문 써?"

어느 날은 내가 1차 데스크를 본 기사를 야마가 없다며 계속 트집잡던 부장이 나를 불렀다.

"이차장, 이차장은 21세기 기자의 역할이 뭔지 아직도 몰라? 21세기 기자는 분석하는 사람이 아니야. 화두를 던지는 사람이지."

내가 그 울음소리를 들은 건 화재 원인이나 대책을 다루는 심층 보도가 아니라 피해자들의 자극적인 개인사나 보험금 액수가 담긴 기사들이 결국 마왕의 뜻대로 실려 나가는 것을 무기력하게 보다 집으로 돌아오던 저녁 택시 안에서였다. 현장에서 취재한 후배들이 공유해준 음성 파일들을 지우기 전에 다시 한번 들어보고 있던 중, 실수로 녹음한 듯한 십구 초 남짓한 파일 속에서 배음처럼 누군가의 울음소리가 들렸다. 그 소리를 듣자 나를 견딜 수 없게 만드는 익숙한 슬픔과 피로가 밀려왔다. 그 소리는 언니를 잃은 이후 숨죽여 울던 엄마의 흐느낌처럼 들렸다. 택시를 타고 지나던 대학로 일대는 꽉 막혀 있었고, 나는 택시 기사에게 양해를 구하고 내려 이미 어둑어둑해진 마로니에공원 근처의 가로수 아래서 오래오래 구토를 했다. 공원엔 이제 막 걸음마를 배운 아이가 나와 있었고, 그 아이는 구토를 하고 겨우 서 있던 나를 향해 하염없이 장갑 낀 손을 흔들었다. 티 없이 웃으며. 그리고 나는 그 아이에게 마주 손을 흔들어주면서, 더이상 기사를 쓸 수 없으리라는 걸 깨달았다.

지영씨의 메시지를 받은 다음날에도 나는 국회도서관에 가려다 말고 또다시 발걸음을 돌려 여의도공원으로 갔다. 도서관에 갈 생각으로 짐을 챙겨 나왔다가 입구에서 돌아서는 날들이 이어졌다. 한참의 시간이 흐른 후에 나는 내가 도서관에 들어가지 않으려 했던 게 무언가를 지연시키기 위해서였단 걸 깨달았다. 그러니까, 지영씨의 메시지('해미씨, 이직 준비는 잘돼? 대학원에 가려는 거야?')에 답장할 말을 찾고 정말로 다음 페이지로 넘어가는 일을 회피하려 했다는 걸. 하지만 그때는 미처 그 사실을 깨닫지 못한 채, 엿새째 되는 날에도 나는 연못 저편에서부터 자전거를 끌고 오는 부녀를 바라보면서 벤치에 앉아 있을 뿐이었다. 사방이 눈부시고 연못 위의 연잎은 진녹색으로 싱그러운 늦봄 오후였다.

연분홍색 헬멧을 쓴 어린 여자아이는 무서운지 "아빠, 놓으면 안 돼"라고 연신 다짐을 받았다. "걱정하지 마. 아빠가 꼭 붙잡고 있어." 아이가 겨우 안심한 표정으로 자전거에 올라타는 모습을 나는 심상하게 쳐다보았다. 아이의 아빠는 자전거의 뒤를 붙잡았고, 진분홍색 자전거 위에 올라탄 아이는 심호흡을 한 뒤 조심스럽게 페달을 밟았다. "아빠, 놓으면 안 돼!" 아이는 다시 소리를 지르며 조금 더 빨리 페달을 밟았다. "걱정하지 마." 아빠가 소리를 지르며 아이의 뒤에서 달렸다. 저만큼 나아갔던 아이가 다시 이쪽으로 돌아올 때, 아이의 두 볼은 빨갛게 상기되어 있었고 두 눈은 두려움과 황홀함으로 빛나고 있었다. "아빠, 아직 놓으면 안 돼. 안 놓은 거지?" 여자아이의 아빠가 붙잡고 있던 손을 몰래 놓자 자전거는 불안하게 비틀거렸고, 결국엔 넘어졌지만 아이는 울지 않았다. "아빠, 놓으면 어떻게 해." 웃음기 섞인 원망하는 목소리. 바람이 불면 이따금씩 들려오는 나뭇잎 부딪치는 소리. 그 장면은 몇 번이고, 몇 번이고 반복되었다. 그렇게 한참의 시간이 흐르고, 아이가 마침내 아빠의 손을 떠나 커다랗게 원을 그리며 달리게 될 때까지.

오랫동안 잊고 살았던 무언가가 머릿속에 기습적으로 떠오른 건 바로 그 순간이었다. 아이가 미끄러지듯 먼 곳으로 자유롭게 나아가는 뒷모습을 바라보던. 환영처럼 떠오른 건 한수가 내게 보냈던 편지였다. 독일에서 온 소포 안에 들어 있던 편지. 아니, 보다 정확히 말하면 내가 떠올린 건 그 편지를 박스에 담고 밀봉하는 장면이었다. 내가 독일에서 쓴 비밀 노트들과 몇 개의 수첩 그리고 그간 독일에 있는 이들로부터 받은 편지들을 상자에 한꺼번에 담고 두 번 다시 열어보지 않을 것처럼 테이프를 몇 겹씩 붙여 나갔던 장면. 어째서 지금 이런 기억이 떠오르는 걸까? 나는 영문 모를 슬픔과 괴로움을 느끼며 자문했다. 어떤 기억은 짐작도 할 수 없는 깊은 곳에 도사리고 있다가 불시에 일격을 가한다. 하지만 그토록 오랜 시간 잊어버렸던 그 기억을 한낮의 공원 한복판에서 대체 왜 떠올리고 있는지, 나를 이토록 참담하게 만드는 감정의 실체가 무엇인지는 도무지 알 수 없었다. 내가 그 자리에서 알 수 있는 유일한 사실은 이것뿐이었다. 당장 그 상자를 다시 찾아야 한다는 것. 그 상자를 찾아야만 했다. 그 안에서 내가 발견하게 되는 것이 무엇이든 간에.

*

독일에서 이 년을 보내고 왔을 뿐인데 내 주변의 많은 것들이 변해 있었다. 아빠가 부산에서 우리 식구를 위해 새로 구해놓은 집은 남천동에 위치한 신축 아파트였다. 새 아파트는 독일에서 살았던 집보다 훨씬 넓었고 해나와 나눠 쓰지 않는 나만의 방도 생겼지만 내 마음은 엉망진창이었다. 다시 아빠와 함께 사는 것이 싫었던 건 아니었다. 하지만 나는 내가 일궈놓은 모든 걸 잃은 채 또다시 낯선 환경에 내던져져 있었고, 그건 아주 고통스러운 일이 었다. 엄마 아빠가 다투는 일도 잦았는데, 시국이 불안하니 가족 이 같이 붙어 있어야 한다며 유학을 포기하고 조기 귀국하기로 결 정했던 엄마 아빠는 재회의 기쁨이 가라앉자마자 싸우기 시작했 다. 이 년간 떨어져 지내며 달라진 생활습관들이 부딪치면서 생 겨나는 불협화음도 있었지만 때로는 그보다 더 심각한 일들, 예 를 들면 작은아빠의 실직이나 외삼촌이 경영하던 속옷 공장의 도 산 같은 것이 원인이 되기도 했다. 엄마 아빠가 소리지르고 싸우 는 동안 나는 해나를 데리고 단지 내의 놀이터에 나가 있었다. 한 밤에 그네를 하나씩 차지하고 앉아 있으면 별 하나 뜨지 않은 밤 하늘은 유난히 뿌옇게 보였다.

"언니, 나는 여기가 싫어."

해나가 그렇게 말하면 나는 '나도야'라고 말하는 대신 해나 뒤 로 가서 그네를 밀었다.

"너 언니가 했던 말 기억하지? 학교에 갈 때 뭘 조심하랬지?"

"눈을 내리깔지 말라고 했어."

해나는 그네가 높아지자 웃음을 되찾고는 큰 소리로 말했다.

"응, 그러려면 뭐라고 생각하랬지?"

"너희들은 결국 다 나한테 뻑갈 거야!"

동생 앞에서는 잘난 척했지만 정작 나는 독일에서의 마법이 풀리기라도 한 듯 학교에서 대부분의 시간을 혼자 보냈다. 사춘기는 무리의 성격과 다른 것을 배척하는 시기였고, 나의 서울 말투라든가 딱딱한 독일어 억양이 묻어나는 영어 발음 같은 건 쉽게 놀림거리가 됐다. 그럴 때마다 나는 맞서 싸우는 대신 눈을 내리까는 쪽을 택했는데 그건 새로운 환경에 적응해야 해서라기보다는 내가 그곳을 곧 벗어나리란 생각을 품고 있었기 때문이었다. 그 시절엔, 언제든 다시 독일로 갈 수 있으리라는 막연한 기대를 버리기가 힘들었다. 순식간에 귀국이 결정되었듯이 또 그렇게 어느 날 아침 거짓말처럼 독일에 가 있으리란 희망이 마음 한구석에 끈질기게 살아 있었다. 그즈음 나를 가장 생동하게 했던 것은 새로운 학교나 환경이 아니라 독일에서 온 편지들이었다. G시에 막 정착했을 때 한국의 친구들과 그랬듯 레나, 한수와 교환하던 편지들. 독일엔 인터넷이 설치된 집이 한국보다도 더 없던 시절이라, 항공편으로 배달되는 편지들이 이삼 주 간격으로 도착했다.

독일을 떠나오기 전, 마지막으로 만난 레나와 한수는 나를 우리 프로젝트의 한국 지부장으로 임명했다. "우린 헤어지는 게 아니야. 우리는 영원히 이어져 있으니까 넌 그곳에서 너의 역할을 하면 돼." 진눈깨비가 날리던 기숙사 뒤 공터에서 그렇게 말했던 게 한수였던가, 레나였던가? 나는 차오르는 눈물을 꾹 참으며 나와 작별인사를 하기 위해 찾아온 친구들을 향해 고개를 끄덕였다.

레나와 한수는 내가 떠난 후 알게 된 정보들을 편지에 적어 보내곤 했다. 여전히 매주 금요일에 만나 정보를 교환하고, 나에게 전달할 내용들을 함께 정리하는 모양이었다. 편지를 쓰는 건 주로 레나였다. "이모들 말이 선자 이모가 애타게 기다리는 편지가 있었다더라. 편지를 받은 날엔 여름날처럼 맑아지고 편지가 제때 오지 않는 날엔 늦가을처럼 흐려졌대." 어느 날의 편지에 레나는 그렇게 썼다. 때로는 레나 대신 한수가 편지를 써 보내기도 했다. "엄마는 한국에선 교회를 진짜 열심히 다녔나봐. 한국에 살던 시절 가장 좋았던 추억이 동네 교회 사람들이랑 크리스마스이브를 보냈을 때래." 그 아이들은 여전히 내가 한국에서도 소설을 쓸 수 있게 돕는 중이라고 말하고 다닌다고 했다. 그런 편지들을 받아 읽노라면 그리움이 파도처럼 밀려왔고, '여기'가 아니라 '거기' 그들 곁에 가 있고 싶어지는 건 어쩔 도리가 없는 일이었다.

더이상 선자 이모의 일기를 읽을 수 없게 된 내가 할 수 있는 일은 그간 노트에 정리해둔 내용과 편지로 전해 받은 새로운 정보들을 조합해 K.H.의 존재를 추리하고 답장을 쓰는 것뿐이었다. 그러다보니 사실 나의 역할은 미미했는데도 우리가 여전히 한 팀으로 그 일에 몰두할 수 있었던 건 그것이 우리에게 소속감을 주었기 때문이었다. 선자 이모의 첫사랑을 정말로 찾을 수 있는가는 더이상 중요하지 않았다. 애당초에 그건 가능성이 희박한 일이었으니까. 우리에게 필요한 건 각자의 불안을 견디는 일이었다. 우리를 조급하게 어른으로 만들어버리고 마는 결핍을 견디는. 하지만 항공우편을 보내놓고 답장을 기다리는 시간은 사춘기 아이들에겐 지루하도록 길었고, 내가 독일의 사정을 잘 알지 못한 채 머나먼 한국에 있다는 사실이 프로젝트를 유지할 동력을 서서히 꺼뜨렸으며, 무엇보다 독일에 가 있는 동안 공백이 생겨버린 한국의 정규교육 진도를 따라잡으려 내가 애쓰는 사이 레나와 한수도 독일에서 각자의 일상을 살아가느라 바빴는지, 열정적으로 이어지던 우리의 편지 교환은 시간이 지나며 점점 간격이 느슨해졌다. 어느새 나는 거의 삼 개월이 넘도록 친구들의 편지를 받지 못해도 그것을 자연스럽게 받아들이고 있었다. 그러다 한수가 보낸 소포가 도착한 건 한국에 돌아온 뒤 계절이 세 번이나 바뀐 늦가을의 어느 날이었다. 그 안엔 편지와 함께 선자 이모의 일기장 열세 권이 들어 있었다. "해미야, 엄마가 입원했어." 일기장을 왜 보낸 것인가 하고 놀라 서둘러 펴본 편지엔 그렇게 쓰여 있었다.

*

아주 오랜만에 엄마에게 전화를 걸어보니 엄마는 베고니아에 물을 주고 있다고 했다.

"어쩐 일이야?"

내게서 좀처럼 연락이 오지 않는 것에 익숙해져 있는 엄마는 내가 전화를 걸 때면 한결같은 반응을 보였고, 그러면 나는 조금 미안해졌다.

"어쩐 일은. 엄마는 잘 지내지?"

"그럼, 잘 지내지. 수강생이 적어서 수업이 폐강될 뻔했는데 폐강도 결국 안 됐고."

엄마는 아빠가 정년퇴직한 후 지인의 소개로 어느 구립도서관 문화 교실에서 '독일의 종교개혁과 서양 미술사'라는 주제로 강의를 했는데, 돈을 벌기 위해서라기보다는 '자아실현'을 위한 거라고 네 음절에 힘을 주어 말하곤 했다. 한국에서라도 신학 공부를 계속하고 싶어했던 엄마는 결국 뜻을 이루지 못했다. 엄마가 생각하는 신학과 한국 대학에서 가르치는 신학이 달라도 너무 다르다는 게 이유였지만, 나는 그 역시 교직처럼 우리 자매들을 돌보기 위해 엄마가 포기한 많은 것들 중 하나가 아니었을까 내심 막연한 부채감을 느꼈고, 이제라도 엄마가 독일에서의 시간을 가치 있는 무언가와 맞바꿀 수 있다는 게 다행스러웠다.

"그래서 무슨 일인데?"

내가 본론으로 바로 들어가지 못하고 우물쭈물하자, 수업을 듣는 네 명의 학생에 대한 이야기와 아빠의 코골이 소리가 예전 같지 않아졌다는 이야기에 이어 해나는 자주 연락하는데 그 반만이라도 하면 안 되겠느냐는 잔소리까지 늘어놓던 엄마는 답답한 듯 나에게 단도직입적으로 물었다.

"혹시 내가 독일에 살던 시절 물건들 담아놓은 커다란 상자 기억나? 그거 아직 집에 있을까?"

엄마는 어떻게 생긴 상자냐고 물으면서도 네가 서울로 가져가지 않은 물건들은 다 버렸다. 요즘은 미니멀하게 사는 게 트렌드 아니냐. 그래서 시간이 날 때마다 틈틈이 물건들을 내다버리고 있다, 라고 말하더니 결국엔 한번 찾아볼게, 라며 전화를 끊었다. 버렸을지도 모른다는 말에 모든 것이 끝나버린 듯해 한동안 허탈해했는데, 열흘쯤 후 엄마가 사진 한 장과 함께 메시지를 보내왔다.

'이거 맞냐. 그런데 갑자기 이건 왜? 참, 올해는 너희 큰이모 한국 온다더라. 바쁘겠지만 오랜만에 오는 거니까, 알아나 두라고.'

사진 속에는 절대 열어보지 마시오, 만지면 100년 동안 재수없음이라고 유성펜으로 굵게 적고 박스 테이프로 덕지덕지 봉한 귤 상자 하나가 들어 있었다.

며칠 뒤, 상자가 집으로 도착했다. 나는 커터로 상자의 윗부분을 조심스럽게 갈라 열었다. 상자 속에는 독일에서 온 편지들과 비밀 노트, 선자 이모의 일기장들이 차곡차곡 쌓여 있었다. 그중엔 아무도 열지 않아 여전히 밀봉되어 있는 한 통의 편지도 있었는데, 나는 그걸 한쪽에 치워둔 후 나머지 편지들을 하나씩 열어보기 시작했다. 내가 찾던 한수의 그 편지는 나의 노트들 밑에 깔려 있었다. 나는 상자 바닥에서 그 편지를 꺼낸 뒤 천천히 봉투를 열고 두 번 접힌 아이보리색 종이를 펼쳐들었다. 흔해빠진 날씨나 계절 이야기 따위는 전혀 없이 "해미야, 엄마가 입원했어"라고 시작하는 편지. 나는 쭈그려앉은 채 편지를 세 번 연거푸 읽었다. 편지엔 "이젠 정말 시간이 없어. 네가 우리의 유일한 희망이야. 한국에 있는 네가 반드시 엄마의 첫사랑을 찾아줬으면 해"라고 쓰여 있었다.

보다 자세한 이야기는 며칠 후 받은 레나의 편지를 통해 알 수 있었다. 한수와 거의 동시에 내게 편지를 쓴 레나는 선자 이모가 몇 주 전부터 머리가 다시 깨질 듯 아파 병원에 갔다가 결국 수술을 받게 되었다고 적었다. "하지만 종양이 이미 너무 많이 퍼져 더 이상 손쓸 방도가 없대." 한수는 내가 이미 읽은 1973년도부터 1975년도까지의 일기장을 포함해 1990년대 후반까지 선자 이모가 쓴 모든 일기를 내게 보내왔다. 이십 년이 넘는 세월이 열세 권의 일기장에 담긴 건 처음엔 하루에 여러 번씩도 적었던 일기를 선자 이모가 1980년대 중반에 중단했다가 종양이 발견된 이후 몇 주에 한 번, 몇 달에 한 번꼴로 다시 드문드문 쓰기 시작했기 때문이었다. "주변 이모들 모두에게 선자 이모의 첫사랑이 누군지 알려달라고 아예 대놓고 물어봤는데 누구도 아는 사람이 없어. 선자 이모도 여전히 말을 안 하고."

엄마에게 들키면 어떻게 하나 그렇게 걱정하던 한수가 나에게 일기장 원본을 통째로 보내온 것은 그만큼 절박하다는 의미였을 것이다. 아빠와는 오래전에 헤어졌는데 엄마마저 영원히 잃을지 모른다는 두려움 앞에서 누구보다도 간절해졌을 열여섯 살 소년의 마음을 상상하자 견딜 수 없이 괴롭고 참담해졌다. 한수의 소포를 받은 1998년 11월의 어느 밤, 나는 간절한 마음으로 동이 틀 때까지 일기장을 읽었다. 한수와 레나는 내가 무언가를 해주길 바랐고, 나는 정말 친구들의 기대에 부응하고 싶었다. 하지만 결론부터 이야기하자면 나는 선자 이모의 첫사랑을 제때 찾지 못했다.

다음날 아침 국회도서관에 가기 위해 나갈 채비를 하면서, 한수의 소포를 받았던 그 가을 내내 학교 갈 때마다 그랬던 것처럼, 독일에 살던 시절 들고 다니던 나의 비밀 노트들과 일기장을 가방에 넣었다. 도서관에 자리를 잡은 후에는 노트들을 꺼내어놓고 한 장씩 넘겨보았다. 처음 독일에 가자마자 썼던 노트엔 사실과 거짓말을 빨간색과 파란색으로 나누어 썼지만, 본격적으로 첫사랑 찾기에 돌입한 후인 두번째 노트의 중반부터는 대부분이 검정색으로 기록되어 있었다. 내가 쓴 게 틀림없지만 마치 다른 사람이 쓴 것처럼 낯선 글을 찬찬히 읽다보니 모든 것이 비현실적으로 느껴졌다. 삐뚤빼뚤하고 어떤 것은 더이상 무슨 의미인지 해독할 수 없는 글씨를 읽느라 피로해진 눈두덩을 손가락으로 꾹꾹 누르며 주위를 둘러보는데, 창가 쪽 책상에 검버섯이 핀 노인이 낡은 책들을 쌓아놓고 심각한 얼굴로 열중해 읽는 모습이 보였다. 어디선가 복사기 돌아가는 소리가 윙— 하고 들려왔다가 잠잠해졌다.

문득 중학교 시절의 기억이 떠올랐다. 선자 이모의 일기장을 전달받고 얼마 지나지 않은 날이었을 것이다. 점심시간이었고, 나는 운동장이 보이는 창가 쪽 중간쯤에 위치한 내 자리에 앉아 선자 이모의 일기장을 읽고 있었다. 아마 내가 독일에 살던 시절에 읽지 못한 1976년이나 77년 무렵의 일기였을 것이고, 한수와 레나가 원하는 무언가를 찾아야 한다는 생각에 절박한 마음이었을 것이다. 일기장을 읽다가 눈이 피로해져 창밖을 보는데 갑자기 새 한 마리가 나무 위에서 툭 떨어졌다. 순식간에. 운동장과 교실 안은 아이들이 만들어내는 소음과 활기로 가득했을 텐데도 나의 기억 속에서 그 장면은 아주 고요하게 남아 있다.

하루종일 노트들을 읽다가 짐을 챙겨 도서관을 나온 건 버스에 퇴근 인파가 몰리기 직전이었다. 나는 집 근처 단골 식당에 가서 저녁을 사 먹으며 낮에 읽었던 내용을 복기했다. 창밖 길 건너 담벼락 위에 보랏빛 꽃무리가 바람에 흔들리는 것이 보였다. 라일락 같기도 하고 등나무꽃 같기도 했는데, 그렇게 흔들리는 꽃송이들을 보자 멀찍이 떨어져서는 구별할 수가 없는 것들이 너무 많다는 생각이 들었다.

국회도서관에 들고 다니던 노트북 안에는 지난 몇 개월간 파독 간호사와 관련된 자료들을 찾아 정리해둔 '파독간호사' 폴더가 있었다. 나는 낮 동안 내 비밀 노트를 순서대로 읽으며 메모해놓은 것들을 그 폴더 안에 문서로 저장해두었다. 궁금하거나 조금 더 살펴보고 싶어진 내용을 타이핑한 것이었는데, 특별한 목적은 없었다. 다만 과거의 내가 알아낸 것과 알아내지 못한 것이 무엇이었는지가 궁금했을 뿐이었다. 여러 해에 걸쳐서 쓴 탓인지 노트가 정리된 방식은 다소 두서가 없어서, 어떤 경우엔 알아낸 사실이 몇 년도 몇 월의 일기에서 발견한 것인지 기입되어 있기도 했지만(한수 아빠와 첫 데이트, 1978년 3월 10일) 많은 경우 어디에서 획득한 정보인지가 정확하지 않았다(K.H.가 즐겨 피우던 담배─신탄진). 노트에 날짜가 정확히 적혀 있으면 곧바로 일기장을 꺼내어 관련된 내용을 다시 검토하고 문서 파일에 정리할 수 있었지만, 날짜가 나와 있지 않아 즉시 확인이 어려운 경우엔 물음표를 그려두고 넘어갈 수밖에 없었다.

내가 K.H.의 이름을 찾아냈었다는 기억이 갑자기 떠오른 건 집으로 돌아와 침대에 걸터앉은 채 맥주 한 캔을 마시면서 낮에 정리한 파일들을 다시 살펴보던 중이었다. 나는 가방 속에서 세번째 노트를 꺼내어 K.H.로 만들 수 있는 이름들을 적어둔 마지막 페이지를 얼른 펼쳐보았다. 광훈, 경훈, 광호, 경호, 광휘, 경휘, 강호, 강혁……으로 이어지던 리스트의 다른 모든 이름들에는 × 표시가 되어 있고 리스트의 맨 마지막에 적혀 있는 '기호'라는 이름 위에만 세 겹의 동그라미와 함께 별표 두 개가 그려져 있었다. 그걸 보자 K.H.의 이름이 기호가 틀림없다고 레나, 한수에게 확신에 차서 이야기했던 장면이 기억 속에서 선명히 떠올랐다. 그건 아직 내가 독일에 있을 때였고, 몇 달 후 갑작스럽게 우리 가족이 귀국하게 되리라고는 미처 알지 못했던 그 여름 축제 날의 일이었다.

매해 8월 G시의 구시가지에서는 여름 축제가 열리곤 했다. 파독간호사 이모들이나 우리 가족도 그 축제를 기다렸는데, 한국 교민들도 작게나마 한국 음식을 만들어 파는 부스를 열었기 때문이었다. 그리고 그날 오후, 나는 여름 햇살이 뜨거운 간이 테이블에 앉아 야채 튀김을 간장에 찍어 먹으며 레나와 한수에게 말했다.

"내가 이름을 알아냈어. 기호가 확실해."

"어떻게 알아냈는데?"

한층 높아졌던 레나의 목소리. 아무 말도 하지 않았지만 내 쪽으로 의자를 당겨 앉던 한수의 반짝이던 눈빛. 나는 틀림없이 그날 무언가를 설명했을 것이다. K.H.가 '기호'일 것이라고 추론하게 된 근거에 대해서. 하지만 오랜 시간이 지나 지금 내가 기억하는 건 고소한 기름냄새와 왁자지껄한 축제의 분위기뿐이었다.

한인 교민 부스 주위를 둘러싸고 있던 수많은 아이들. 그중엔 독일에서 나고 자라 한국어를 거의 하지 못하는 아이들도 꽤 많았다. 길을 가다 독일인들로부터 "너 독일어를 꽤 잘하는구나" 같은 칭찬을 들으면 방어적으로 "당연하지. 난 독일인이니까"라고 말하던 한수 같은 이민 2세들. 그 아이들은 한국어를 거의 하지 못했지만 한국 음식만큼은 무척 좋아했다.

"넌 좋겠다. 너에겐 나라가 하나라."

언젠가 레나가 나에게 그런 말을 한 적이 있었다.

"넌 독일 사람이잖아."

그 당시 나는 겉보기엔 거의 백인처럼 보이고 완벽한 독일어를 구사하는 레나 역시 스스로를 이방인처럼 느낄 수 있다는 걸 잘 이해하지 못했다. 그렇기 때문에 나는 그 말을 듣는 순간 레나의 마음에 공감하기보다는 레나가 나에게 그들과 다른 사람이라고 선을 긋고 있다는 생각에 쓸쓸해졌다. 내가 레나의 말에 대해 다시 생각해보게 된 것은 한국에 되돌아온 이후였다. 그때 나는 한국 사람들 사이에 섞여 있으면서도 마치 독일 사람들 틈에서 그랬 듯 종종 홀로 무리에서 떨어져나와 있는 것처럼 느꼈으니까.

뿌리가 끊어진 사람들. 파독간호사에 대한 논문과 유튜브 영상을 찾아 읽고 보기 시작하면서, 내 눈에 자주 띈 건 '뿌리가 끊어진 병Entwurzelungskrankheit'이라는 표현이었다. 한 영상 속에서 금테 안경을 쓴 어느 한국인은 처음엔 한국어로 말을 시작했다가 중반부터는 자신도 의식하지 못한 채 독일어로 바꿔 다음과 같이 자신의 처지를 설명했다. "독일에 와서 독일 말을 하고 문화를 받아들이고 독일 남자와 결혼해 독일 국적 아이들을 낳고 살지만 처음 만나는 사람들은 어디서든 나에게 어느 나라 출신인지를 가장 먼저 물어요. 나는 아무리 이곳에 오래 살아도 죽을 때까지 이방인인 거죠. 그래서 나는 언제나 고향이 그리워요. 그런데 뿌리 뽑힌

느낌이 드는 건 이제 한국에 놀러가도 마찬가지예요."(김계숙)

한국에서도 스스로를 이방인처럼 느끼는 것은 선자 이모도 마찬가지였다. 선자 이모가 전남편과 헤어질 수밖에 없었던 결정적인 이유는 그가 독일에 그렇게 오랫동안 살았으면서도 삼시 세끼 한식을 먹고 싶어했고, 한국으로 돌아가 정착하기를 점점 더 소망했기 때문이었을 거라고 우리 이모가 내게 말했던 걸 나는 기억하고 있었다.

"한국에 가면 있지, 딱 이 주는 정말 좋아. 가족도 만나고, 친구들도 만나고 한국 음식 실컷 먹고. 근데 이 주가 지나면 바로 알게 되는 거야. 아, 여기에도 내 자리가 없구나 하고. 선자도 그랬던 거겠지."

하지만 처음엔 선자 이모도 언젠가 자신이 한국을 낯선 나라로 여기게 될 거라고는 조금도 상상하지 못한 채 고향을 그리워했을 것이다. 내가 노트에 적어놓고 별표까지 쳐놓은 바에 따르면 선자 이모는 독일 생활 초기엔 "얼른 삼 년이 지나서 한국에 돌아가 가족들 그리고 K.H.와 다시 만나"기를 소망하고 있었다. 나는 해당 내용이 등장하는 1973년, 선자 이모가 독일에 막 도착했을 당시의 일기 몇 장을 다시 읽다가 덮어둔 채 열아홉의 선자 이모를 상상했다. 한 번도 먹어본 적 없었던 독일 음식에 물려 쌀밥을 그리워하던 선자 이모. 어쩌다 한 번 한국 음식을 해먹고 출근했다가 마늘냄새가 난다며 의사에게 근처에 오지도 말라는 소리를 들

130

고 화장실로 가서 혼자 눈물을 훔치던 선자 이모. 고작 열아홉 살의 나이에 홀로 수많은 밤을 눈물로 보냈을 선자 이모를 상상하자, 어느새 나 자신이 말도 통하지 않고 문화도 낯선 타지에 가족도 친구도 없이 불시착한 사람이 된 듯한 느낌이 들었다. 그랬던 선자 이모는 어째서 독일에 계속 남는 길을 택했을까?

여러 사람들의 말과 일기를 정리한 노트의 메모들을 조합해보면 선자 이모는 1955년 인천에서 3남 1녀 중 막내로 태어났다. 아버지는 선자 이모가 아홉 살 때 부둣가에서 하역 일을 하다가 허리를 다쳤고, 그후 가족은 어머니가 운영하는 작은 담뱃가게의 수입으로 살았다. 이미 이야기했듯이 선자 이모가 고등학교에 진학하지 못한 건 넉넉하지 않은 가정 형편 탓이었다. 오빠들과 그녀 중 누군가가 고등학교 진학을 포기한다면 그건 너무나도 당연하게 그녀여야 했던 것이다. 누가 강요한 것은 아니었다. "그건 그냥 살기 위해서는 공기를 마시는 것처럼 자연스러운 일이었어." 언젠가, 선자 이모를 취재하기 위해 모인 그 비 오던 날에, 엄마만 고등학교에 진학하지 못해 억울하지 않았냐는 한수의 물음에 선자 이모는 답했다.

일기의 내용이나 선자 이모가 해준 단편적인 이야기들을 떠올려보면 선자 이모의 가족은 유대가 좋고 특히 우애가 남달랐던 것 같다. 고등학교에 진학하고 나중에는 대학까지 간 오빠들은 누이가 신발 공장에서 일을 마치고 돌아올 때면 번갈아 마중을 나가기도 했다니까. 집까지 걸어가는 길에 오빠와 시장에 들러 사 먹었던 팥 도너츠. 하나는 그 자리에서 먹고 또하나는 오빠가 그녀의 가방 속에 넣어주었다던. 유대가 남달랐던 탓일까? 독일 정착 초기에 선자 이모가 쓴 일기에는 이런 내용이 반복적으로 등장한다. "엄마와 오빠들이 그렇게 반대를 했는데, 내 멋대로 독일까지 와 놓고 힘들다는 말을 할 수는 없다."

일기에 따르면 부모와 오빠들은 선자 이모가 독일에 갔다 오면 한국 남자와는 결혼하지 못할까봐 불안해했다. 그녀의 독일행을 응원해준 건 앞서 독일로 건너가 서베를린의 시립병원에서 간호사로 일하고 있던 이종사촌 말자 언니와 K.H.뿐이었다. 하지만 선자 이모는 열여덟 살이 되기 전에 독일로 떠나기로 결정했고, 일 년 반 동안 간호조무사 교육과 소양 교육을 받은 후 독일행 비행기에 올랐다.

선자 이모에 대한 다른 이모들의 평판은 거의 비슷비슷했다. "선자? 선자는 순하고 조용하제. 연애 같은 건 모르고 살았당께." (임윤옥) "맏딸도 아니고 막내인데도 집에 꼬박꼬박 돈 부치고, 성실하게 일하고. 순하디순하고 우직해서, 별명이 송아지야. 시키면 뭐든 말도 없이 눈만 끔벅끔벅하고는 열심히 해서."(양경남) 노트 속의 기록과 내가 갖고 있는 어렴풋한 기억에 비추어 떠올린 선자 이모는 지극히 온순하고 착실한 사람이었다. 가족의 뜻을 거슬러가며 무언가를 선택할 리가 없어 보일 정도로. 한창 선자 이모의 첫사랑을 찾던 시기엔 생각이 미치지 못했지만, 선자 이모의 성격을 고려하면 가족의 만류에도 독일행 비행기에 기어이 오른 것은 다소 의아한 일이었다. 열아홉은 (그 시절엔 더더욱) 낯선 나라로 혼자 떠나기엔 어린 나이였다.

오래전, 마리아 이모는 자신이 독일로 떠난 이유에 대해서 나와 레나, 한수에게 이렇게 설명했다. "나는 가수가 되고 싶었어. 김추자같이 멋진 가수. 너희는 김추자가 누군지 모르지? 미니스커트 입고 부츠 신고, 엄청 멋있는 가수가 있었다니까. 그런데 내가 미니스커트 입고 나가기만 하면 오빠들이 어디서든 나타나 머리끄덩이 잡고 집으로 끌고 오고, 끌고 오고. 얼마나 지긋지긋했겠니. 그래서 독일로 온 거지. 독일에 와서 노래도 배우고 내 맘대로 진탕 살아보려고. 가수는 못 됐지만 원 없이 즐겁게는 살았지." 그리고 마리아 이모는 우리를 앞에 앉혀놓은 채 나지막이 노래를 불렀다. "사랑한다고 말할 걸 그랬지. 님이 아니면 못 산다 할 것을. 사랑한다고 말할 걸 그랬지. 망설이다가 가버린 사람."

우리 이모가 파독간호조무사가 된 건 엄마의 말에 따르면 모두 외할아버지의 지독한 사랑 때문이었다. "너희 외할머니가 아프지만 않았어도." 동네에서 손꼽히는 부잣집이었던 외갓집의 가세가 기운 것은 외할머니가 간디스토마증에 걸려버렸기 때문이었다. "지금이면 약만 먹으면 낫는다던데, 그땐 그걸 고칠 수가 없어서." 외할머니 이야기를 할 때마다 엄마의 남매 중 누군가는 안타까워하며 그 말을 덧붙였다. 그러고 나면 이야기는 외증조할머니가 동네 사람들을 시켜 외할아버지를 마당의 느티나무에 묶었던 에피소드로 자연스럽게 넘어갔는데, 그런 일이 벌어진 건 외할아버지가 외할머니의 병을 고치기 위해 백방으로 애를 쓰며 집안의 전답을 모조리 팔아치웠기 때문이었다. "이젠 그만 에미를 포기한다고 말해라. 산 사람들은 살아야지." 하지만 외할아버지는 아무리 몽둥이질을 해도 외할머니를 포기하지 못했다. "대단한 순애보네." 나중에 우재에게 이 이야기를 들려주었을 때 우재는 그렇게 말했다. "그렇지." 하지만 그 지독한 사랑 때문에 외교관을 꿈꿀 만큼 공부를 잘했던 이모는 서울에 있는 명문 고등학교에 입학하는 대신 여상에 진학해야 했고, 결국엔 간호조무사가 되어 낯선 나라로 가는 비행기에 올라야 했다. 나이 차이가 많이 나지 않는 동생들이 주렁주렁 달린 가난한 집안의 장녀로서 파독간호조무사에 지원하는 건 쌍둥이 남동생들의 대학 입학금과 훗날 자신이 대학에 진학할 때 필요한 자금을 마련할 수 있는 가장 현실적인 방법이었다.

처음에 나는 선자 이모가 파독간호조무사가 되기로 결심한 이유에 대해서 단순하게 생각했다. 가정 형편이 그다지 좋지 않고 교육 수준이 낮았다는 사실, 그리고 우리 이모처럼 다달이 급여의 상당 부분을 송금해왔다는 사실을 토대로 그녀가 가계에 보탬이 되려고 독일로 떠났을 거라고 짐작한 것이다. 하지만 나는 선자 이모의 일기를 다시 읽으며 뜻밖에도 경제적인 이유가 결정적인 것은 아니리란 생각을 하게 되었다. 일기장들을 되찾긴 했지만 내가 선자 이모의 일기를 전부 다시 읽어보려고 계획했던 건 아니었다. 처음엔 그냥 가벼운 마음으로 자기 전에 침대에 누워 아무데나 펴서 한두 장씩 읽었을 뿐이었다. 선자 이모의 다음과 같은 일기가 눈에 띄지 않았다면, 나는 그냥 일기장들을 그런 식으로 몇장씩만 읽다가 다시 상자 속에 넣어두었을지도 모르겠다.

조금 전 해가 바뀌었다. 열두시 정각에 언니들과 새해 인사를 나눴다. 올해도 언니들과 Silverster를 함께 보낼 수 있었으니 참 기쁘고 감사한 일이다. 우리는 날이 밝으면 떡국 대신 사다놓은 중국 당면으로 잡채를 해먹기로 했다. 한국 당면보다는 두꺼워 맛이 덜할 테지만 오랜만에 잡채를 먹을 생각을 하니 벌써부터 즐겁다. 독일인 간호원들도 먹을 수 있도록 마늘은 거의 넣지 않고 소고기 대신에 거위고기를 볶아 넣을 예정이다. 아무리 볶아도 질겨지지 않으니 잡채에 넣기에는 거위고기가 그만이라고 윤옥 언니가 알려주었다.

새해가 밝았기 때문이겠지만 오늘은 K.H.의 생각이 많이 난다. 너는 올해도 어김없이 신문을 사러 시내에 가겠지. 작년에 네가 나에게 모아서 보내준 1월 1일자 신문들은 소중히 잘 보관하고 있어. 올해도 네가 내게 보내줄까? 너와 처음으로 신문을 사러 갔던 일이 아득히 멀게만 느껴진다. 그때 나는 엄마 심부름으로 김집사님 댁에 만두를 가져다드리고 돌아오는 길이었어. 손이 시려 주먹을 쥐고 걷다가 저만치에서 걸어오는 너를 보았단다. 너는 밤색 점퍼 차림으로 혼자 걷고 있었지. 꽤 오랜만에 너를 보는 터라 가슴이 뛰었어. 그때 너는 1월 1일자 신문들을 사러 동인천역 대합실로 간다고 했지. 거기만큼 여러 신문을 취급하는 곳이 없다며. 너에게 말한 적은 없지만 사실 나는 오직 너와 같이 걷고 싶어서 나도 신문을 사러 가려던 참이라고 말했던 거였어. 그렇게 말하자 네가 미소를 지었지. "우리는 역시 관심사가 똑같구나." 그리고 우리는 같이 걸어서, 송현국민학교를 지나고 화평철교를 지나도록 걸어서, 신문을 샀지. 칼바람이 부는 날이었는데 하나도 춥지가 않더라. 오히려 열이 오른 것처럼 얼굴이 뜨거웠지. 그날 집에 와서 나는 보물상자를 열듯 신문들을 하나씩 펼쳐보았어. 그래. 그땐 잘 몰랐지만 지금 생각해보면 그건 정말로 보물상자였고, 앨리스의 거울이었고, 낯선 세계로 나를 데려다준 비밀의 문이었구나. 너는 우리의 이름이 1월 1일자 신문에 실리는 날이 올까, 나에게 묻곤 했잖아. K.H.야, 솔직히 말하면 나는 내 이름이 실릴 수 있으리라 생각했던 적은 한 번도 없단다.

하지만 나는 매해 네 이름이 실려 있는 상상을 하곤 해. 올해 1월 1일자 신문에 네 이름이 실려 있지는 않을까? 그런 일이 일어난다면 그건 정말 얼마나 근사한 일일까?

새해의 다짐: 건강하기, 독일어 공부 열심히 하기, 여행 가기.

시간이 꽤 흘렀기 때문에 기억이 또렷하진 않지만 1975년 1월 1일의 이 일기를 나는 1998년에도 틀림없이 다시 읽었다. K.H.가 등장하는 대목이니까 아마 여러 번 읽었을 것이다. 그 증거로 나의 노트에는 "K.H. 동인천역 대합실로 신문을 즐겨 사러 감. 선자 이모에게 신문을 보내주기도 했음"이라고 적혀 있었다. 하지만 이번에 이 일기가 내 눈길을 끈 것은 선자 이모가 특별히 1월 1일자 신문을 언급하고 있기 때문이었다. 선자 이모가 다른 날이 아니라 새해 첫날에 K.H.가 신문을 사러 갈 거라고 예상하고 있었다는 사실을 과거의 나는 전혀 주목하지 않았다. 일기엔 "올해도 어김 없이"라고 쓰여 있으니 K.H.가 1월 1일자 신문을 사는 건 일회적 인 일이 아니라는 뜻이었을 텐데 그에 대한 기록 역시 조금도 남아 있지 않았다. 선자 이모는 왜 그의 이름이 신문에 실리기를 기대했을까? 그리고 K.H.는 왜 선자 이모에게 1월 1일자 신문들을 국제우편으로 보낸 것일까? 일기를 읽고 나자 나는 1월 1일자 신문과 K.H. 사이의 상관관계가 무엇인지 궁금해졌다. 그 둘의 연관성을 찾을 수만 있다면 K.H.에 대해 조금이나마 알 수 있을지도 몰랐다.

나는 침대에서 일어나 책상 위에 놓인 노트북을 켰다. 그리고 인터넷 창을 열어 1975년 1월 1일자 신문들을 검색했다. 화면이 바뀌고, 한자가 세로로 빼곡히 쓰인 신문들의 1면이 떴다. 신년호인 만큼, 가장 먼저 눈에 띈 건 신년사였다. '朴대통령 新年辭 "국가安保 政事 祭物 안 돼야"'라거나 '朴大統領 新年辭 國論 分裂 일삼으면 安保 위협' 같은 제목을 달고 있는. 나는 무료로 검색이 가능한 네 군데 신문의 1면을 비교해보았다. 하지만 기사들의 제목을 훑어보아도 신년사 빼고는 공통점이라고 할 만한 것이 보이지 않았다. 한 신문에는 「이웃 돕기 金庫 설치」 「서울 大改編案 확정」 「하비브 次官補 회견 亞洲의 새해 難題 美 責任 철회 위험」 같은 기사가 1면을 장식하고 있는 반면, 다른 신문에는 '新民議總 결의 民主言論 돕기 展開'나 '美誌報道 駐韓美軍 대규모 撤收 검토' 같은 제목이 실려 있는 식이었다. 하는 수 없이 나는 뒷면의 기사들을 차례로 넘겨보았다. 스캔 상태가 가장 좋은 한 신문의 문화면에서 현기영의 「아버지」라는 소설을 발견한 건 작은 글씨들을 읽느라 눈이 피곤해져올 즈음이었다.

"당신, 이젠 고생문이 활짝 열렸네요." 당선 통지서를 받고 아내가 나를 동정하는 투로 한 말이다. 그러나 아내의 친구들은 오히려 아내를 동정할 테지. 네 남편 늦바람 났다고 말이지. 담배 연기가 꽉 찬 방에 눈살 찌푸리고 귀신같이 도사린 사내. 아내는 날과부가 되는 거다. 생홀아비가 웅크린 그 방은 오 년 전의 그 지긋지긋한 홀아비 냄새가 다시 찌를 거다. 애놈들은 같이 놀자고 아귀같이 내 방문을 두드릴 테고. 이게 무슨 청승이람.

그러나 아내야, 이 굳어버린 외곬을 어찌해? 어쨌든 자넨 날 참아낼 거야. 그렇고 말고. 자넨 언제나 나의 가장 훌륭한 독자이니까.

12면 가운데 조그맣게 실린 작가의 흑백사진과 당선 소감을 보자 그제야 신문의 신년호에는 신춘문예 결과가 발표된다는 사실이 기억났다. 어떻게 잊을 수가 있었을까? 내가 일한 신문사에서도 매해 1월 1일마다 신춘문예 당선작들을 실었는데. 나는 덮어두었던 선자 이모의 일기장을 다시 펼쳤다. K.H.가 1월 1일자 신문을 신문사별로 구해 본다는 점에서 그가 신춘문예 당선작들을 매해 찾아 읽어볼 만큼 문학에 깊은 관심을 가진 사람이었다는 걸 유추할 수 있었다. "너에게 말한 적은 없지만 사실 나는 오직 너와 같이 걷고 싶어서 나도 신문을 사러 가려던 참이라고 말했던 거였어"라는 문장은 선자 이모가 K.H.만큼 신춘문예에 관심이 있지는 않았지만 그와 가까워지기 위해서 흥미가 있는 척했다는 의미이리라. 그래서 나는 K.H.가 작가 지망생이었으리라고 추측해보았다. 그렇지 않았다면 선자 이모가 K.H.의 이름을 신문에서 볼 날을 기다리지는 않았을 테니까. 여기까지 생각이 미치자 선자 이모가 소설을 쓴다던 나에게 유달리 관심과 호의를 보였던 것이 떠올랐다. "소설은 잘 진행되고 있니?" 하고 묻거나 "소설가를 꿈꾼다니 기특하구나. 이모가 열심히 응원할게"라고 말하곤 했던 선자 이모. 평소 무뚝뚝한 선자 이모의 성격을 감안하면 이례적이라고 느껴질 정도였던 그 호의가 어디에서 비롯된 것인지를 이제야 이해할 수 있었다. 이 모든 사실을 노트에 적어두지 않은 건 물론 당시 내가 신춘문예라는 제도의 존재에 대해서 까맣게 몰랐기 때문일 것이다. 그때 나는 언니의 사건과 관련된 기사를 찾아보았을 때를 제외하면 신문을 제대로 읽어본 적조차 없었다.

1975년 1월 1일자 일기에서 새로운 사실을 발견해낸 후 나는 선자 이모의 일기를 처음부터 샅샅이 다시 살펴보기로 했다. 일기장에 내가 노트에 적지 못한 정보들이 더 많이 숨겨져 있을지도 모른다는 생각이 들었다. 열다섯 살의 나는 결코 발견할 수 없었지만 지금의 눈으로 보면 보이는 것들이. 그렇게 생각하자 어쩌면 이번에는 정말로 K.H.를 찾을 수 있을 것 같다는 기대가 일었다. 기대라니, 얼마나 이상한 말인가. 지금에 와서 그것이 무슨 의미가 있다고. 하지만 K.H.의 존재를 밝혀낼 수 있을지도 모른다는 예감이 들자 나는 이번에야말로 정말 그를 찾고 싶어졌다. 어쩌면 지난겨울 케르테스 전시장을 나와 커피를 함께 마시며 우재가 이모들에 대한 이야기를 꺼낸 이후부터, 찾는 것이 무엇인지도 모른 채 내가 계속 찾아 헤매던 건 K.H.였는지도 모른다는 영문 모를 확신이 들었다. 그를 찾기만 한다면. 아주 늦어버렸지만, 내게는 그에게 전해주어야만 하는 것도 있었다.

*

선자 이모의 일기를 다시 읽기 시작하고 몇 주 지나지 않은 5월 중순, 우재와 재회했다. 서울에 잠깐 다녀갈 일이 있다던 우재가 얼굴이나 보자고 해서 같이 저녁을 먹기로 한 것이었다. 제주로 돌아가는 비행기 시간 때문에 이동이 자유롭지 않다고 해서 우재가 볼일이 있다는 광화문 쪽에서 만나기로 했다. 전화 통화는 자주 했지만 거의 세 달 만에 얼굴을 볼 생각을 하니 기분이 묘했다. 살짝 긴장이 되기까지 했는데 그게 우재를 만나기 때문인지, 아니면 사람을 만나는 것 자체가 오랜만이기 때문인지는 분간이 가지 않았다. 약속 장소로 나가는 길에 나는 제주도의 작은 약국에서 흰 가운을 입고 서서 사람들을 맞이하는 우재의 모습을 머릿속으로 그려보았다. 제주에서는 물론이고 서울에서조차 우재의 일하는 모습을 본 적이 없었기 때문에 약사인 우재를 상상하는 건 쉽지가 않았다. 서울에서 일하던 시절, 그러니까 나와 연락이 거의 끊기다시피 했던 시절, 우재는 한 대학병원 앞의 대형 약국에서 풀타임으로 근무를 했다고 했다. "그때에 비하면 지금 생활은 천국이지." 우재는 종종 그렇게 말하곤 했는데, 그건 그 대형 약국에서 일할·땐 화장실에 갈 시간조차 없을 정도로 바빴기 때문이었다. "게다가 대학병원에 오는 사람들은 정말 아픈 사람들이거든." 정말 아픈 사람들은 대개 정말 불친절하기 마련이었다. 반말을 하는 건 예삿일이고, 약이 빨리 나오지 않는다고 짜증을 부리거나 심지어는 약국 건물 화장실이 더럽다고 우재에게 화를 내는 사람도 있었다. "거기서 시달렸던 거에 비하면 여기서 있는 일들은 아무것도 아니지. 박카스 뚜껑 왜 안 따주냐고 소리지르는 할아버지 정도는 귀엽잖아."

우재는 정말 아무 일도 아니라는 듯 말하며 자조적으로 웃곤 했지만 나는 사람이 겪는 무례함이나 부당함은 그것이 아무리 사소하더라도 물에 녹듯 기억에서 사라지는 게 아니라 침전할 뿐이라는 걸 알았고, 침전물이 켜켜이 쌓여 있을 그 마음의 풍경을 상상하면 씁쓸해졌다. 그리고 약국에 온 환자들 앞에서 고개를 숙이며 하지 않아도 되는 사과를 하는 우재의 모습은 내가 읽고 있던 선자 이모의 일기에 담긴 일화들을 자연스럽게 불러왔다. 선자 이모 역시 병원에서 일하는 동안 환자들로부터 부당한 일을 많이 겪었는데, 몸이 아픈 사람의 짜증이나 변덕으로 이해하기엔 도가 지나친 경우가 대부분이었다. 이를테면, 선자 이모에게서 냄새가 나니 독일인 간호사로 바꿔달라거나, 선자 이모가 손도 대지 않은 음식을 가리키며 외국에서 온 도둑이 훔쳐먹었으니 못 먹겠다고 하는 경우들 말이다. 선자 이모의 일기를 읽다보면 같은 일을 겪었을 우리 이모나 마리아 이모의 모습도 쉽게 머릿속에 그려졌는데, 그런 앳된 이모들을 상상하면 독일에 살던 시절 나만 보면 눈을 양옆으로 찢으며 놀리던 남자애들 앞에 섰을 때처럼 참담한 기분이 되었다.

"이모에 대한 조사는 좀 진척이 있어?"

우재가 그렇게 물은 건 우리가 광화문의 작은 식당에서 능이버섯닭곰탕을 먹고 있을 때였다. 식당 안은 우리처럼 이른 저녁식사를 하려는 사람들로 가득했고, 불빛이 적당히 은은해서 아늑했다. 청바지에 스트라이프 셔츠 차림의 우재는 겨울에 만났을 때보다 머리가 짧아져 있었고, 그래서인지 나이보다 젊어 보였다.

"어떤 사람을 찾고 있어."

"누구?"

"독일에 살 때 알고 지내던 파독간호사 이모 일기장에 등장하는 사람."

우재는 퇴사하고 내가 파독간호사에 대해서 알아보는 것이 이모들에 대한 책을 쓰기 위한 밑바탕이 될 거라고 확신하고 있었고, 그런 나를 늘 독려했다. 책을 쓸 엄두도 나지 않고, 쓸 말도 내겐 없었지만 우재의 지속적인 응원을 받다보면 왠지 언젠가는 정말 그런 날이 와도 좋을 것 같다는 기분이 들곤 했다.

우리는 식사를 마친 뒤에 카페로 가서 차를 한 잔씩 마시고 청계천을 같이 걸었다.

"해가 정말 길어졌네."

"그러게."

해질녘의 선선한 바람이 불어왔고, 어디에선가 시위를 하는지 익숙한 노랫소리가 들려왔다. 새내기 시절, 운동권 선배들이 율동과 함께 가르쳐준 노래였다. 우재와 내가 자연사박물관에 전시된 멸종동물들을 보듯 생경하게 바라보았던 그 선배들은 지금 어디에서 무엇을 하고 있을까? 그 노랫소리 탓인지, 우재와 말없이 걷고 있기 때문인지 오래전의 기억이 떠올랐다. 대성리였나, 아니면 가평? 아무튼 경기도의 어느 마을에서 우리가 같이 계곡을 따라 걸었던 그 밤.

내가 동아리에 들어가고 얼마 되지 않아 갔던 엠티였고, 중간고사가 끝난 이후니 4월 말이나 5월 무렵이었을 것이다. 우리의 옷차림이 가벼웠고, 우재가 남색의 얇은 후드티를 입고 있었던 기억이 난다. 그날 밤, 우리 동아리 사람들은 모두 취해 있었고, 둥그렇게 둘러앉아 한 명씩 돌아가면서 노래를 부르게 시켰다. 남 앞에서 노래 부르는 걸 끔찍이도 싫어하는 터라 못하겠다고 버티는데, 선배들은 그럴수록 집요하게 나를 일으켜세웠다. 술을 강요하고, 벌칙게임을 하고, 다 같이 구호를 외치게 했던 학과 선배들과 달리 '문학' 동아리 선배들이라면 후배들을 곤란하게 하지 않을 거라고 단단히 착각하고 동아리에 가입했던 나는 실망해서 그날 밤, 남들이 다 자는 사이 집에 가려고 짐을 챙겼다. 가는 길을 모른다는 사실은 문제가 되지 않았다. 그 장소와 그 사람들 틈을 벗어나는 것만이 그 순간 내겐 중요했으니까. 내가 사람들의 흥을 깨버렸다는 생각이 나를 괴롭혔다. 여기에도 내 자리는 없다는 익숙한 감각이 날카로운 칼끝처럼 나를 찔렀다. 짐을 챙겨 마당으로 나오는데, "어디 가?" 하는 남자 목소리가 들렸다. 돌아보니 우재가 급히 따라 나온 건지 펜션 현관에 아무렇게나 놓여 있던 슬리퍼를 꿰어신고 엉거주춤한 자세로 서 있었다.

"집에."

"집에? 이 시간에?"

우재가 놀란 표정으로 다시 물었다.

"응."

내가 몸을 돌리고 가려던 길을 가려는데 우재가 나를 향해 다급히 말했다.

"기다려. 같이 가자."

"네가 왜?"

이번에는 내가 놀라서 물었다. 그때까지 나와 우재는 그다지 친한 사이도 아니었다.

"네가 혼자 있는 게 싫어서."

무슨 말인가 싶어 눈을 동그랗게 뜨고 서 있는데, 우재가 다시 한번 말했다.

"네가 혼자 있는 게 난 보기가 싫어."

그게 우재와 제대로 된 대화를 나눈 첫 순간이었다. 그날 밤 우리는 어두운 계곡을 따라 오랫동안 걸었다. 계곡물 소리를 들으면서, 드문드문한 가로등 불빛에 의지해서.

"넌 왜 소설 안 써?"

그 밤, 물소리가 잦아들고 풀벌레 소리만 들려오는 길을 말없이 걷던 도중에 우재가 침묵을 깨야 한다고 생각했는지 갑자기 물었다.

"거짓말하는 게 싫어져서. 그러는 넌?"

"난 그냥 읽는 게 좋아. 쓰는 건 영 소질이 없어."

그날 우리가 어디까지 갔는지는 기억나지 않는다. 어둠 속에서 방향도 모르면서 우리는 오래오래 걸었다. 그러다가 새벽빛이 대기 중에 스미기 시작할 때 집에 가는 걸 포기하고 다시 계곡을 따라 숙소로 돌아왔고, 선배들이 아직 잠들어 있는 펜션의 바깥 평상에서 버너를 켜고 라면을 끓여먹었다. 그때 그 새벽공기의 차가움과 그날 먹은 라면 맛을 나는 오래도록 기억했다. 누군가와 같이 있는 게 오랜만에 싫지 않았던 새벽의 풍경을.

"이러고 있으니, 우리 엠티 갔던 밤 생각이 난다."

우재도 같은 생각을 하고 있던 걸까? 내 옆에서 조용히 걷던 우재가 나지막이 이야기를 시작했다.

"넌 진짜 늘 혼자 있었는데. 막상 말 시키면 할말 다 하니까 그렇게 수줍음이 많거나 한 것도 아니면서, 말을 먼저 거는 법도 없고, 결정적인 순간에 사람들한테 묘하게 벽을 치고. 선배들은 다 널 좀 어려워했지만, 이상하게 난 처음부터 네가 어렵진 않더라. 어쩌다 한 번씩 네가 속 이야기를 나한테 해주면 그게 그렇게 좋고."

그게 그렇게 좋고. 우재의 말이 잎을 모두 잃은 겨울나무 같은 내 마음을 미풍처럼 흔들고 지나갔다.

그렇게 한참을 걷다가 김포공항에 가려면 5호선을 타야 하는 우재와 지하철역 입구 앞에서 헤어졌다. 헤어지기 전 우재가 나를 돌아보며 물었다.

"지인 결혼식이 있어서 다음주에도 서울에 올 건데, 또 만날 수 있어?"

"다음주?"

올려다본 우재의 얼굴은 어쩐지 조금 긴장한 것처럼 보였다.

"좋아."

나는 잠시 망설이다가 고개를 끄덕였다.

정확히 일주일 뒤인 토요일, 우재는 오전 영업을 마치고 서울로 왔다. 우리는 함께 영화를 한 편 보고 저녁식사를 같이 하기로 했는데 이번엔 우재가 공항 쪽에 있는 막내 누나네 집에서 하룻밤을 자고 일요일에 제주도로 돌아갈 거라고 해서 술도 한잔 시킬 수 있었다. 우리가 자리잡은 곳은 시장 안쪽에 있는 작은 술집이었다. 작은 원형 철제 테이블이 다닥다닥 붙어 있는 술집 내부는 허름한 분위기였지만 안주 맛집으로 소문난 가게답게 사람들로 북적였다. 그곳에서 우리는 긴 고민을 하지 않고 해물 모둠과 오징어찜을 주문했다. 이십대 때도 우리의 식성이 비슷했고 안주 취향이 특히 잘 맞았던 게 기억났다. 제주도에서 온 사람에게 여기서까지 해산물을 먹여도 되나 하는 걱정이 잠시 들었지만, 음식이 나오자 그런 생각은 저 멀리로 사라져버렸다. 김에 싸 먹을 수 있도록 부추무침을 곁들인 오징어는 오동통하게 살이 올라 있었고, 빈틈이 보이지 않을 정도로 접시에 빽빽이 쌓여 있는 석화, 돌멍게, 전복 같은 해산물은 신선해 달콤한 맛이 돌기까지 했다.

둘이서 소주를 한 병 비워냈을 즈음에는 밖에 비가 내리기 시작했다. 새로운 손님들이 가게 안으로 들어설 때마다 요란한 빗소리가 들려왔다. 다른 테이블 사람들이 시킨 해물파전의 고소한 기름 냄새가 공기 중에 가득했다. 그리고 취기 때문인지는 모르겠지만 허름한 술집의 흥성거림은 아득하게 느껴지는 어떤 풍경들을 내게 환기시켰다. 취기에 붉게 달아오른 얼굴들과, 이따금씩 폭죽처럼 터지던 고함소리, 낡은 선풍기의 모터 소리. 제어되지 않는 열기가 맥락 없이 화려하게 타올랐다가 제풀에 꺼져버리던 날들. 그런 풍경들을 떠올리던 끝에 누가 먼저랄 것도 없이 우리는 과거의 기억을 꺼내어 맞춰보기 시작했다. 봄 축제의 마지막날 뒷정리를 하다 바라보았던 달의 모양이나, 교내 서점에서 똑같이 한 권씩 사서 나눠 가졌던 시집의 제목, 수강신청에 실패한 후 낮술을 마시러 가서 먹었던 골뱅이의 맛 같은 것들을. 어떤 기억들은 틀림없이 연속성을 띠며 우재와 나 사이에 동일한 모습으로 남아 있었지만, 또 어떤 것들은 놀라울 정도로 전혀 다른 형태와 질감을 띠기도 했다.

"그때 우리가 군대 간 선배 면회하러 단둘이 포천에 갔다가 통닭을 사야 한다고 헤매고 다녔던 것 기억나?"

물론 나는 기억하고 있었지만 내게 인상적이었던 건 빛이 겨우 깃들기 시작하는 새벽, 시외버스 차창 밖으로 보았던 겨울나무들과 매섭게 차가웠던 포천의 공기, 터미널 안을 서성이던 수많은 군복 입은 남자들이었다. 나는 우리가 포천에 갔던 이유가 선배의 면회를 위해서였다는 사실조차 까맣게 잊고 있었다. 대체 우리는 왜 선배 면회를 갔던 거지? 우리보다 두 학번 위인 그 선배와 나는 특별히 친하지도 않았다. 나는 그를 무신경하고 조금 유치한 사람으로 기억하고 있었는데, 왜냐하면 그는 사는 지역에 따라 밥을 사줄 후배들을 대놓고 구분했기 때문이었다. 야, 넌 대치동에 사는데 나한테 밥을 사달라면 어떻게 해. 네 돈 내고 먹어. 넌 고향이 상주랬지? 그럼 따라와. 하지만 우재의 기억 속에서 그 선배는 착실하고 인정이 많은 사람이었다.

우재와 함께 토요일을 보내고 난 다음날, 나는 숙취로 하루를 느슨하게 흘려보내며 기억이란 얼마나 불완전한 것인가에 대해서 생각했다. 사람에 대한 기억이란 더더욱. 얇은 트레이닝복 차림으로 세수도 안 한 채 냉장고 안에서 굴러다니던 토마토를 찾아 갔았다. 숙취 탓인지 울적해지며 우리가 '아는' 누군가에 대한 기억조차 이토록 파편적인데 K.H.를 찾는 일이 과연 가능한 걸까 하는 회의가 밀려왔다. 그간의 성과라면—이런 것도 성과라고 부를 수 있다면—K.H.가 다녔을 거라고 추정되는 대학교의 목록을 간추린 것뿐이었다. 그게 가능했던 건 내가 1974년 3월 25일자 일기에서 다음과 같은 구절을 발견했기 때문이었다.

K.H.가 사 년 장학금을 받고 대학에 붙었다니, 정말 기쁘다. 그런 명문대에 당당히 붙을 실력을 가져놓고도 사립대 등록금이 걱정돼 지원조차 하지 않으려 했다니. 장학금을 못 받았다면 K.H. 성격에 후기 대학은 시험을 치지도 않고 재수를 했겠지. 독일에서는 모든 대학이 국립이고 등록금이 공짜인데. 천국 같지 않니? 그래서 같이 일하는 간호보조원 언니 중에 의대에 가기 위해 공부를 하는 사람도 있어. 나 역시 한국에 돌아가는 대신 여기서 대학에 갈까 고민중이야.

물론 나는 이 구절도 1997년과 1998년에 이미 읽었다. 하지만 당시 내가 노트에 정리해둘 수 있었던 사실은 K.H.가 명문대생이라는 정보뿐이었다. 그때 나는 "후기 대학"이라는 것이 무엇을 의미하는지 짐작조차 할 수 없었고, 따라서 그것이 중요한 정보라는 사실을 전혀 알지 못했으니까. 하지만 나는 이제 과거에는 대학 입학시험을 보는 시기에 따라 학교들을 전기와 후기로 구분했다는 사실을 알았다. 그리고 몇 번의 검색 끝에 1970년대 초반 전기 대학으로 분류되었던 열다섯 개 학교의 리스트를 확보할 수 있었다. 그중에서 여자대학교와 국립대학교를 제외하면 남는 학교는 많지 않았다. K.H.를 찾아보겠다고 애쓰는 일이 그저 쓸데없는 시간 낭비일지도 모른다는 생각을 하면서도, 이런 식으로 어렸을 적에는 몰랐던 사실들을 하나둘 발견할 때마다 헛된 희망을 버릴 수가 없었다.

　　울고 있는 아이의 모습은 우리를 슬프게 한다.
　　정원의 한 모퉁이에서 발견된 작은 새의 시체 위에 초가을의 따사로운 햇빛이 떨어져 있을 때. 대체로 가을은 우리를 슬프게 한다. 게다가 가을비는 쓸쓸히 내리는데 사랑하는 이의 발길은 끊어져 거의 한 주일이나 혼자 있게 될 때.

내가 얼마 전까지 읽다 만 페이지에 옮겨져 있는 건 안톤 슈나크의 「우리를 슬프게 하는 것들」 중 일부였다. 나는 문서 파일을 열어 작가의 이름과 작품명을 입력했다. 어렸을 땐 전혀 주목하지 않았지만 선자 이모의 일기장에는 이런 식으로 산문이나 시의 구절들이 아주 많이 인용되어 있었다. "3월아, 어서 들어오렴/너를 만나 얼마나 기쁜지"로 시작하는 디킨슨의 시나 "내 마음이여, 조용히/이 큰 나무들이 기도하고 있습니다" 같은 타고르의 시구절들. 과거의 내가 이런 것들을 노트에 기록해두지 않은 것은 물론 이런 인용문이 K.H.를 찾는 데 아무런 정보를 주지 않으리라고 생각했기 때문이었다. 하지만 지금의 내게는 그것들이 놓치기 아까운 단서처럼 느껴졌다. 신춘문예를 언급한 일기를 본 이후 선자 이모가 지닌 문학에 대한 관심이 K.H.와 관련되어 있을지 모른다는 생각을 하기 시작했기 때문이었다. 내 기억 속의 선자 이모는 시를 베껴 적는 문학소녀의 모습과 거리가 멀어 보였지만 일기장을 엿볼수록 나는 선자 이모가 '실제로는' 문학소녀였다는 사실을 알게 됐다. 선자 이모는 중학교 시절 문예부에서 윤동주의 「별 헤는 밤」이나 푸시킨의 「삶이 그대를 속일지라도」, 카를 부세의 「산 너머 저쪽」 같은 시를 배웠고, 독일에서 살기 시작한 이후에도 레먼북스 시리즈로 국역돼 나온 에밀리 브론테의 『폭풍의 언덕』이나 엘리너 H. 포터의 『폴리애나의 편지』 같은 소설들을 오빠들이 일 년에 한 번 생일 무렵 부쳐주는 국제우편으로 김이나 마른오징어 따위와 함께 배송받아 읽었다.

비가 오다 말다 하던 6월 내내 나는 선자 이모의 일기를 조금씩 읽었다.

밤이 너무 추워 속바지와 털외투를 입은 채 책을 읽고 일기를 쓰며 지내는 12월. 구루마에서 파는 군밤도 없었다면 이곳의 겨울은 얼마나 우울했을까. 구정물 같은 색깔의 하늘이 기분을 침울하게 만든다.

정신적인 기쁨을 물질적인 기쁨의 우위에 두는 인생을 살 것.

마리아 언니가 내게 보이프렌드의 조건이 무엇이냐고 물었다. 언니가 사랑에 빠지는 상대는 모두 언니를 웃기는 사람이었다고 한다.

나는 무엇 때문에 사랑에 빠졌던 걸까.

나를 매혹했던 건 너의 낮은 목소리, 총기, 하모니카로 연주해주던 〈등대지기〉 노래.

이따금씩은 우재를 만나거나 우재와 통화를 하며 선자 이모의 일기에서 발견한 것들에 대해 대화를 나눴는데, 처음 우리의 대화에서 선자 이모 이야기가 차지하는 비중은 내가 사는 동네에 자주 출몰하기 시작한 길고양이나—갈색 줄무늬 몸통에 눈동자가 초록색이라 피스타치오라고 이름을 붙였다—우재가 챙겨 보는 예능 프로그램 또는 약국을 찾아오는 노인들의 에피소드보다 크지 않았다. 우재가 어쩌다 한 번씩 나에게 사람을 찾는 일은 잘되고 있느냐고 물으면 관련된 이야기들을 가끔 주고받는 정도였을 뿐, 일기장을 내 쪽에서 먼저 화제에 올리는 일은 극히 드물었으니까. 아닌 게 아니라, 나는 어떤 사람을 찾기 위해 선자 이모의 일기를 읽고 있다는 이야기를 재회한 날 덜컥 해놓고는 내내 후회하고 있었다. 찾으려는 사람이 정확히 누구인지, 왜 찾으려고 하는지, 무엇보다 타인인 선자 이모의 일기를 내가 왜 가지고 있고 왜 읽고 있는지를 우재가 언젠가는 내게 물어보지 않을까 조마조마했기 때문이다.

나는 과거에 내가 K.H.를 찾으려다 실패했던 일에 대해서 지금껏 누군가에게 털어놓은 적이 없었고, 이제 와서 우재에게 그걸 말하고 싶은 마음은 더더욱 없었다. 하지만 시간이 흐를수록 선자 이모의 일기장을 주제로 대화하는 일은 점점 잦아졌는데, 그건 우재가 K.H.를 찾는 일에 큰 흥미를 보였기 때문이었다. 우재는 내게 도움을 주고 싶어했고, 혼자서 이런저런 조사를 해본 뒤 내게 말해주기도 했다. "기호란 이름의 신춘문예 당선자가 있는지 검색해봤는데 나오는 게 없네." 혹은 "명문대에 입학했다면 고등학교가 비평준화였던 시절이었을 테니 그 사람이 살았던 지역의 일류 고등학교 동창회를 알아보는 건 어떨까? 서울에 있는 고등학교로 진학했을 수도 있으니 소용없으려나?" 하는 식으로. 마치 내가 정말로 K.H.를 이제 와서 찾을 수 있으리라고 믿는 사람처럼. 시간이 조금 더 흐른 후에는 내 쪽에서 먼저 선자 이모의 일기를 언급하는 일도 생겼다. 여전히 과거의 일에 대해서 이야기하고픈 마음은 조금도 없었으면서. 그럼에도 불구하고 내가 선자 이모의 일기장 내용을 우재와 공유하고 만 건 뒤죽박죽인 내 생각들을 누군가에게 털어놓으면서 정리하고 싶었기 때문이었는지도 모르겠다.

우재와 통화를 마치고 나면 대체로 자정이 훌쩍 넘은 시간이었다. 전화를 끊은 후 블라인드를 내리기 위해 창가로 가까이 다가가면 쏟아지는 빗줄기 탓에 아무것도 보이지 않는 날들이 잦았다. 하지만 가끔은 창밖의 풍경이 고스란히 보이기도 했다. 길 건너 담 위를 아슬아슬하게 걷는 고양이, 이웃집 창문에서 새어나오는 노란 불빛. 드물지만 놀랍게도 이웃집 담장 너머 살구나무 가지마다 매달린 열매들이 바람에 미세하게 흔들리는 기척마저 보이는 밤도 있었다.

"곰곰이 생각해보면 선자 이모는 돈을 벌기 위해서 독일에 갔던 건 아닌 것 같아."

내가 책상 위에 놓인 수국 화분을 바라보며 그렇게 말한 건 지인의 집들이에 이어 친구 아이 돌잔치 때문에 서울에 왔다던 우재가 제주도로 돌아간 지 닷새가 지난 후였다. 우재가 서울에 네번째로 방문했을 때 우리는 우재의 단골 식당에 들러 두부김치를 안주 삼아 막걸리를 각자 한 병씩 마셨다. "이렇게 서울에서 열리는 경조사를 다 챙길 거면 그냥 서울에 사는 게 낫지 않았겠니?" 막걸리에 조금 취한 나는 우재를 놀렸다. "다음주에도 경조사가 있을 예정이야?" 헤어지기 전, 내가 묻자 우재가 되물었다. "그럴 예정인데, 안 될까?" 그날 밤, 나는 지하철역 앞 보도블록에 작은 화분들을 늘어놓고 파는 청년에게서 수국 화분 하나를 충동적으로 샀다. 연보랏빛의 자잘한 꽃잎들은 다행히 지금도 아직 시들지 않고 있었다.

"그러면?"

수화기 너머에서 우재가 물었다.

"내 생각에 선자 이모는 독일이란 나라 자체에 관심이 있었던 것 같아."

"왜?"

"독문학을 유난히 좋아했던 것 같거든."

내가 그렇게 생각한 건 일기 속에 인용되어 있는 구절 중 상당수가 독일 작가의 글이라는 걸 알아차리면서부터였다. 괴테나 릴케, 헤세의 시들이 자주 눈에 띄었고, 독일어가 빨리 늘었으면 좋겠다는 바람이 빈번히 등장했다. 처음에 나는 그런 문장들이 일상적인 의사소통을 하지 못하는 답답함에 대한 토로일 거라고 짐작하고는 대수롭지 않게 넘어갔다. 하지만 일기를 읽어나가면서 나는 선자 이모가 정말로 독일어를 '잘'하고 싶어했고, 병원에서 제공하는 어학 수업을 누구보다 기쁜 마음으로 들었다는 걸 눈치챘다. 독일어에 하루빨리 능숙해지길 바라는 조바심이 다름 아닌 독일어로 문학작품을 읽고 싶은 마음에서 비롯되었다는 건 전혜린

이 살던 뮌헨에 가보기 위해 돈을 모으고 있다고 적은 대목과 『생의 한가운데』와 관련된 일화를 읽었을 때 더욱 확실해졌다. 선자이모는 독일에서 체류한 지 일 년 정도 지났을 즈음 이렇게 쓰고 있었다.

독일에 오자마자 서점에 가서 구입한 *Mitte des Lebens*를 오늘에야 읽어보았다. 처음 사가지고 온 날 밤에도 펼쳐보긴 했지만 그땐 읽어볼 엄두조차 나지 않던 책을 이제는 더듬더듬이나마 읽을 수 있다는 걸 확인하고 무척 기뻤다. 거의 모든 문장마다 사전을 찾아야 하는 단어들이 섞여 있어 속도는 매우 느리지만 어쨌든 나는 오늘 박명의 희미한 빛 속에서 두 페이지를 읽는 데 성공했다. 아, 얼마나 기쁜지. 올해가 가기 전에 이 책을 다 읽어낼 수 있기를!

그날 밤 나는 우재와 통화를 마치고 나서 이상하게 쉽게 잠을 이루지 못했다. 한동안 뒤척이다가 다시 자리에서 일어나 침대 아래 놓아두었던 노트북을 찾아 켠 후 인터넷 창에 Mitte des Lebens라고 입력해보았다. 『생의 한가운데』는 1911년생 독일 여성 작가인 루이제 린저의 대표작으로 전 세계에 널리 알려진 책이지만 그때까지 나는 제목만 들어봤을 뿐 읽어본 적이 없었다. 몇 번의 검색 끝에 나는 루이제 린저가 꽤 독특한 삶의 궤적을 지닌 소설가라는 걸 알게 됐는데, 그녀는 히틀러 정권에 반발해 출판 금지를 당하고 심지어 투옥당한 적까지 있는 것으로 오랫동안 알려져 있었고, 독일 작가치고는 특이하게도 북한을 방문하고 한국 관련 저서를 여러 권 집필하기도 했던 것이다. 흥미로웠던 것은 2011년 그녀의 사후 백 세 생일을 맞이해 출간된 전기에서 실제로는 루이제 린저에게 나치를 찬양한 이력이 있으며 작가가 훗날 자신의 일생을 나치에 투쟁한 이미지로 미화했다는 사실이 폭로됐다는 점이었다. 하지만 선자 이모가 『생의 한가운데』를 읽었을 때 루이제 린저는 한국에서 전후 최고의 서독 작가 중 한 명이자 기독교사회주의에 바탕한 참여 지식인 겸 여성운동가로 널리 사랑받고 있었고, 심지어 선자 이모가 이미 독일에 있었던 1975년에는 한국에 다녀가기도 했다.

루이제 린저에 대해 이것저것 검색해보다 문득 『생의 한가운데』를 독일어로 읽고 싶어진 나는 독일 서점 사이트에서 원서를 주문한 후 독자들의 리뷰를 클릭해보았다. 여전히 잠이 오지 않았기 때문에 독자들이 쓴 리뷰를 차례차례 읽어나가기 시작했는데, 그러다 한 리뷰에서 다음과 같은 인용문을 맞닥뜨렸다. "Alles ist noch unentschieden. Man kann werden, was man will." 처음 이 문장을 보았을 때는 별로 신경이 쓰이지 않았다. 하지만 그 다음 리뷰에서도 같은 문장을 다시 마주하게 되었고, 리뷰들을 죽 살핀 후에는 많은 독자들이 이 문장을 소개하고 있다는 것을 알게 되었다. 똑같은 문장을 되풀이해서 읽고 나자 이 문장을 어디선가 본 것만 같은 기분이 들었다. 어디에서 보았지? 곱씹을수록 그건 정말 낯익은 문장이었다. 나는 자리에서 일어서서 침대 옆에 쌓아둔 선자 이모의 일기장을 아무거나 한 권 집어들었다. 최근에 내가 몰두해 읽는 건 선자 이모의 일기뿐이니, 일기장 어딘가에서 본 문장일 확률이 높다는 데 생각이 미쳤던 것이다. 그리고 나는 내가 집어든 일기의 첫 페이지에서 선자 이모의 글씨체로 적혀 있는 "Alles ist noch unentschieden. Man kann werden, was man will"을 발견했다. 열세 권이나 되는 일기장 중에서 이게 적혀 있는 것을 한 번에 골라낸다는 게 말이 되나? 그런 우연은 아무래도 있을 수 없었다. 나는 다른 일기장을 집어들고 첫 페이지를 열었다. 그다음 일기장도. 그리고 놀랍게도, 지금까지는 전혀 중요하게 생각하지 않고 그냥 지나쳤지만 선자 이모의 모든 일기장 첫 페이지마다 이 구절이 적혀 있다는 사실을 확인할 수 있었다. 이건 대체 무슨 의미일까? 선자 이모는 대체 왜 하필 이 문장을 이렇게 열심히 일기장 앞에 써두었을까?

나는 날이 밝기를 기다려 아침 일찍 우재에게 전화를 걸었다. 무언가를 '발견'했다는 생각이 들었고, 그것을 누구에게든 알리고 싶은 마음에 조바심이 일어 잠을 설친 뒤였다. 선자 이모의 일기와 관련한 이야기를 하기 위해 내가 먼저 우재에게 전화를 건 것은 처음 있는 일이었다. 나는 막 잠에서 깼는지 잠긴 목소리로 전화를 받은 우재에게 지난밤 정리한 생각을 쏟아놓았다.

"어떻게 생각해? 똑같은 문장을 수십 년 동안 계속 쓰는 일이 흔한 건 아니지 않아?"

"그렇네. 열세 권 모두에 같은 문장만 써놨다면. 혹시 좌우명 같은 걸까?"

우재가 동조해주자 마음이 다시 들썩였다. 열세 권의 일기장 첫 페이지마다 적혀 있는 독일어 문장이 내가 지금까지 놓치고 있던 무언가로 나를 이끌어줄 힌트가 아닐까? 새 일기장에 독일어 문장을 옮겨 적는 선자 이모의 모습이 머릿속에 가만히 그려졌다. 세로로 긴 창문이 있는 낡은 기숙사 방에서 룸메이트가 깨지 않을까 조심하며 책상 앞에 앉아 외우다시피 했을 『생의 한가운데』의 한 구절을 정성껏 적는 앳된 선자 이모가. 아이들을 재워놓은 후 약한 조명을 켜둔 부엌의 식탁에 앉아 같은 문장을 옮겨 적는 조금 나이든 선자 이모가. 선자 이모는 어떤 마음으로 이 문장을 일기장마다 적은 걸까? 그녀는 무엇을 꿈꾸며 독일로 떠났고, 그곳에서 무엇을 얻었을까? 사람들은 선자 이모에 대해서 말하곤 했다. 조용하고 얌전한 선자. 순하디순하고 우직한 선자. 하지만 정말 그게 다일까? 나는 내 기억 속의 무뚝뚝하고 표정도 말도 거의 없는 선자 이모를 떠올렸다. 내가 선자 이모의 첫사랑을 찾는 일에 계속 실패한 건 선자 이모가 어떤 사람인지를 조금도 알지 못하기 때문이라는 생각이 들었다. 임선자, 그녀는 대체 누구지? 나는 그녀가 옮겨 적었던 문장을 한국어로 바꿔 마음속으로 나지막이 되뇌었다. 아무것도 아직 결정되지 않았어. 우리는 우리가 원하는 것이 될 수 있어.

"일기를 다시 읽어봐야겠어."

전화를 끊기 전, 책상 위에 어지럽게 펼쳐진 열세 권의 일기장을 가지런히 정리하며 내가 말했다.

지금까지 나는 내가 읽고 있는 일기의 구절이 K.H.를 찾는 데 도움이 될 것인가 아닌가를 기준으로 모든 걸 판단했다. 그렇지만 이번에는 달랐다. 나는 처음으로 되돌아가 K.H.를 찾는 것과 무관한 듯 보이는 구절들도 집중해서 읽어나갔다. 그러다보니 그전까지 내 관심을 끌지 않았던 이야기―한수가 태어날 무렵의 기쁨이나 마지막 일기 곳곳에 적혀 있던 재발에 대한 걱정, 병이 날 줄 알았다면 아이들을 아버지 편에 보냈어야 했던 게 아닐까 하는 자책 같은 대목들―에도 눈길이 갔다. 한수가 등장하는 육아 일기를 읽으면 미소가 지어졌지만 병세에 대한 대목을 읽으면 마음이 아파왔다. 하지만 무슨 내용이 되었든 나는 일기를 읽으며 내가 몰랐던 선자 이모를 발견하고, 일기의 내용을 토대로 선자 이모의 삶을 상상하는 일에 순수한 기쁨을 느꼈다.

예를 들어 K.H.를 찾기 위해서만 일기를 읽었을 때는 주목할 필요가 없어 흘려보냈으나 이제 내게는 선자 이모가 독일에 도착하고 일 년이 지나고부터는 시내에 있는 극장에 가기 위해 휴일을 손꼽아 기다렸다는 이야기가 흥미롭게 다가왔다. 선자 이모가 부족한 독일어 실력 탓에 내용을 거의 알아듣지 못하면서도 즐겁게 보러 갔던 영화는 빔 벤더스나 라이너 베르너 파스빈더 같은 감독들의 영화였다. 월급의 대부분을 한국의 가족들에게 송금했기 때문에 생활비가 거의 없던 선자 이모가 영화관에 가기 위해서는 점심값을 아껴야 했다. 선자 이모는 휴일에 영화를 보거나 책을 사기 위해 기숙사 식당에서 제공하는 브뢰첸을 손수건에 꽁꽁 싸서 들고 다녔다. "오늘은 날씨가 좋아 조금 더 걷기로 했다." 때때로, 영화를 보고 가슴이 너무 벅차올라 기숙사로 바로 돌아가고 싶지 않거나 먼 곳으로 떠나고 싶은 날에 선자 이모는 무조건 걷거나 자전거를 탔다. 그것이 아마도 늘 생활비가 빠듯했던 선자 이모가 누릴 수 있는 최대의 사치였으리라.

이곳의 가을은 둔중한 안개 때문에 음습하고 우울한데 오늘은 너무도 드물게 한국의 가을처럼 하늘이 청명해 가만히 있지 못하고 밖으로 뛰쳐나갔다. 병원 앞마당을 걷고도 아쉬워 인근의 묘지공원까지 가 산보를 했다. 나무들은 이미 색색의 아름다운 옷을 입고 있었고, 가을꽃이 무성한 묘지 위로 태양이 햇빛을 비추어주고 있었다. 너도밤나무 아래서 빵을 먹으며 책을 보는데 거리를 걷는 사람들의 웃음소리가 들렸다. 아,

밝고 건강한 몸과 정신…… 세상은 이렇게 아름답구나. 신이
만든 찬란한 빛깔 앞에서 울고 싶어졌다.

날씨가 너무 좋아서, 자전거를 타고 시외로 한참을 달렸다.
이 나라에선 도시를 조금만 벗어나면 건물들이 하나도 없는
망망한 들판이 나온다. 가도 가도 계속되는 밀밭과 호밀밭. 그
끝에 펼쳐져 있는 새파란 하늘. 땅덩이가 작은 나라의 도회인
이던 나로서는 말로만 들어본 지평선을 향해 그렇게 계속 달
리다 지쳐서 자전거를 내팽개치고 아무데나 드러누워 숨을 골
랐다. 신록의 들판 위로 보랏빛 수레국화와 메꽃들이 흐드러
지게 피어 있고, 갓 베어낸 밀밭에선 싱그러운 풀냄새가 났다.
한국에 두고 온 가족이 그립고, 죄스러운 마음이 들 때도 많지
만, 그렇게 누워 한도 끝도 없이 펼쳐진 하늘을 보며 감미한
기분에 젖어 있다보니 이 모든 걸 모르던 시절로는 돌아갈 수
없다는 생각이 들었다.

세번째 일기장에 실린 한수 아버지 이야기도 그전까지는 그다
지 중요하게 읽지 않았던 대목이었다. 한수 아버지의 등장과 함께
첫사랑에 대한 이야기는 자연스럽게 뒤로 물러났을 것이라고 생
각해왔기 때문이었다—실제로, 미래의 한수 아버지가 등장하기
전후 몇 년은 K.H.에 대한 언급이 가장 적은 시기였다. 하지만 이

번에 나는 고춧가루며 간장 같은 한국 식료품을 팔기 위해 먼 지
역에서 차를 몰고 온 광부들이 G시를 떠나기 전 기숙사의 창문마
다 돌을 던졌다는 이야기에 빠져들었다. 한인 간호사가 어떤 방에
살고 있을지 몰라 아무 방에나 다짜고짜 돌을 던지고는 덤불 속에
몸을 숨겼다던 젊은 한국 광부들. 광부들이 한인 간호사들에게 적
극적으로 구애를 하는 대목들은 일기에 그렇게 길게 나오지 않았
지만 선자 이모에게 반해 연분홍색 장미꽃 다발을 가져오고, 선자
이모에게만 돈을 받지 않고 고추장을 퍼주던 남자의 이름만은 기
록되어 있었다. 그 사람의 이름은 최범용. 끈질긴 구애 끝에 선자
이모와 데이트를 하게 되고 훗날 한수의 아버지까지 될 남자였다.

　나는 질리지 않고 선자 이모의 일기를 읽어나갔다. 선자 이모
의 글씨체는 이제 내게 친숙했고, 7자처럼 보이는 1자라든가, 끝
을 흐리는 'ㄹ'자 같은 것도 더이상 헷갈리지 않았다. K.H.를 찾
고 싶은 마음이 없어진 건 아니었지만, 터질 것처럼 부풀어올랐던
풍선에 난 작은 구멍 사이로 조금씩 바람이 빠져나가는 것처럼 이
상하게도 더이상 초조하지 않았고 이제는 강박적으로 그것에만
몰두하지 않게 되었다. 나는 논술 답안지 첨삭을 대충 끝내고 나
면 기분이 내키는 대로 어떤 날에는 집 앞 카페에 나가 아이스 아
메리카노를 마시며 선자 이모의 일기를 대여섯 페이지 정도 읽었
고, 또다른 날에는 조금 더 먼 곳의 카페에 가서 두세 페이지를 읽
었다. K.H.가 누구인지 빨리 알아내려는 조바심이 줄어들자 더욱

많은 것들이 눈에 들어왔다. 예를 들면, 1976년 5월 한국에서 온 편지를 받은 이후―누구로부터라고는 언급되어 있지 않다―선자 이모가 그해 10월까지 몇 개월 동안이나 일기를 거의 쓰지 않았다는 사실이. 간간이 한두 줄을 끼적여놓았을 뿐인 그 시기의 일기를 읽어보면 당시 선자 이모는 잠을 거의 이루지 못하고 밥을 잘 먹을 수 없을 정도로 괴로운 나날을 보낸 듯했다. 대체 무슨 일이 있었기에 이토록 괴로워했던 걸까? 일기장에서 생략된 날짜들은 짤막한 일기마저 쓸 수 없었을 선자 이모의 마음을 엿볼 수 있게 했다. 나는 일기가 쓰인 날부터 그다음 일기까지의 비어 있는 날들을 헤아려보았고, 그 간격이 유독 길어진 시기엔 깊은 우울에 빠져 있었을 선자 이모를 상상하며 마음이 아팠다.

　카페에서 선자 이모의 일기를 읽을 때 나는 대체로 밖이 내다보이는 창가 자리에 앉았다. 한번은 "이렇게는 계속 살 수가 없다. 이 괴로움 속에서도 나는 내 삶을 근사하게 살아내야 한다. 고통스럽지만 그것이 나의 임무니까"라는 문장이 적힌 1977년 2월 1일자의 일기를 읽다가 고개를 들고 밖을 보는데 너무나도 빠르게 돌아가는 창밖 풍경이 생경하게 느껴져 현기증이 일었다. 사원증을 목에 건 채 서둘러 걷는 사람들. 손마다 테이크아웃 컵이 들려 있는 사람들. 뜨거운 햇살 때문에 행인들이 눈을 찡그린 채 걷고 있었다. 나무에 달린 잎들의 초록색이 어느 때보다 선명한 계절이었다. 그런 풍경을 보고 있노라면 나 역시 직장을 다니던 시절이 생각났고, 일을 그만둘 만큼 나를 괴롭게 하던 무기력과 열패감이 조금이나마 내게서 멀어진 것을 깨닫게 됐다. 사람들은 어떤 감정을 영원히 간직할 것처럼 착각하지만 대개 그것들은 서글플 만큼 빨리 옅어진다. 물론 나의 경우에는 그렇게 되기까지 우재의 존재가 도움이 되었을 테지만. 우재는 조심스럽지만 분명한 보폭으로 내 삶에 걸어들어오고 있었는데, 그 사실은 내 마음을 환하게 하면서 동시에 어둡게 했다.

내가 선자 이모의 일기를 읽다가 다음과 같은 구절을 발견하게 된 건 그런 식으로 여름을 손가락 사이로 흘려보내고 있던 어느 오후의 일이었다. "대학을 졸업하고 유학을 오면 우리가 독일에서 재회하기로 약속했던 걸 아직 기억하고 있는데." 그다지 길지 않고 특색도 없다고 여겼던 이 문장은 최범용과 세번째 데이트를 하고 난 1978년 5월 16일 밤에 쓴 일기 속에 다소 생뚱맞게 들어 있었다. 최범용에 대한 기록이란 이유로 매번 띄엄띄엄 읽고 넘어갔던 그 일기를 다시 읽으며 나는 뭔가 이상하다는 것을 느꼈는데, 그건 "대학을 졸업하고 유학을 오면 우리가 독일에서 재회하기로 약속했던 걸 아직 기억하고 있는데"가 맥락상 비문이기 때문이었다. 이 문장이 무언가 잘못됐다고 느끼게 된 건 "우리"라는 대명사 때문이었다. 이 문장에서 "우리"는 누구를 가리키고 있는가? 문맥을 따지자면 그것은 선자 이모와 최범용이어야 마땅했다. 그 문장이 포함된 일기에서 내내 선자 이모는 최범용과 같이 연못가를 걸었던 이야기를 하고 있었으니까. 하지만 나는 선자 이모와 최범용이 독일에서 알게 된 사이라는 걸 이미 알고 있었고, 무엇보다 선자 이모나 최범용 둘 중 누구도 대학에 진학한 일이 없다는 것 또한 알고 있었다. 그렇다면 느닷없이 갑자기 튀어나온 이 문장 속의 "우리", 한쪽이 대학을 졸업하고 유학을 오면 만나기로 약속한 이 "우리", 최범용과 선자 이모를 묶을 수 없는 대명사 "우리"는 대체 누구를 지칭한단 말인가? 여기까지 생각이 이르렀을 때 내가 곧바로 K.H.를 떠올린 건 자연스러운 일이었다. 선자 이모의 일기장에서 언제나 이인칭으로 호명되는 사람, K.H.라는 이니셜이 보이지 않는 순간조차 마치 이 일기장을 언제고 읽게 될 가상의 독자처럼 거기에 한결같이 존재하는 사람은 선자 이모의 첫사랑인 K.H.밖에 없었으니까. 그리고 만약 이 "우리"가 선자 이모와 K.H.를 가리키는 것이라면, 대학을 졸업하고 유학을 오기로 되어 있던 사람은 물론 K.H.일 수밖에 없었다.

선자 이모와 K.H.는 언제 이런 약속을 나눈 것일까? 독일에 막 도착했을 때만 하더라도 선자 이모는 삼 년 후 귀국할 생각을 하고 있었으니까 출국 당시에 그런 약속을 하지는 않았을 것이다. 선자 이모와 K.H.가 동갑이라는 내 가정이 틀리지 않았다면 대학 졸업 전에 한국에서 재회할 수 있었을 테니까. 그렇다는 건 그 계획이 선자 이모가 독일에 있는 동안 편지를 주고받으며 세워졌다는 의미일까? 그렇다면 재회의 약속은 왜 불발되었을까—일기의 어느 곳에도 K.H.와 독일에서 재회했다는 기록은 없었다. 군 입대가 면제되는 특별한 경우가 아니라면 K.H.가 졸업한 건 1981년 2월이었을 것이다. 그렇다면 1978년에 쓰인 "대학을 졸업하고 유학을 오면 우리가 독일에서 재회하기로 약속했던 걸 아직 기억하고 있는데"는 약속한 재회의 날까지 기다리지 못하고 다른 남자에게 마음이 흔들린 것에 대한 미안한 마음을 담은 문장이었을까? 그것이 아니라 K.H.가 어떤 이유로 유학을 포기해버렸다면 그 문장은 더이상 약속이 유효하지 않은 것에 대한 안타까움의 표현일 수도 있었다. 또 한 가지 가능성도 떠올랐는데, 만약 K.H.가 다른 여자와 연애를 하고 있거나 (확률은 낮았지만) 결혼을 했다면, 졸업 후 계획대로 유학을 한다 해도 더이상 재회할 수 없었을 테니 선자 이모는 그에 대한 애통함을 담아 그런 문장을 썼을 수도 있었다.

추론이 거기까지 다다르자 뭔가, 지금껏 놓치고 지나갔던 중요한 정보를 발견한 사람처럼 심장이 뛰었다. 나는 얼른 노트북을 켠 후, 문서 창에 '독일 유학'이라고 적었다. "대학을 졸업하고 유학을 오면 우리가 독일에서 재회하기로 약속했던 걸 아직 기억하고 있는데"라는 문장이 비문이고, 이 문장에 재회의 장소는 적혀 있지만 유학 장소 역시 독일인지는 정확히 명시되어 있지 않다는 점을 고려해, 유학을 할 경우 독일에서 재회가 가능할 법한 유럽의 다른 나라들도 그 옆에 적어보았다. 영국, 프랑스, 스페인, 이탈리아. 러시아는 목록에서 제외했는데 당시 소련은 우리나라와 국교를 맺지 않았기 때문이었다.

K.H.가 다녔을 것이라 추정해 목록으로 만들어놓았던 여섯 개 대학교의 공식 사이트에 들어가서 외국문학 관련 학과들이 개설된 연도를 확인했다. K.H.가 문학이 아닌 전공을 선택했을 가능성이 아예 없다고는 생각하지 않았지만, 일단 그가 신춘문예 결과가 발표된 신문을 매해 사 모을 정도의 문학 애호가이자 작가 지망생이었다는 점을 감안해 문학 관련 학과들부터 찾아보기로 한 것이다. 다행히 1970년대에는 유럽어문 계통의 전공이 그다지 많지 않았다. 영문과는 학교마다 대부분 개설이 되어 있었지만, 그 시절 이탈리아 문학이나 스페인 문학 관련 학과가 있었던 학교는 단 한 군데도 없었다. 현재 불문과와 독문과가 존재하더라도 그 시절엔 둘 중 한 학과만 개설되었던 학교도 있었다.

다음날 아침, 나는 식빵 두 쪽과 삶은 계란으로 간단하게 아침 식사를 해결하고는 외국문학 전공 학과가 단 하나도 개설되어 있지 않은 한 학교를 제외한 나머지 다섯 개 학교의 동문회에 차례로 전화를 걸었다. 74학번 독문과, 또는 영문과나 불문과 졸업생 중에 '기호'라는 이름을 가진 사람이 있느냐고 묻기 위해서였다. 얼마 전 K.H.가 다니지 않았을까 싶은 인천의 한 고등학교 동문회에 연락을 해봤지만 별다른 성과를 얻지 못했던 터라 큰 기대는 없었지만 나는 작은 가능성을 놓치고 싶지 않았다. 전화 받는 사람들의 경계심을 낮추고, 조금이라도 정보를 수월하게 얻기 위해서는 하는 수 없이 스스로를 기자라고—더이상 아니었지만—소개할 수밖에 없었다. 나는 뇌종양에 걸린 한 파독간호사의 삶을 취재하는 중인데 그녀가 애타게 만나고 싶어하는 사람이 있어 찾아주려고 한다고 말했다. 기자라는 말에도 경계 태세를 풀지 않던 사람들조차 뇌종양이라는 말을 듣고는 선선히 도움을 주겠다고 말했다.

"그런데 '기호'가 이름의 전부인가요?"

"그분이 성을 기억하지 못해서요."

"네, 찾아보고 곧바로 전화드릴게요."

전화를 끊고 나는 수국 화분에 물을 준 후, 엊저녁부터 미뤄두었던 설거지를 했다. 몸을 움직여야 기다리는 시간이 길게 느껴지지 않을 것 같았다. 수세미에 세제를 묻혀 그릇을 닦는 단조로운 작업을 하는데, 문득 과거에도 지금과 비슷한 상황에 놓인 적이 있었다는 사실이 떠올랐다. 이렇게 K.H.의 존재를 누군가가 확인해주길 기다리며 초조해했던 일이. 나는 거품 묻은 그릇들을 물로 헹군 후 건조대에 차곡차곡 포갰다. 그러는 사이, 1998년 11월 말의 어떤 장면들이 긴 시간을 거슬러 다시금 내 앞에 돌아왔다.

한수가 처음으로 전화를 걸어온 것은 내가 소포를 받은 지 이삼주가 지난 후였다. 그때 나는 잠자리에 들기 전 다음날 학교에서 쓸 수채화 물감과 화구통을 가방에 챙기고 있었다. 엄마가 얼른 거실로 나와보라고 다급하게 소리를 질러 방밖으로 나가니, "국제 전화니까 얼른 받아" 하며 내게 수화기를 건넸다.

"안녕, 해미야. 오랜만이야."

무선전화기의 수화기 너머에서 들려오는 한수의 목소리는 내가 기억하는 것보다 낮고 굵었다. 나는 엄마를 피해 다시 방으로 들어가 문을 걸어 잠갔다. 한수의 목소리를 듣는 게 너무 오랜만이라 심장이 평소보다 빠르게 두근거렸다.

"응, 정말 오랜만이다."

독일어로 말을 하는 건 거의 일 년 만이었다. 짧은 한마디를 했을 뿐이지만 독일어로 말하는 일이 어색하게 느껴져 나는 조금 슬펐다. 한국이 밤이었으니 한수에게는 낮이었다. 한수는 선자 이모가 입원해 있는 요양병원 앞의 공중전화로 내게 전화를 건 것이라고 말했다. 국제전화 요금이 터무니없이 비쌀 때라, 일 초마다 저 멀리서 잔액 떨어지는 소리가 들려왔고, 그래서 수화기를 붙잡고 있는 내내 마음이 초조했다.

"해미야, 혹시 K.H.를 찾는 일에 조금이라도 진전이 있었어?"

한수가 불쑥 그렇게 말한 것은 일기장을 잘 받았다는 것부터 알려야 하나, 선자 이모는 좀 괜찮냐고 물어야 하나, 그것도 아니면 우선은 마음이 얼마나 아프냐고 위로를 건네야 하나 고민하느라 제대로 된 인사도 하지 못하고 있을 때였다.

"아, 웅…… 지금 일기를 열심히 읽고 있어."

그것은 사실이었지만 이상하게 그 순간에는 그렇게 대답하는 것이 부끄럽게 느껴졌다. 한수가 "아, 그렇구나……" 하고 말끝을 흐렸을 때는 조금 더 그랬다. 나는 한수가 병원 앞에서 나에게 전화를 걸기까지 어떤 마음이었을지를 상상해보았다. 한수는 나에게 전화를 걸기 위해 꽤 오랜 시간 용돈을 모았을 것이다. 새하얀 병실에 누워 있는 선자 이모를 바라보며 엄마를 잃어버릴지도 모른다는 두려움과 엄마를 구해줄 수 없다는 무력감에 괴로울 때마다 나에게 전화를 할까 말까 고민했겠지. 첫사랑을 찾는다 해서 선자 이모가 다시 건강해질 수 있는 것은 당연히 아니지만, 그것 말고 달리 할 수 있는 것이 없었기 때문에 한수는 기적을 바라는 마음으로 실낱같은 가능성에 매달렸을 것이다. 서글픈 목소리를 듣자 한수의 간절한 마음을 이해할 수 있는 건 나뿐인데 내 노력이 너무 부족했다는 죄책감이 일었다. 내가 최선이라고 생각했던 것들이 사실은 조금도 최선이 아니었을 수도 있다는 생각이 들자 괴로워졌다.

"내일, 교회에 전화를 해보려고 해."

한 번도 생각해보지 않은 말이 툭 튀어나왔다. 막상 입 밖으로 뱉고 나니 그럴듯한 계획처럼 느껴졌다.

"교회에?"

"웅, 일기장에 교회 이름이 한 번 나왔었잖아. 그 교회에 전화를

해서 55년생 남자 신도 중에 '기호'라는 이름을 가진 사람이 있었
냐고 한번 물어보려고. 이모가 그렇게 교회를 열심히 다닌 거 보
면 그 사람이 이모랑 같은 교회에 다녔던 사람일 수도 있잖아. 동
네 주민들이 주로 다니는 교회면 신도가 아니라도 아는 사람이 있
을 수도 있고."

마치 준비하기라도 했던 것처럼 말이 술술 나왔다.

"응, 그래. 그거 좋은 생각 같다. 이젠 시간이 진짜 없어. 고마
워, 해미야."

다음날 나는 학교 수업이 끝난 후 수학 학원을 빠지고 곧장 집
으로 갔다. 그 시간이면 엄마가 해나를 데리고 외출한다는 걸 나
는 알고 있었다. 나의 계획은 114에 전화를 걸어 인천의 '동산교
회' 전화번호를 물어본 뒤, 교회에 전화를 걸어 한수에게 말한 대
로 '기호'라는 사람이 있는지를 물어보는 것이었다. 수화기를 들
고 1, 1, 4를 누르자 마치 수많은 사람들이 쳐다보고 있는 무대 위
에 오르기라도 하는 것처럼 긴장이 되었다. 동산교회의 전화번호
를 찾는 것까지는 생각보다 어렵지 않았는데, 인천에 동명의 교회
가 많지 않았고, 내가 선자 이모가 살던 동네의 이름을 알고 있었
기 때문이었다. 나는 다시 한번 심호흡을 크게 한 후 032로 시작
하는 번호를 눌렀다. 집이 고요한 탓인지 신호음이 아주 크게 들
렸고, 배가 사르르 아파왔다. 일곱 번쯤 신호음이 울렸을까. 아무
도 없나 싶어 불안해지던 찰나 누군가가 전화를 받았다.

"그러니까 '기호'라는 이름을 가진 신도가 있었는지를 확인하면 된다는 거죠?"

나는 최대한 어른스럽게 들리도록 목소리를 가다듬었다.

"네, 55년생이나 그 비슷한 나이이실 거예요."

"잠깐만 기다리세요. 한번 확인해볼게요."

수화기 너머에서 한참 동안 종이 넘기는 소리, 무언가가 철컹거리는 소리 같은 것이 들려왔다. 영원처럼 길게 느껴지는 십여 분이 흐른 후 수화기 저쪽에서 다시 목소리가 들려왔다.

"죄송합니다, 저희 교회 명부에 그런 사람은 없네요."

내가 마지막으로 연락했던 대학교 동문회의 담당자가 전화를 걸어온 것은 그다음날 오후였다. 답이 오지 않아 다시 전화를 걸어봐야 하나 고민하며 커피를 한잔 마시고 있는데 전화벨이 울렸다. 이미 그 전날 네 군데 대학의 담당자로부터 내가 찾는 사람이 동문 중에 없다는 연락을 받았던 터라 큰 기대는 없었지만 그래도 막상 전화벨이 울리자 긴장이 됐다. 나는 커피가 든 머그잔을 식탁에 내려놓고 전화를 받았다.

"너무 오래 기다리시게 했죠."

"아닙니다."

담당자의 목소리가 밝게 느껴져 나는 전화기를 쥔 손에 힘을 줬다. '기호'라는 사람이 실존한다는 걸 확인하는 순간을 나는 얼마나 여러 번 머릿속으로 그려왔던가.

"그런데 죄송해서 어쩌죠, 기자님."

담당자가 말했다.

"아무리 찾아도 저희 학교에 그런 분은 없네요."

나는 다시 등받이에 등을 기대며 머그잔의 모서리를 쳐다보았다. 입술이 닿았던 자리를 따라 커피 얼룩이 지저분하게 묻어 있는 게 보였다. 수화기 너머의 목소리가 아주 먼 곳의 메아리처럼 아득하게 들려왔다.

"혹시 몰라서 72학번, 73학번, 75학번, 76학번도 다 찾아봤는데 기호라는 이름을 가진 분은 안 계세요."

4

일교차가 커졌고, 어느새 이모가 귀국하는 날이 성큼 다가왔다.

퇴사 소식을 전하고 싶지 않아 부산에 가는 걸 계속 미루고 있었지만 추석에는 이모도 볼 겸 내려가야 하는 게 아닌가 고민하고 있었는데 엄마가 전화를 걸어왔다.

"이번 추석에도 또 바빠서 못 오는 거야? 그럼 큰이모가 서울로 갈 거라니까 큰이모라도 좀 만나."

"서울에 온다고?"

"응. 큰이모 너희 집에서 이 주 정도는 재워줄 수 있지?"

독일로 간 뒤 한국을 거의 방문하지 않았던 이모는 오십대 중반에 접어들면서부터 이 년에 한 번씩 더위가 한풀 꺾일 무렵 한국에 와서 한 달 정도 머물다 독일로 돌아갔다. 이번엔 삼 년 만에 오게 됐지만. 이모가 한국에 머무는 동안 서울에 오는 일은 거의 없었다. 처음 귀국했던 해에는 내내 강진의 외삼촌 집에서 지냈지만 이모는 고향이 너무 많이 변해버렸고, 친구들도 거의 다른 지역으로 떠나버려 만날 사람이 없다며 그다음 방문부터는 더이상 강진을 찾지 않았다. 대신 이모는 한국에 오면 부산의 우리집에 짐을 풀었고, 엄마와 같이 여행을 다니며 안압지나 흔들바위 같은 관광지에서 찍은 사진을 친척들이 모여 있는 단체 채팅창에 올리곤 했다.

"서울엔 무슨 일로?"

"만날 사람들이 있대."

이모가 서울에 아는 사람이 있던가?

"아무튼 네 큰이모를 호텔에서 재우고 싶진 않으니까 너희 집 좀 빌리는 걸로 해. 어차피 넌 아침 일찍 출근했다 밤늦게 퇴근하니 불편할 건 없잖아."

이모는 귀국하고 이 주가량을 엄마와 함께 보낸 뒤 서울로 왔다. 기차역으로 마중을 나가겠다고 해도 힘들게 그럴 필요 없다며 도착 시간조차 정확하게 가르쳐주지 않았다. 서울역에서 택시를 타면 된다는 것이었다.

"이게 얼마 만이니."

늦은 오후, 초인종이 울려 현관문을 여니 한 손에는 보따리를,

다른 손에는 커다란 캐리어의 손잡이를 쥔 이모가 서 있었다. 나는 문을 더 활짝 열고 이모의 짐을 받았다. 오랜만에 만난 이모는 살이 조금 빠진 듯 보였지만 표정은 밝았고 무엇보다 건강해 보였다. 이모는 처음 방문한 오피스텔 원룸을 한번 둘러보더니 식탁의 자에 걸터앉았다.

"이모가 귀찮게 해서 어쩌냐. 숙소를 따로 구해도 되는데 너희 엄마가 굳이."

"귀찮긴요. 오랜만에 이모랑 같이 있을 수 있으니 좋죠."

나는 엄마가 이모 편에 보낸 삼색꼬치전과 육전, 송편 같은 명절 음식들을 냉장고에 정리해 넣으며 대답했다. 집이 넓지는 않았지만 이모와 지내는 것 자체는 정말로 내게 큰 문제가 되지 않았다. 너무 오랜만에 단둘이 있으려니 조금 어색한 면이 없지 않았지만 나는 이모를 좋아했고, 그간 이모가 한국에 올 때마다 바쁘다는 핑계로 보러 가지 못해 미안한 마음을 조금 덜 수 있는 기회라고 생각했으니까. 유일한 근심거리는 내가 퇴사했다는 사실을 어떻게 감출 수 있을까 하는 것뿐이었다. 퇴사를 했다고 하면 이모는 틀림없이 걱정할 것이었고, 엄마에게까지 이야기가 흘러들어갈 가능성이 높았다.

잠시 숨을 고르던 이모는 캐리어를 열고 나에게 주려고 독일에서 가져온 선물들을 꺼냈다. 발포 비타민, 아요나 치약처럼 한국인 관광객들이 즐겨 사는 소소한 물품들부터 독일에서 유행한다는 비건 화장품까지 이모의 다채로운 선물에 감탄했는데, 가장 반가웠던 것은 독일에 살던 시절 즐겨 먹었던 색색의 젤리들이었다. 어린 시절 갑작스럽게 귀국한 후 이모가 나와 해나에게 크리스마스나 생일마다 보내주었던 소포 속에는 항상 우리가 좋아하던 젤리며 과자 같은 것들이 가득 들어 있었다.

"감사해요, 이모. 그런데 뭘 이런 것까지 다 챙겨왔어요? 이 주만 있다 가는 건데, 내 것 다 쓰고 가면 되지."

나는 캐리어 안에 동그랗게 말려 있는 수건과 화장품 샘플들로 불룩한 투명 파우치를 보면서 말했다.

"어떻게 그러냐. 재워주는 것만도 고마운데."

이모는 사람들을 만나기 위해서 서울에 왔다고 했다.

"매일같이 사람 만날 약속이 있으니까 내가 여기 있어도 그렇게 번거롭지는 않을 거야. 네가 시간이 된다면 한 끼나 두 끼 정도 밥이라도 같이 먹을 수 있으면 좋겠지만, 바쁘면 이렇게 얼굴 본 것만으로 충분하고."

그날 밤, 우리는 엄마가 보내준 반찬들로 간단히 저녁을 먹고 산책을 나섰다. 이모는 독일에서든 부산에서든 계속해온 식후 산책이야말로 건강 유지의 비결이라고 했다. 해가 짧아지면서 더위가 꺾여 바람이 서늘했다. 이모와 나란히 걷는데, 이제는 이모가 나보다 작다는 사실이 새삼 실감났다. 이모는 백육십칠 센티미터였고, 내가 이모와 종종 나란히 걷던 시절엔 나보다 훨씬 컸다. 인근 아파트 단지 안에 조성된 정원을 잠깐 거닐까 했는데, 거리로 나오자 이모가 멀리 가보자고 했다. 어디를 가야 하나 고민하다가 나는 이모를 이끌고 큰길을 건너 천변 쪽으로 향했다. 근처에 흐르는 하천을 따라 산책로가 조성되어 있다는 건 알고 있었지만 바쁘다는 핑계로 그곳을 찾은 적이 없었다. 천변은 선선한 저녁 공기를 즐기며 운동하는 사람들로 이미 붐볐다. 나와 달리, 이렇게 많은 사람들이 계절의 변화를 느끼고 건강을 돌보는 데 시간을 할애하며 살아간다는 사실이 놀라웠다. 이모는 앞장서서 걸으며 서울에 대한 인상이나 부산에서 보낸 이 주일 동안 있었던 일들에 대해 말하기 시작했다.

"추석날, 해나가 아기를 데리고 와서 봤거든?"

이모는 해나가 엄마가 되었다는 사실이 믿기지 않는다는 이야기를 하고 또 했다. 조카는 이제 십팔 개월이었고, 이모가 해나를 마지막으로 보았을 때는 아직 조카가 태어나기 전이었다.

"해나한테 아기가 생기니까 엄마는 언니가 되어가지고 동생한테 추월당했다고 볼 때마다 잔소리를 한다니까요."

"아니, 그런 촌스러운 말이 어딨어?"

"이제 마흔인데 혼자 사는 모습을 보기가 싫은 거겠죠."

"그게 뭐. 나는 이제 칠십인데."

이모의 목소리는 경쾌했다. 그리고 그렇게 말하는 이모의 개구쟁이처럼 반짝이는 눈을 보면서 나는 꽤 오랫동안 잊고 살았지만 내가 이모를 아주 깊이 사랑한다는 걸 새삼 깨달았다.

"이모, 사실 저 신문사 그만뒀어요."

이모에게 내가 불쑥 고백한 것은 산책의 끝에 우리가 빵빠레를 하나씩 사서 집 근처 편의점 앞 파라솔 아래 자리를 잡았을 때였다.

"신문사를? 왜? 엄마는 아무 말 없던데."

이모가 놀란 눈으로 나를 바라보았다.

"엄마는 몰라요. 아무 일도 아닌데 괜히 걱정만 할 게 뻔해서 말 안 했거든요."

"왜 그만뒀는데?"

"그냥요. 졸업하고 십 년 넘도록 쉬지도 못하고 일만 했잖아요. 저도 휴식이 좀 필요해서요."

별일 아니라는 듯이 최대한 가벼운 톤으로 말하려고 했지만, 기분 탓인지 말투가 어색하게 느껴졌다. 이모가 내 얼굴을 지긋이 바라보는 것이 느껴져 나는 이모의 눈을 피해 고개를 정면으로 돌렸다.

"그래, 사람이 쉴 줄도 알아야지. 좋은 자세야. 촌스러운 네 엄마는 이해를 못할 게 뻔하니 우리끼리 비밀로 하자."

빵빠레를 먹는 동안 우리 앞으로 배달 오토바이 한 대가 요란한 소리를 내며 지나갔다. 교복을 입은 여자아이들과 남자아이들이 시시덕거리며 편의점 안으로 들어갔다. 이모와 나란히 앉아 빵빠레를 베어 물고 있자니 G시 구시가지의 광장에 앉아 젤라토를 사

먹던 날들의 풍경이 차례로 나를 찾아왔다. 애써 잊고 살려고 했지만 잊히지 않아, 때로는 그리움으로 때로는 후회와 자책으로 환기되던 풍경들.

이모 역시 그 시절의 기억을 떠올리고 있었던 걸까? 내 쪽으로 고개를 돌리더니, "독일에서 알고 지내던 친구들이랑은 왜 멀어졌니? 네가 그 아이들과 어울릴 때 참 좋아 보였는데" 하고 물었으니까.

내가 아무 말도 하지 않자 이모가 다시 말을 이었다.

"하긴, 어린 시절엔 사소한 것들로도 쉽게 사이가 틀어지곤 하지. 한국이랑 독일이 멀긴 또 좀 머니. 어릴 때는 물리적 거리 같은 것들이 더 크게 느껴졌을 테지."

"레나는, 잘 지내죠?"

나는 용기를 내어 이모에게 물었다.

"그럼, 잘 지내지. 나를 만나면 네 안부를 항상 물어봐."

이모의 말이 내 마음을 얼마나 먹먹하게 만드는지 알지 못한 채 이모는 레나가 승무원이 되었으며 아이도 세 명이나 낳았다는 이야기를 전해주었다. 한수의 안부를 묻는 데는 레나의 소식을 물을 때보다 더 많은 용기가 필요했다.

"한수? 선자가 그렇게 가고 나서 베를린에 있는 친척집으로 간 것까지는 알지? 선자 생각이 나서 한동안은 한미랑 한수 잘 지내나 연락도 해보고 그랬는데, 언젠가부터 소식이 끊겼어."

이야기는 한미 언니가 변호사가 되었다는 말을 들은 것 같다는 데로 흘렀다가, G시에서 내가 알고 지내던 파독간호사 이모들의 아이들 중 상당수가 변호사 아니면 의사가 되었다는 데로 번졌고, 자식들을 '사'자 만들기 좋아하는 한국 사람들의 기질이 어디를 가겠냐 하는 데까지 이어졌다.

"그런데 그때 네가 쓴다던 연애소설은 어떻게 됐니?"

"연애소설이요?"

"그래, 독일에 살 때 소설을 쓴다고 여기저기 물어보고 돌아다녔잖아."

이모의 말에 나는 내가 어릴 적 K.H.를 찾던 일에 대해서 이모가 여전히 모른다는 사실을 알아챘다. 그건 조금 놀라웠는데, 왜냐하면 레나를 통해서라도 그 일에 대해서 이모가 진즉 들었을지 모른다는 생각을 마음 한구석에 줄곧 품고 있었기 때문이었다.

답을 하려는데 내 마음속에서 아주 짧은 순간 갈등이 일었다. 대충 얼버무리며 넘어갈 수도 있었지만, 엄마를 잃고 낯선 도시로 이주했을 한수를 떠올리고 마음이 물러진 탓인지 어쩐지 그러고 싶지 않았다.

"사실은 이모, 그때 우린 연애소설을 쓰려던 게 아니었어요."

"그래? 그러면 뭘 하던 거였어?"

이모가 자리에서 일어서려는지 테이블 위에 있던 아이스크림 뚜껑을 한데 모으며 물었다. 나는 커다랗게 숨을 들이마셨다 내쉬었다.

"우리는 선자 이모의 첫사랑을 찾고 있었어요."

선자 이모의 부고를 들었을 때, 나는 이제 막 중학교 3학년이
되어 있었다. 그 무렵 독일에서 오는 연락을 피하고 있던 나에게
부고를 알린 건 레나였다. 아직 낯선 교실에서 도망치듯 빠져나
와 집으로 돌아오던 길, 우편함 투입구 밖으로 삐죽 모서리가 나
와 있는 국제우편 봉투를 발견했고, 나는 편지를 손에 든 채 발길
을 돌렸다. 아파트 단지 내 놀이터에는 사람이 없었다. 놀이터를
빙 둘러싼 울타리에 개나리들이 아직 다 피지도 않은 계절이었다.
편지에는 선자 이모의 장례식이 이미 끝났다는 말이 적혀 있었다.
선자 이모가 땅에 묻힐 때 한수는 주먹으로 입을 가린 채 울었다
고 했다. 한미 언니는 그런 한수 옆에서 애써 울음을 참고 있어서
보는 이들의 마음을 더욱 아프게 했다고. 편지를 가방에 숨긴 채
집으로 들어서는데 거실 바닥에 앉아 빨래를 개키고 있던 엄마가
내 얼굴을 보더니 "무슨 일 있어?" 하고 물었다.

"일은 무슨."

나는 엄마의 눈길을 피하며 내 방으로 향했다.

"얼굴이 운 것 같은데?"

엄마가 내 등뒤에 대고 소리를 질렀다. 나는 방문을 걸어 잠그
고 바닥에 쭈그리고 앉아 편지를 다시 펼쳐보았다. 편지에는 한수

의 거취를 놓고 여러 말들이 오갔다는 이야기도 적혀 있었다. 성인이 된 한미 언니와 달리 한수는 아직 미성년자였고, 그 사실이 법적으로 여러 문제를 일으켰다고 했다. 한수의 바람과 달리 그를 한국으로 데려오고 싶어하는 한수 아버지를 설득한 것은 선자 이모를 마지막까지 가족보다 더 살뜰히 돌본 파독간호사 이모들이었다. 한국어를 거의 할 줄 모르고 한국에 살아본 적이 단 한 번도 없는 한수가 이제 와서 한국에 가서 무얼 할 수 있겠느냐는 이모들의 말에 한수 아버지는 아들만이라도 되찾으려는 시도를 포기했다. 아버지 대신 성인이 될 때까지 한수를 돌봐줄 사람으로 낙점된 것은 베를린에 살고 있던 한수의 오촌 이모였다.

"말자 이모 기억나지?"

편지 속에서 레나가 나에게 물었다. 물론 나는 기억하고 있었다. 선자 이모에게 간호사가 되면 독일에 취업할 수 있다는 것을 알려준 사람이라는 사실을 일기에서 읽었고, 게다가 우리는 만난 적도 있었으니까.

"한수는 장례식을 치르고 일주일 만에 떠났어. 떠나기 전까지 한수는 우리집에서, 한미 언니는 너희 이모 집에서 지냈어."

엄마를 잃고 낯선 타지로 이주해야 하는 한수의 마음을 상상하는 것만으로도 고통스러웠는데, 레나가 편지에 쓴 마지막 문장은 비수가 되어 나를 숨쉴 수조차 없게 만들었다.

"우리집에 머무는 동안 한수는 깊은 슬픔에 잠긴 사람처럼 낯빛이 늘 어두웠어. 하지만 딱 한 번 웃었는데, 그건 베를린으로 떠나기 전날 밤, 내 방으로 찾아온 한수가 엄마의 첫사랑을 찾아줄 수 있어서 다행이었다고 말했을 때였단다. 내 편지가 네게 닿고 있는지 모르겠지만, 그 말은 너에게 꼭 해주고 싶었어."

*

달그락거리는 소리에 눈이 떠져 몸을 일으키니 이모가 인사 대신 "내가 깨웠니?" 하고 말을 건네왔다. 아, 이모가 있었지. 평소라면 조금 더 늦잠을 잤을 테지만 서둘러 침대에서 빠져나왔다. 이모는 식탁에 앉아 아침식사를 하고 있었다.

"미안해. 네가 깨는 걸 기다리려 했는데, 늙어서 그런가, 너무 일찍 깼더니 배가 고프네."

이모는 우리집에 원래 살던 사람처럼 계란을 삶고 토스트까지 구워서 잼을 발라 먹고 있었다. 식탁 위에는 방울토마토 몇 알과 사과, 그리고 안주로 사놓았던 에멘탈 치즈가 놓여 있었다.

"와, 완전 독일식 아침식사네요. 커피도 내릴까요?"

나는 찬장을 열면서 이모에게 물었다.

"좋지. 커피까지 끓이면 너 깰까봐 참고 있었어."

키친타월을 세모 모양으로 접어 포크와 나이프 밑에 냅킨처럼 정갈하게 깔아놓은 채 빵에 치즈를 얹고 있는 이모를 보자 내가 있는 곳이 서울이 아니라 G시인 것만 같은 착각이 일었다. 이모는 아는지 모르겠지만 이모에게는 그곳이 어디든 주변을 독일스럽게 만들어버리는 재주가 있었다.

이모와 마주앉아 이모가 삶아놓은 계란 껍데기를 벗겨 먹고 있자니 처음으로 독일의 이모 집에서 아침식사를 했던 날의 풍경이 되살아났다. 식탁 위에 가득했던 각종 잼, 치즈, 햄, 요거트. 난생처음 먹어보는 누텔라는 얼마나 달콤했던지. 절약하는 습관이 몸에 밴 이모는 평소엔 독일의 대형 마트인 알디에서 열두 개 묶음으로 저렴하게 파는 빵을 사다가 냉동한 후 매일 하나씩 데워 먹었지만 우리가 이모 집에서 아침식사를 하는 날엔 우리를 위해서 빵집에서 갓 구운 빵을 샀다. 독일에 도착한 다음날 가족들과 함께 이모 집에서 저녁을 먹고 자는 둥 마는 둥 하다 일어난 아침, 이모는 종이를 꺼내어 나에게 지도를 그려주었다. "이렇게 생긴 건물을 두 번 지나면 약국이 나와. 초록색 십자가가 있는. 그러고 옆으로 꺾으면 빵집이 있어. 거기서 빵을 사올 수 있지?" 약도를 그린 종이 뒷면에 이모는 Vier Brötchen bitte라는 문장을 적고 그 밑에 소리 나는 대로 "피어 브뢰첸 비테"라고 썼다. 이모는 내가 독일어를 한마디도 하지 못할 때부터 나를 끊임없이 밖으로 나가게 했고, 누군가에게 말을 걸도록 시켰다.

이모가 오래전 내게 잔심부름을 시킬 때마다 약도를 그려주었듯, 나는 아침식사를 하는 동안 이모의 스마트폰에 서울 지하철

앱과 택시 앱 같은 것들을 깔아주었다. 아직 시간이 많이 남았는데도 이모는 서둘러 외출 준비를 시작했다. 약속 시간을 칼같이 지키는 것, 어디서든 쓸데없이 켜져 있는 전자제품의 전원을 끄고 플러그를 뽑는 것, 물건을 함부로 버리지 않고 분리수거를 철저히 하는 것. 이 모든 건 이모가 독일에서 체득한 습관이라고 했다.

이모가 옷을 챙겨 입고 나가고, 나는 느지막이 샤워를 한 후 책상 앞에 앉았다. 이모 몰래 감춰두었던 선자 이모의 일기장들을 꺼내며 어젯밤 집으로 돌아오는 길 이모가 해주었던 말을 떠올렸다. "선자 첫사랑이라면 한수 아버지가 아니었겠냐."

"선자 이모가 독일 오기 전에 혹시 문학청년을 좋아했다는 이야기를 한 적은 없어요?" 하고 내가 물었을 때, 이모는 "글쎄, 그런 기억은 전혀 없는데. 왜 하필 문학청년?" 하고 되물었다. "그냥요. 선자 이모가 워낙 문학소녀였으니까" 하고 내가 말했을 때는 "선자가 문학소녀였어? 외향적인 편이 아니니까 혼자 책을 읽곤 했던 것 같긴 한데, 특별히 문학을 좋아했던가?" 했고.

지금까지 내가 완전히 헛다리를 짚고 있었던 건 아닐까? 노트북을 펼쳤지만 마음이 심란했다. K.H.가 문학 전공자일 거라 단정하지 말았어야 했을까? 철학과나 사학과, 사회학과 같은 곳도 알아봐야 할까? 대학교마다 전화를 걸어봐도 성과가 없어 낙심한 이후, 답답한 마음에 태어나 처음으로 흥신소에 전화를 걸었을 때 내 이야기를 들은 수화기 너머의 늙은 남자는 딱하다는 듯이 말했다. "성도 모르고, 이름도 확실하지가 않고, 나이도 확실하지 않다면서 어떻게 찾으라는 거요?" 그리고 그는 덧붙였다. "이름 세 글자만 확실히 알아와요. 생년월일까지 알면 식은 죽 먹기지만, 이름 석 자하고 태어난 해만 확실하면 몇 시간 내로 그 사람 주소랑 전화번호까지 싹 다 가져다드릴 테니." 담배를 많이 피우는지 그의 목소리에는 가래가 끼어 있었다. 과연 내가 K.H.를 찾을 수 있을까? 회의감이 밀려왔다. 하지만 선자 이모의 첫사랑을 다시 찾는 작업을 시작한 이후 내가 배운 거의 유일한 것이 있다면 막막할수록 구체적인 것에서부터 다시 시작해야 한다는 사실이었기 때문에 나는 문서 창을 열고 '말자 이모'라고 적었다.

*

내가 말자 이모를 실제로 본 건 이 주일간의 가을방학이 시작된 1997년 10월, 선자 이모와 한수, 레나와 다 함께 베를린에 갔을 때였다. 우리는 그때 어떤 이유로 베를린에 갔던가?

"이대로는 우리가 실패하고 말 거야."

비가 부슬부슬 내리기 시작했던 가을의 초입, '실패'라는 무시무시한 단어를 처음으로 입에 올린 사람은 레나였다. 레나는 시끄러운 패스트푸드점 안에서 치즈버거를 우적우적 베어먹으며 그때까지 나도 한수도 애써 무시하고 있었던 진실을 태연하게 우리 앞에 던져놓았다. 나는 한수의 눈치를 보면서 빨대로 콜라를 들이마셨다.

"그럼 어떻게 하고 싶은데?"

한수가 의기소침해진 것 같기도 하고, 조금 서글픈 것도 같은 말투로 물었다.

"포기하긴 아직 이르지 않을까?"

내가 얼른 끼어들었다.

"누가 포기한다고 했어?"

레나가 콜라를 소리 내며 마시더니 말했다.

"생각해봐. 우린 지금 여기서 만날 수 있는 이모들은 다 만났어. 그렇지만 이름 말고는 별다른 단서가 없다고. 그러면 어떻게 해야겠어? 지금까지 안 만나본 사람을 만나봐야겠지."

"그게 누군데?"

한수와 내가 동시에 물었고, 우리가 같은 말을 동시에 내뱉었다는 사실에 기분이 좋아져 나는 한수를 보며 싱긋 웃었다.

"그건 바로 말자 이모야."

처음 우리가 세웠던 계획은 한 번도 베를린에 가보지 못한 나에게 그 도시를 보여준다는 핑계로 우리끼리 말자 이모를 찾아가는 것이었다. 우리는 기차표를 알아보고 각자 가지고 있는 용돈을 모았으며 말자 이모에게 물어봐야 할 질문들을 정리했다. 하지만 결국 보호자 없이는 절대 보낼 수 없다는 이유로 선자 이모가 우리의 인솔자가 되기로 하면서 모든 것이 계획과 어긋나기 시작했다.

우리가 G시를 떠난 것은 어느 토요일 아침이었다. 우리는 기차를 타고 오랫동안 달렸다. 차창 밖에는 금빛 들밭이 드넓게 펼쳐져 있었다. 우리를 실은 기차는 가을의 한복판을 지나 작별과 해후로 소란한 기차역에 예정보다 조금 늦게 도착했다. 플랫폼에는 사진으로만 보았던 말자 이모가 우리를 기다리고 있었다.

어떤 의미에서, 말자 이모는 독일에서 이모라고 부르는 여러 사람들 중 한수의 유일한 진짜 이모였다. 선자 이모의 친언니나 친동생은 아니었지만 말자 이모는 선자 이모의 이종사촌이었으니까. 선자 이모와 달리 간호학교를 나와 한국에서부터 이미 간호사로 일했던 말자 이모는 선자 이모보다 삼 년 앞서 베를린에 도착해 살고 있었다. 김말자. 그녀에 대한 기억은 많이 남아 있지 않다. 키가 매우 컸고 남자처럼 짧은 머리를 했다는 것—나는 그때까지 그렇게 짧은 머리를 한 여자를 본 적이 없었다—겨드랑이 털을 드러내놓고 다녔다는 것—그런 여자 어른도 그때까지 본 적이 없었다—그리고 내가 입을 가리고 웃거나, 낯을 가리는 통에 조그만 목소리로 대답을 할 때마다 '여자애같이' 굴지 말라고 나무라서 내가 말자 이모를 무서워했다는 것 정도가 떠오를 뿐이다. 그 10월의 여행에서 더 선명히 기억하는 것은 말자 이모와의 대화보다는 을씨년스럽던 동베를린 지역의 풍경들이었다. 난생처음 보았던 그라피티 가득한 벽과 낙후된 건물들, 독일답지 않게 더러웠던 골목들. 그리고 음산한 거리를 걷다가 서베를린 쪽으로 넘어가 베를린동물원역에 이르렀을 때 보았던 굴다리 아래 케밥을 파는 터키계 이민자들의 활기—그곳에서 사 먹었던 되네르 케밥처럼 맛있는 케밥을 나는 두 번 다시 먹어보지 못했다—같은 것들. 그러니까 그때 나는 말자 이모가 어떤 사람인지 전혀 알지 못했다. 말자 이모가 한국 간호 노동자들의 강제송환에 맞서는 서명운동에 적극 참여했다는 사실을 알게 된 건 훗날 선자 이모의 일기를 통해서였다.

오늘 말자 언니로부터 전화가 왔다. 언니가 전화를 걸어오는 일은 흔하지 않아 집에 무슨 안 좋은 일이 있는 건 아닐까 걱정했는데, 그런 것은 아니었고 우리 간호원들의 체류 연장을 위한 서명운동에 참여하라는 말을 전하기 위해서였다. 언니는 요즘 병원 입구에 책상을 가져다놓고 사람들에게 한국인 간호원의 노동계약을 연장해주지 않는 일이 얼마나 부당한지 알리고 그런 조치에 항의하는 서명을 받고 있다고 한다. 지난봄 뮌헨의 한 병원에서 계약을 더이상 연장해주지 않아 한국인 간호원들이 강제송환을 당할 위기에 처해 있다고. 언니는 그것이 단순히 뮌헨에 사는 몇몇 간호원만의 문제가 아니라고도 말했다. 독일 정부가 외국인 노동자들을 더이상 쓰지 않으려고 하는 한 언제든 우리의 문제가 될 수 있다고. 이미 다른 도시에서도 한국 간호원의 체류 연장이나 노동 허가를 거부하는 일이 점점 늘어나고 있다는 것이었다. 언니는 이렇게 가만히 앉은 채로 있다가 쫓겨날 수는 없지 않겠냐며 우리 병원에서도 뜻을 같이하는 사람들을 찾아보라고 말했다. 알았다고 하고 전화를 끊기는 했지만 사실 나는 언니의 말을 백 퍼센트 이해할 수는 없었다. 우리 병원에서는 아직 아무런 일도 일어나지 않았으니까. 우리가 성실히 일하는데도 누군가가 우리를 정말로 쫓아낼까? 계약이 연장되지 않은 사람들은 사실 남보다 조금이라도 게을렀던 게 아닐까?

당시 일기를 보면 처음에 선자 이모는 말자 이모의 부탁에도 불구하고 서명운동에 적극적으로 참여하지는 않았던 것으로 추정된다. 그건 선자 이모가 당시 상황의 심각성에 대해서 무지했기 때문일 수도 있고, 일기 초반에 명시되어 있듯, 선자 이모의 오빠들이 "수없이 여러 번에 걸쳐서" 선자 이모에게 "독일에 가더라도 결코 빨갱이가 되지는 않겠다"고 다짐을 받았기 때문일 수도 있다.

일기에 자세히 언급되어 있지는 않지만 파독간호사 및 파독간호조무사들의 강제송환 문제가 대두된 것은 1973년 국제 석유파동의 여파로 서독 경제가 침체되면서부터였다. 나는 이와 관련된 자료를 국회도서관에서 읽은 적이 있었다. 선자 이모의 일기에 언급된 뮌헨 병원의 사례는 1977년, 관례적으로 연장되어왔던 한인 간호 노동자들의 노동계약을 한 병원에서 갑작스럽게 연장하지 않기로 결정하자 그로 인해 이민청에서도 체류 허가를 중단하면서 한인 간호 노동자들이 한국으로 돌아가야만 하는 처지에 놓였던 일을 가리킨다. 자료에 따르면 1977년 5월 재독 한국 여성 세미나에 참석한 여성들은 강제송환에 반대하는 서명운동을 펼치기로 결정했고, 1977년 말까지 만 명 이상에게 서명을 받았다. 그들이 받은 서명은 추후 독일 연방의회에서 아시아 간호 노동자들의 체류 허가에 관한 안건을 상정하는 중요한 근거가 되었다. 체류권 획득을 위해 한인 여성들이 투쟁해온 이 사건에 흥미를 느꼈던 나는 관련된 기록을 파일 하나로 정리해두기도 했다. 하지만 이 모든 일이 대도시를 중심으로 이루어진 것인지 선자 이모의 1977년 일기에 강제송환이나 계약 연장, 서명운동과 관련된 이야기는 많지 않았고, 말자 이모의 연락을 받은 직후에나 한 번씩 언급되었을 뿐이다. 다소 뜨뜻미지근하던 선자 이모의 태도에서 변화가 감지된 것은 1977년 10월 무렵부터였다.

언니가 우편으로 「재독 외국인 간호원 송환 문제에 대한 호소문」을 보내왔다. 늘 그렇듯 그냥 읽고 치워버리려고 했는데, 그 안에 적힌 문구 때문에 그러기가 힘들었다. 호소문에는 이렇게 적혀 있었다. "외국 간호원은 인간이 아닌가? 우리는 더

이상 상품처럼 필요에 따라 이곳저곳으로 밀려나고 싶지 않다. 뿐 아니라 환자들은 여느 때보다 더욱 우리들을 필요로 하고 있다. 각 병원은 인원 부족으로 인해 환자의 치료에 소홀하고 있고, 그나마 근무하고 있는 간호원들은 과중된 업무에 시달리고 있는 것이다."

선자 이모는 그 밑에 독일어로 다음과 같은 문장을 적어두었다. "Wie lange noch sollen Menschen wie Waren hin- und hergeschoben werden얼마 동안이나 사람들이 물건처럼 이리저리 보내져야 하는가?" 그리고 그 아래 이모는 다시 『생의 한가운데』의 그 구절을 적었다. "Alles ist noch unentschieden. Man kann werden, was man will아무것도 아직 결정되지 않았어. 우리는 우리가 원하는 것이 될 수 있어."

"선자 이모가 70년대 후반에 강제송환에 반대하는 서명을 받았던가요?"

어느 날 저녁, 나는 외출에서 돌아온 이모와 저녁식사를 마친 후 동네 산책을 하던 중 물었다.

"응, 그랬지. 어떻게 알았니?"

"선자 이모에게 들었던 것 같아요."

과거에 첫사랑을 찾았다는 이야기는 했지만 지금 내가 선자 이모의 일기장들을 갖고 있다는 말은 하지 않았기 때문에 하는 수 없이 나는 얼버무렸다.

"선자같이 과묵한 애가 네게 그런 말까지 했다니, 생각보다 꽤 친했구나."

이모는 풀벌레 소리가 들려오는 천변을 따라 거닐면서 어느 날부터인가 선자 이모가 서명에 동참해달라고 하기 시작했다는 이야기를 들려주었다. 아쉬운 소리를 하는 법이 없고, 무엇도 잘 표현하지 않던 선자 이모가 사람들마다 붙잡고 진지한 얼굴로 부탁을 해 대부분 들어줄 수밖에 없었다며.

"사실 우리에게도 좋은 일이었으니, 서명하지 않을 이유는 없었어. 선자가 그런 서명을 받기 시작한 건 아마 말자 언니 영향이었을 테고, 나는 말자 언니가 하는 운동들을 조금 경계하고 있었지만. 그땐 나도 어렸고, 말자 언니같이 사회운동에 적극적인 사람들이 무서웠거든. 나중에 말자 언니에게 들은 거지만 독일 사람들보다 한국 사람들에게 서명 받는 게 더 힘들었다고 하더라. 그 시절엔 대사관 같은 데서도 이런 운동조차 이념 갈등으로 규정해서 분열을 조장하곤 했으니까."

그럼에도 불구하고 자료에 따르면 한인 간호 노동자들이 벌인 서명운동은 1978년 3월, 체류권 보장을 위한 공개 토론회를 여는 토대가 된다. 한인 여성들과 독일 연방 내무성, 노동청 담당자가 참석한 그 토론회가 뮌스터에서 열리고 약 칠 개월 뒤, 오 년 이상 체류자에게 무기한 체류권을, 팔 년 이상 체류자에게는 영주권을 주는 새로운 행정법이 통과된다. 이것은 아마도 독일의 한국인 여성들이 연대를 통해 스스로 권리를 쟁취한 최초의 경험이었으리라.

한 시간 정도 걷고 집으로 되돌아오는 길, 이모는 말자 이모가 70년대 후반 동일방직과 YH무역 여성 노동자들이 부당 해고를 당하게 되었을 때 이에 반대하는 운동을 위한 모금을 했고 1980년 광주에서 시민 학살이 있었을 당시에는 베를린에서 그 만행을 규탄하는 거리시위를 다른 교민들과 함께 조직하기도 했다는 이야기를 들려주었다.

나는 베를린에서 만났던 말자 이모를 다시 떠올려보았다. 눈, 코, 입은 없이 윤곽만으로 기억날 뿐인 얼굴과 그녀의 호탕한 웃음소리도.

"이모들도 광주의 참상을 알리는 시위 같은 걸 했나요?"

"응, 그랬지. 그건 또 어떻게 알았니?"

1980년 5월의 일기에 따르면 선자 이모와 우리 이모, 마리아 이모를 포함한 대다수의 이모들이 G시의 한인 유학생들과 함께 거리시위에 나섰는데, 자신들의 체류권 보장을 위한 운동을 할 때조차도 서명을 보태는 방식으로 소극적으로 참여했던 이모들로서는 매우 이례적인 일이었다.

"그러고 보니 그때도 거리로 나가자고 처음 말을 꺼낸 게 선자였던 것 같네."

이모가 뜻밖이라는 듯한 말투로 낮게 읊조렸다. 그때 선자 이모는 이미 결혼을 해 기숙사 밖에서 살고 있었다.

　　말자 언니는 종종 나에게 간호원인 우리도 외화 획득을 위해 수출된 '여성 노동자'이기 때문에 다른 노동자들과 연대해야 한다고 말하곤 했지. 하지만 연대니, 노동자니 하는 그런 말들은 내게는 너무 멀고 무섭게만 느껴졌단다. 나는 그냥 '나'일 뿐이었으니까. 환자들 대변을 닦아내다가 옷에 묻으면 속이 상하지만, 비가 오는 아침 향이 좋은 커피를 마시면 금세 행복해지는 그런 단순한 '나'. 하지만 나는 지난 22일 저녁 먹은 걸 치우다가 뉴스를 통해서 광주의 참상을 보았단다. 안경을 끼고 조끼까지 반듯하게 갖춰 입은 앵커가 내뱉는 빠른 독일어 문장들 사이에 또렷이 '광주'라는 단어가 들렸어. Volksaufstand라고 굵은 글씨로 쓰여 있던 화면에서 본 영상은 얼마나 참혹했는지. 그날 밤 심장이 너무 빠르게 뛰어서 도무지 잠을 잘 수가 없었어. 그리고 며칠이 지나자 우리가 강제송환당할 뻔했을 당시, 그 문제에 무관한 수많은 사람들이 우리를 위해 서명을 해주었고, 그래서 내가 이곳에 원하는 만큼 머물 수 있게 되었다는 사실이 떠올랐지. 인종차별을 겪을 때마다 같이 싸워주던 수간호원 밀라, 독일어가 서툴던 시절 내게 일부러 천천히 말해주던 동료 간호원 말레아 같은 사람들. 그 중에는 우리 병원에서 청소 일을 하는 아이샤 아주머니도 있었단다. 터키인 이민자로 여섯 아이의 엄마이기도 한 그녀는 퇴근 시간에 커다란 쓰레기통을 들고 지나가다가 멈춰 서더니 서명 용지를 들고 서 있는 내게 무슨 일이냐고 물었지. 내 이야기를 들은 그녀는 정성스럽게 자신의 이름을 적어주고는 그 종이를 들고 인근 식당과 마트를 돌아다니며 여덟 명의 터키인들에게 서명을 받아주었어. 신의 가호가 있기를. 그녀는 그렇게 말했단다. 그런 뒤에 하얀 이를 드러내고 미소를 짓던 아이샤 아주머니의 얼굴을 떠올리자 이번에는 내가 무언가를 해야겠다는 생각이 들었어. 뉴스가 나온 그날 밤 나에게 전화를 걸어 떨리는 목소리로 베를린에 광주의 실상을 알릴 거라고 말했던 맏자 언니처럼 나 역시 여기 사람들에게 알려야 한다고. 이렇게 조그만 도시에서 알리는 것이 무슨 의미일까 싶지만, 그렇더라도 아무것도 하지 않을 수는 없으니까. 이 병원에서 같이 일하는 진애 언니는 광주가 고향이야. 광주일고를 나와 전남대에 수석으로 입학한 수재 남동생을 늘 자랑하던 언니는 가족들과 연락이 닿지 않는다며 매일 울고 있어. 내일 아침에 병원에 가면 다른 언니들에게 거리로 나가자고 말해볼 생각인데 언니들이 나를 이상하게 생각하면 어떻게 하나 걱정이 되긴 해. 하지만 그래도 말을 해봐야겠지. 아무도 같이 나가겠다고 하지 않으면 나라도 한미를 들쳐업고 시내로 나갈 생각이야. 침묵은 비겁함 외에 아무것도 아닐 거니까. 한미 아빠는 이런 내게 미쳤다고 해. 조용히 살자고. 그게 다 무슨 소용이겠냐고. 이제 겨우 우리도 살 만해졌는데 분란을 일으키지 말자고. 한미 아빠는 광부 기숙사 우편함에 시시때때로 배달 오던 북한 선전물들을 감히 펼쳐볼 생각도 하지 못하고 모아다 한국 대사관에 가져다주었다는 사람이지. 반독재 민주화운동을 하던 같은 광산 출신 광부들에 대해 이야기할 때마다 두려움을 감추려 몸집을 부풀리는 짐승처럼 매국노라고 욕설을 퍼붓는 사람. 한미 아빠는 6·25 때 아버지를 잃었어. 한미 아빠가 평생 얼마나 고생하며 성실히 살았는지를 생각하면 그 마음도 이해가 갔단다. 그런데도 나는 이번만큼은 가만히 있을 수가 없어. 사실 나는 모른 척해왔지만 네가 대학에 들어간 이후 데모만 한다는 이야기를 들었었단다. 큰오빠가 딱하다며 얘기해줬거든. 그 이야기를 처음 전해들었을 때 나는 솔직히 너를 도무지 이해할 수 없었고 걱정이 되었어. 그렇게 열심히 공부해서 대학에 가놓고 데모만 하다니. 내게 그런 기회가 주어졌다면 나는 그렇게 살지 않았을 거라고 너 몰래 생각하기도 했지. 하지만 K.H.야, 어쩌면 나는 이제야 조금이나마 너를 이해할 수 있게 된 것인지도 몰라.

*

이모가 서울에 머무는 이 주 동안 우리는 매일 함께 천변을 산책했고, 그것은 금세 내게 아주 소중한 일과가 되었다. 산책을 하다보면 그날 이모가 만난 사람들에 대한 이야기나 독일에 살던 시절의 이야기를 나누게 되는 일이 잦았다. 이모가 이번에 서울에 온 가장 주된 목적은 이곳에 정착해 사는 친구들을 만나고, 파독 간호 노동자들이 한국과 독일의 간호계에 미친 영향을 연구하는 대학원생의 인터뷰에 응하기 위해서였다. 이모와 함께 인터뷰에 응한 사람 중에는 양옥 이모도 있었는데, 나도 본 적이 있다지만 내 기억에는 거의 남아 있지 않은 양옥 이모는 은퇴 후 귀국해 남해 독일마을에서 독일음식점을 운영하며 살다가 최근 남편이 서울의 한 대학병원에서 치료를 받아야 해 이사를 왔다고 했다.

"양옥 이모는 한국에서 사는 데 만족하세요?"

"응, 그럭저럭 괜찮다더라. 근데 처음엔 해외에서 살다 왔다고 예외 없이 건강보험 적용이 안 돼서 좀 서러웠나보더라고. 이역만리에서 고생한 산업역군이다 뭐다 하면서 정작 나라에선 특별히 대우해주는 게 없는 것 같았다데."

"그러셨을 수 있겠어요."

"근데, 나는 우리가 한국서 배워간 미국식 선진 기술로 독일에서 간호사들에 대한 인식을 진짜 많이 개선시켰는데 산업역군이니 뭐니 하면서 고생고생한 것처럼만 사람들이 말하면 그게 그렇게 싫던데."

그러더니 이모는 말했다.

"뭐, 사람 맘은 다 가지가지니까."

산책중 이야기하는 쪽은 대체로 이모였지만 간혹가다 선자 이모의 일기장에서 본 내용 중 궁금한 것들을 내가 돌려서 물어볼 때도 있었다. 그럴 때면 이모는, 의도한 것은 아니었을 테지만 내가 일기만 보고 상상해왔던 그림의 오류를 짚어주기도 했다. 예를 들면 뭔가 유용한 정보를 얻을 수 있지 않을까 싶어 한수 아버지를 언급했을 때, 이모는 그가 G시에 한국 식품을 팔러 올 때마다 몰고 왔던 차가 내 상상처럼 트럭이 아니라 승용차였다는 사실을 알려주었다.

"식재료를 실은 차가 트럭이 아니라 승용차였다고요?"

"응, 승용차. 광부들이 다달이 저축한 월급으로 중고 승용차를 사가지고, 할일이 없으니까 주말마다 여행 겸 혼자 이 도시 저 도시 여자들을 꼬시러 다니는 일이 많았거든. 고춧가루 요만큼, 된장 요만큼, 멸치 요만큼씩을 트렁크에 싣고서. 광부라봐야 진짜 육체노동 하다 온 사람이 얼마나 돼. 죄다 얼굴이 곱상한 '서울 광부'들이지. 일이 고되니까 휴일은 많고, 할일은 없고, 그러니까 쉬는 날이면 한국 여자를 찾아다니는 거지. 결혼하면 체류권도 자동 연장되니 광부 일을 그만둬도 되잖아. 한수 아버지도 그런 사람

중 하나였지. 한국에선 공무원이었댔어. 신문광고를 보고 전 직장보다 열 배 넘는 봉급을 받는다는 말에 혹해 할 줄도 모르던 육체노동을 하려고 독일로 건너왔다고. 그러니까 선자랑 결혼하자마자 일을 그만두고 사업을 하겠다고 하지 않았겠니."

어떤 날은 산책중 이모가 십대였던 내겐 차마 얘기할 수 없었던 뒷이야기를 들려주기도 했다. 젊은 시절 마리아 이모나 선자 이모와 다툰 이야기나("솔직히 우리 셋이 타지서 만났으니 친하게 지낸 거지 한국에서 알게 됐다면 서로 어울리고 살았을 성격이냐?") 다른 이모들의 곗돈을 들고 미국으로 도주한 어떤 파독간호사 이야기 같은 것들. 그중 나를 가장 놀라게 한 건 마리아 이모에 대한 이야기였는데, 한 한국인 유학생 남자가 독일 애인과 팔짱 끼고 걷던 마리아 이모에게 칼부림하는 소동이 있었다는 것이었다.

"길에서 갑자기 칼로 찌르려고 했다고요? 마리아 이모랑 사귀던 남자였어요?"

그렇다고 해서 칼부림을 한 게 납득되진 않았지만 내가 물었다.

"그것도 아냐. 모르는 유학생이었대. 한국 여자가 독일 남자랑 연애하는 게 저한테 용납이 안 됐다더라."

"안 다쳐서 다행이긴 한데 어떻게 그런 일이 있을 수 있지? 믿기지가 않아요."

내가 고개를 절레절레 흔들며 말했다.

"말도 마라. 한국에 부인이랑 자식 다 뒀으면서 총각 행세하며 간호사들 찝쩍댄 유학생 놈들은 또 얼마나 많았는데."

이모와 저녁 산책을 거듭할 때마다 해가 조금씩 더 짧아지는 것이 느껴졌다. 천변을 따라 한참을 걷다가 돌아오는 길엔 어김없이 집 앞 편의점에 들렀다. 파라솔 아래 자리를 잡고 아이스크림을 핥아먹으며 주머니 속에 넣어둔 휴대전화를 꺼내보면 우재의 메시지들이 도착해 있곤 했다. 이모가 오기 전까지 우재와 나는 거의 매일 밤 휴대전화를 식탁이나 소파 옆의 테이블 위에 비스듬히 올려놓은 채 통화를 하며 각자 맥주를 마시거나 같은 티브이 프로그램을 보며 웃었다. 가끔은 침대에 누워 이따금씩 대화하며 책을 보거나 태블릿으로 동영상을 볼 때도 있었다. 그러다 우재가 먼저 잠드는 밤도 있었는데, 그러면 나는 나지막이 들려오는 코 고는 소리를 듣다가 조심스럽게 전화를 끊었다. 차오르는 적막과 그것에 균열을 내는 나지막한 코 고는 소리. 그 소리는 나에게서 아주 멀리 떨어져 있었지만, 놀랍게도 내 옆의 온기처럼 위안이 되곤 했다. 이모가 우리집에 머무는 동안 만나거나 통화하기가 어려울 거라고 말해놓았기 때문에 우재는 퇴근하면 메시지를 보내왔다. 이따금씩은 메시지에서 이모를 같이 만나고 싶다는 마음을 넌지시 내비치기도 했지만 나는 애써 모른 척했다. 우재를 선뜻 이모에게 보여줄 마음이 들지 않는다는 사실에 우재가 더이상 단순한 대학 동기가 아니라는 자각이 내 안에서 또렷해졌지만, 누군가가 내 삶에 중요해진다는 걸 받아들이기가 어려웠다. 가끔 나를 곤혹스럽게 하는 그런 암시들을 제외하면 산책의 끄트머리에 확인하게 되는 우재의 메시지들은 대체로 그날 있었던 일에 대한 소회나 저녁식사로 뭘 먹었다는 유의 시시콜콜한 내용이었다. 우재는 내가 이모와 대화하느라 답장을 보내지 않는 시간이 길어지면 곰인지 개인지 모를 캐릭터가 울고 있는 이모티콘을 몇 개씩 보내왔는데, 그걸 보면 어김없이 피식 웃음이 났다. 한번은 그렇게 웃는 나를 보더니 이모가 의미심장하게 따라 웃었다.

"왜요?" 내가 묻자 이모는 "네가 젊고 예뻐서" 하며 바밤바를 한입 크게 베어 물었다. 그런가? 오래전부터 나는 내가 이미 너무 늙었다고 생각했다.

이 도시에 정착한 파독간호사 이모들을 제외하면 서울에 짧게 체류하는 동안 이모가 만난 사람들은 대부분 이모의 예전 환자들이었다. 이모가 G시에서 운영하는 자그마한 개인병원을 찾는 환자들 중 상당수는 독일에 잠시 머물다 고국으로 돌아가려 하는 이방인들이었다. 건물 관리를 하고 있는 터키인이라든지, 교환학생으로 온 이란인이라든지. 그들이 이모를 찾는 것은 자신들과 마찬가지로 이방인인 이모에게 모종의 동질감을 느껴서인 것 같다고 이모는 설명하곤 했다.

"독일어로 증상을 잘 설명하지 못해도 나는 재촉하지 않고 기다려주니까."

이방인들은 대부분 누군가와 이야기를 하고 싶어했고, 그들의 이야기를 차분히 들어주는 것만으로도 병이 낫는 경우가 많았다.

"외로움만큼 무서운 병은 없어."

우리가 닷새째 산책을 하던 저녁에 이모는 그렇게 말했다. 나는 이모와 같이 파라솔 밑에 앉아 부라보콘을 먹으며 오래전 가본 아주 작은 병원의 진료실에서 타지 생활의 어려움을 끝없이 털어놓는 환자들 앞에 앉아 진지한 얼굴로 고개를 끄덕이며 이야기를 들어주는 이모의 모습을 상상해보았다. 어린 시절 긴장을 하거나 스트레스를 받으면 어김없이 배탈이 나던 나에게 그랬듯이, 따뜻한 차를 한 잔 건네주며 괜찮아요, 라는 듯한 눈빛으로 상대의 이야기를 끝까지 들어주는 이모의 모습을. 그러고 보니 외교관이 꿈이었던 이모는 어째서 의사가 된 걸까?

이모의 병원을 찾는 이방인 환자들 중에서 가장 높은 비율을 차지하는 건 물론 한국인이었다. 특히 유학생이나 주재원인 남편을 따라 독일에 왔으나 독일어를 거의 할 줄 몰라 독일인 의사를 만나는 걸 부담스러워하는 한국인 여성들이 이모의 병원을 찾는 단골 환자들이었다. 이모의 말에 따르면 독일에 유학 온 사람들은 보통 십 년 가까이 머물기 때문에 이모와 환자들 사이에는 그 긴 시간 동안 우정 비슷한 게 생기게 마련이라고 했다. 이모가 서울에서 매일같이 만나는 사람들 중에는 독일에서 신학을 공부해 목사가 된 사람의 부인도 있었고, 대학에서 법학을 가르치는 교수의 부인도, 성악만으로는 먹고살 수 없어 택배 일을 하며 무대에 서는 오페라 가수의 부인도 있었다.

"참, 그러고 보니 마리아가 성악을 배우기 시작했다는 이야기를 했던가?"

그리고 그날 만난 오페라 가수가 얼마나 근사한 목소리를 가졌는지에 대해 한참 말하던 이모는 느닷없이 마리아 이모 이야기를 꺼냈다.

"늘 가수가 되고 싶다 하시더니 정말 성악을 배우시는 거예요?"

"응. 너랑 같이 지낸다니까 마리아가 영상통화 한번 시켜달라고 했는데, 지금 해볼까? 독일이 지금 몇시지?"

이모는 내가 말릴 새도 없이 휴대전화를 꺼내어 영상통화 버튼을 눌렀다. 마리아 이모는 금방 전화를 받았고, 입술에 바닐라 아이스크림을 묻힌 채 엉겁결에 전화를 받은 나를 보자 밝은 목소리로 탄성을 질렀다.

"아이고야! 어릴 때 얼굴이 약간 남아 있긴 한데 길 가다 보면 못 알아보겠네!"

스피커폰을 타고 흘러나온 마리아 이모의 목소리가 어찌나 컸는지, 편의점으로 들어가려던 젊은 남자가 놀란 듯 우리 쪽을 한 번 흘깃 쳐다봤다. 내가 열다섯 살에 독일을 떠난 이후 처음 얼굴을 보는 마리아 이모는 당연하게도 내 기억보다 늙어 있었지만 화려한 미모만큼은 여전히 변함이 없었다. 마리아 이모는 특유의 활달한 목소리로 나와 동생 그리고 엄마, 아빠의 안부를 물었고, 자신의 근황과 레나의 소식을 전했다. 대화를 어느 정도 주고받은 후 내가 전화기를 다시 이모에게 건네려고 할 때 마리아 이모는 다급하게 나를 부르더니 서둘러 덧붙였다.

"잠깐만 기다려봐. 메일 주소나 전화번호라도 알려주고 끊어. 레나한테 전해주게. 레나가 너를 정말 많이 보고 싶어해. 너희 사이에 무슨 일이 있었더라도 이제는 다시 연락하고 지내도 될 때가 되지 않았어?"

그렇게 해서, 이모가 갑자기 저녁식사에 초대받아 늦게 돌아오게 되었다고 연락해온 일요일, 레나와 나는 스카이프를 통해 재회하게 되었다.

"야, 이게 얼마 만이야!"

레나가 나를 보자마자 마리아 이모와 거의 똑같은 표정과 말투로 탄성을 지르며 말해 피식 웃음이 났다. 레나는 내가 기억하는 것과 달리 안경을 썼고 볼살이 빠진 탓인지 광대뼈가 두드러져 보였지만, 내가 좋아하던 다정한 눈매와 동그랗고 반듯한 이마는 그대로였다. 이모들에게 등을 떠밀려 재회하긴 했지만 나 역시 사실은 레나를 내내 그리워하고 있었는지 레나의 얼굴을 보자 반가움이 밀려왔다. 하지만 그 반가움은 금세 얼룩졌는데, 선자 이모의 부고를 듣기 직전부터 레나가 나에게 보내온 수많은 편지에 내가 일방적으로 답하지 않았던 기억 때문이었다. 그런 내 마음을 아는지 모르는지, 레나는 마치 몇 달 전 만났다 헤어진 사람처럼 스스럼없이 말을 걸어왔다.

"아시아인들은 진짜 늙지를 않는 것 같아. 어쩜 너는 이렇게 그대로니."

내가 독일어를 많이 잊어버려 우리는 한국어와 독일어를 섞어가며 대화를 나눠야 했다.

"엄마, 누구야?"

인사를 나누고 있는데 화면 속에서 다섯 살 정도 되어 보이는 금발의 여자아이가 베이지색 토끼 인형을 들고 다가와 독일어로 말을 걸었다.

"엄마 친구."

친구라는 말에 무언가 부드럽고 뜨거운 것이 왈칵 목구멍으로 솟구쳤다. 레나가 아이를 들어올리기 위해 몸을 돌리자 민소매 아래 드러난 팔뚝 위로 커다란 나비 모양의 타투가 눈에 들어왔다. 레나는 아이들이 여덟 살, 일곱 살, 다섯 살이라며 한창 서로 질투할 때라 돌보는 게 쉽지가 않다고 웃으면서 말했다. 다섯 살짜리 유디트를 레나의 무릎에 올려놓은 채 우리는 시답지 않은 이야기들을 주고받았다. 내가 기자가 되었다고 하니까 레나는 "잘 어울린다, 야. 너는 늘 글을 썼잖아"라고 말했고, 그래서 나는 이내 슬퍼졌다. 대화를 나누면 나눌수록 나는 아무런 설명도 없이 일방적으로 연락을 끊은 나를 원망하는 마음을 레나가 내비칠까봐 불안해졌지만 레나는 아무런 내색도 하질 않았다.

"그때 그런 이유가 뭐냐고 왜 묻질 않니?"

결국엔 내가 조바심을 참지 못하고 레나에게 물었다.

"그랬나? 이젠 기억도 안 나."

나는 레나의 말이 선의의 거짓말이라는 걸 알았다.

"한수 소식은 들은 게 있니?"

아이들이 엄마를 찾는 소리가 화면 저편에서 들려왔고, 나는 용기를 내어 레나에게 물었다.

"아니, 연락은 끊겼지만 수소문하면 찾아볼 수 있지 않을까? 언젠가 셋이 한번 볼 수 있으면 좋겠다."

"한수는 날 안 보고 싶어하지 않을까?"

"무슨 소리야. 한수는 너와 연락이 끊겨 정말 슬퍼했어. 널 은인으로 생각했는걸."

그러고 나서 레나와 나는 조금 더 이야기를 나누었지만 대화는 자주 중단되었다. 레나의 세 아이들이 번갈아가며 레나를 찾았기 때문이었다.

"아, 이런. 미안, 아무래도 이젠 애들한테 가봐야겠어."

나는 이해한다고, 잠깐이라도 볼 수 있어 좋았다고 말했다. 그건 진심이었다. 그리고 곧 다시 연락하자는 작별의 인사를 주고받는데 문득 우리가 과연 언제쯤에나 다시 연락을 하게 될까 하는 생각이 들었다. 같은 한국 땅에 살면서도 수년 동안 안부조차 묻지 않고 지내는 사람들이 허다한데.

"레나야."

통화 종료 버튼을 누르려던 레나를 내가 다급히 불렀다.

"응?"

"혹시 예전에 말이야. 우리가 K.H.의 이름이 기호라는 걸 어떻게 알아냈는지 기억나니? 그 사람 성이 기억난다거나."

느닷없는 나의 말에 레나는 무슨 소리인가 어리둥절한 표정을 짓더니, 이내 "아, K.H. 진짜 그리운 이니셜이네!" 하고 말했다.

"아니, 기억이 안 나. 그런데 이제 와서 그건 왜?"

레나와 이십여 년 만에 통화를 한 그날 밤 나는 꿈을 꾸었다. 아마도 베를린의 슈프레 강변인 것 같았고, 잔디밭 위엔 나와 레나, 말자 이모와 선자 이모가 앉아 있었다. 꿈속에서 말자 이모와 선자 이모는 동독이나 서독, 베를린장벽, 통일 같은 이야기를 나누고 있고, 나는 내 옆에 책으로 얼굴을 가린 채 누워 있는 한수의 손을 잡고 싶어 안달이 나 있다. 잔디밭 주변에는 백인 여자들이 비키니 수영복 차림으로 일광욕을 즐기고 있는데, 나는 좀처럼 자라지 않는 가슴 때문에 목이 깊게 파인 내 얇은 원피스 차림이 신경 쓰인다. 그러다 우리가 실제로 베를린에 간 것은 가을이었는데 내가 리넨 원피스를 입고 있다는 사실에 이 모든 것이 꿈인 걸 알아차린다. 그다음 이어지는 장면에서 우리는 강변을 따라 자전거를 타고 있다. 빛나는 강물을 따라 푸른 장막을 드리우고 서 있는 버드나무들. 나무들이 우거진 흙길을 앞장서서 달리는 말자 이모가 어딘가를 가리키기 위해 팔을 뻗으면 민소매 아래 드러난 겨드랑이 털이 꿈속인데도 무성했고 철없는 나는 옆에서 달리는 레나와 은밀히 눈을 마주치고 킥킥거린다. 한수는? 한수는 어떤 표정을 짓고 있지? 나는 내 뒤를 따라오는 한수를 돌아보고 싶지만, 고개를 돌리지 못한다. 돌아보면 넘어질 것 같아 두렵기 때문에. 돌아봐야 해, 어느새 꿈의 관찰자가 되어 있는 성인인 나는 꿈속의 어린 나에게 말한다. 지금이 아니면 너는 다시는 한수를 보지 못할 거야. 하지만 나는 끝내 돌아보지 않는다.

*

이모가 독일로 돌아가는 날이 하루 앞으로 다가온 9월의 마지막 토요일, 우리는 하루종일 같이 시간을 보냈다. 이모는 출국 전에 필요한 물건들을 사기 위해 백화점에 갔고, 그 김에 나는 이모에게 발이 편한 운동화 한 켤레를 선물했다. 집에 돌아와 이모가 짐을 싸는 동안 인터넷으로 동네에서 인기 있는 식당을 검색했다. 내가 예약한 곳은 테이블이 여섯 개밖에 없는 솥밥집이었는데, 윤

기가 반들반들한 도미 솥밥이 나오자 이모는 흡족한 얼굴로 음식
냄새를 맡았고 커다랗게 한 숟가락을 떠서 입속으로 가져갔다.

"이런 음식이 정말 그리울 거야."

저녁식사를 마치고 나왔을 때는 이미 어두워져 있었다. 이모와
하는 마지막 산책이라고 생각하니 아쉬운 마음이 들었다. 이모가
돌아가도 이모를 생각하며 혼자 동네를 걸어야겠다고 말하자 이
모는 "그래, 삶을 단순하게 만들고 몸을 조금이라도 쓰면 인생이
살 만해져"라고 말했다. 그날 저녁, 나는 이모와 헤어진다는 생각
에 빠져 감상적인 상태였다. 이모와 함께한 시간이 고작 이 주밖
에 안 되었기 때문에 나는 내가 그런 기분이라는 사실에 꽤 놀랐
다. 이모와 같이 규칙적으로 밥을 챙겨 먹고 한 시간씩 걸으며 길
고 긴 대화를 하는 시간이 생각보다 나에게 큰 영향을 미친 것 같
았지만 정확히 어떻게 그리되었는지는 알지 못했다. 만약 그때 휴
대전화 벨이 울리지 않았다면 조금 더 깊이 생각해볼 수 있었을
까? 하지만 생각에 잠겨 천변을 걷는 도중 전화벨이 울렸고, 주머
니 속의 휴대전화를 꺼내어 보니 발신자는 우재였다. 우재는 이모
가 아직 출국하지 않았다는 걸 알고 있었고, 지난 이 주 동안 이모
에게 충실하고 싶어하는 내 마음을 헤아려 연락을 자제해오고 있
었으므로 우재가 전화를 해온 것은 뜻밖의 일이었다.

"안 받아도 돼?"

"네, 괜찮아요."

하지만 우재는 이내 다시 전화를 걸어왔고 혹시 무슨 일이 있는 건 아닌가 걱정이 되기 시작했다.

"받아봐."

이모가 말했다. 나는 산책로 한복판에서 택견을 하는 남자 근처에 멈춰 서서 전화를 받았다.

"어디에 있어?"

전화를 받자 우재가 느닷없이 물었다.

"나 이모랑 동네 산책중인데, 무슨 일 있어?"

그러자 수화기 너머의 우재가 말했다.

"나 지금 서울 온 김에 너한테 뭐 주고 싶은 거 있어서 너희 동네까지 왔는데, 잠깐만 만나면 안 돼?"

우재와 이모를 만나게 하는 것은 나의 계획에 없었기 때문에 나는 당황했다.

"지금? 우리 동네에 와 있다고?"

우재에게 어디든 들어가 있으라 한 후 이모와 산책을 마치고 합류해야 하나, 제주에서 오긴 했지만 우재가 느닷없이 찾아온 것이니 오늘은 볼 수 없다고 말해도 괜찮은 게 아닌가, 머릿속이 분주했다. 이모와 우재가 만난다고 큰일이 날 건 아니었다. 전하고 싶은 물건이 있다고 했으니 잠깐 스치듯 보면서 물건만 받아도 될 거였다. 내가 허둥대는 사이 고민에 끝을 낸 건 이모였다. "편의점 앞으로 오라고 해." 옆에서 통화 내용을 듣고 있던 이모가 말했다.

우재는 내가 알려준 편의점 앞에 작은 꾸러미를 들고 서 있었다. 셔츠 위에 블레이저 재킷을 걸쳐 입고 있었는데, 언뜻 보기에도 평소보다 신경쓴 차림새였다. 우재는 우리를 발견하고는 반갑게 웃었고, 이모를 향해 "산책하시는데 방해해서 죄송합니다. 이모님이시죠? 말씀 많이 들었어요" 하고 싹싹하게 말을 건넸다. 나는 얼른 우재를 돌려보낼 생각이었지만 그럴 수가 없었는데, 이모가 파라솔을 가리키며 바쁘지 않으면 같이 앉았다 가라고 제안했기 때문이었다. 나는 우재가 이모와 같이 있는 상황을 불편해할 거라고 생각했지만 둘 사이에 앉아 어쩔 줄 몰라하는 건 오히려 내 쪽이었다. 우재에게 무슨 일로 서울에 왔냐거나 나에게 건넨 꾸러미 안에 무엇이 들었냐고 물을 생각조차 하지 못했을 정도로. 이모와 우재는 원래부터 만날 약속을 했던 사람들처럼 태연히 대화를 나눴고 가끔은 같은 타이밍에 웃기도 했다. 우재는 말로만 듣던 우리 이모를 실제로 만났다는 사실에 조금 들뜬 것 같았다. "해미가 이모님에 대한 책을 쓰려고 조사하고 있는 것 아시죠?"라고 말하고 말았으니까.

"나에 대한 책을 쓸 거야?"

이모가 놀란 듯이 나를 쳐다보았다.

"아냐, 아냐."

"아, 이모님만이 아니라 독일서 알던 이모님들에 대한 책이었지?"

우재와 이모가 만날 줄 알았더라면 그것에 대해 말하지 말라고 입막음을 해놓았을 텐데. 낭패라는 생각이 들었다. 파독간호사에 관한 자료를 찾는다는 이야기가 계속되면 그 과정에서 내가 누군 가의 일기장을 읽고 있고, 누군가를 찾고 있다는 이야기까지 우재 가 해버릴지도 몰랐고, 그렇게 생각하자 마음이 불안해졌다. 어떻 게 해야 화제를 다른 쪽으로 돌릴 수 있을까? 만약 선자 이모의 일 기장들을 어떻게 갖고 있는 건지 이모가 묻기라도 한다면 이야기 가 복잡해졌다. 무엇이든 해명하려 하다보면 절대 드러내고 싶지 않은 이야기까지 꺼내야만 될지도 몰랐다.

"말하면 안 되는 거였어?"

우재가 내게 물은 건 이모가 잠깐 화장실에 다녀오겠다고 하고 상가 뒤편으로 사라졌을 때였다. 내가 어떻게든 화제를 전환하려 고 노력하는 걸 우재도 느낀 것이 틀림없었다.

"응. 이모한테는 내가 하고 있는 일에 대해서는 말하고 싶지 않 아."

"왜?"

이모를 나중에 깜짝 놀라게 해주고 싶다거나, 완성되려면 아 직 멀어서 사람들에게 떠벌릴 단계가 아니라고 생각한다거나, 둘 러댈 말은 얼마든지 있었다. 하지만 우재에게 거짓말을 하고 싶 지 않아 대답을 못하고 주저하고 있는 사이 화장실에 갔던 이모가 감자칩과 맥주 몇 캔을 사 들고 돌아왔고, 우재도 더이상 '그 책'에 대한 이야기를 하지 않았다. 우재와 이모 사이엔 아픈 사람들을 만나는 게 일상이라는 공통점이 있어서 대화는 자연스럽게 그런 쪽으로 흘러갔다. 편의점 건너편 골목의 세탁소에서 늙은 주인 부부가 간판 불을 끄고 나와 점포의 문을 걸어 잠그는 모습이 보였다. 가로등 아래로 꼬리가 뭉툭한 고양이 한 마리가 재빠르게 지나갔다. 이모는 기분이 좋은 듯 웃으며 이야기를 나누다 맥주를 벌컥벌컥 마셨고, 우재 역시 기분이 나빠 보이지 않았다. 그랬기 때문에 우재가 약국에 매일같이 찾아와 약을 타가던 할머니 이야기를 꺼내기 전까지 나는 우재가 사실은 내게 서운해하고 있다는 걸 조금도 짐작하지 못했다. 우재가 그 할머니 이야기를 꺼낸 것은 우재가 내게 건네준 꾸러미를 가리키며 이모가 "이건 뭐예요?" 하고 물은 직후였다.

우재는 우물우물 씹고 있던 감자칩 한 조각을 삼키더니 소라젓이라고 말했다.

"소라젓?"

"이틀에 한 번꼴로 비슷한 시간에 나타나 게보린이나 활명수, 정로환 같은 걸 사가는 할머니 손님이 계셨어요."

나는 그 할머니에 대해서 이미 자주 들어 알고 있었다. 남편과 사별한 후 민박집도 접고 혼자 산다던 할머니. 하지만 지난 이 주 동안은 우재와 통화를 거의 하지 못했으므로 나는 그 할머니가 우

218

재에게 닷새 전 소라젓을 주었다는 사실이나 그뒤로 약국에 나타나지 않았다는 사실은 알지 못했다.

"그런 일은 처음이라, 이상하다 생각은 했지만 크게 신경을 쓰진 않았어요. 그런데 어제 동네 이웃분이 그러시더라고요. 그 할머니가 돌아가셨다고요."

우재는 그 할머니에게 특별한 애정을 품고 있던 건 아니라고 말했다. 정말 아픈 데가 있는 것도 아닌데 찾아와 사소한 약을 핑계 삼아 이삼십 분씩이나 말을 걸던 할머니가 사실은 몹시 귀찮았다고. 소라젓을 받은 날에도 우재는 할일이 없으면서도 일부러 바쁜 척하며 조제실에 들어가 할머니가 떠날 때까지 가만히 앉아 있었다. 그 전날 고등학교 동창들과 축구를 한 뒤 늦게까지 술을 마신 터라 머리가 울렸기 때문이었다.

"그런데 할머니가 돌아가셨다는 이야기를 들으니 견딜 수가 없는 거예요. 오죽 외로우셨으면 그렇게 찾아오셨을까 싶기도 하고, 소라젓을 주셨던 날도 뭔가 대화를 하고 싶어하시는 기색이 분명했는데 모르는 척했던 게 마음에 걸리고요. 어차피 며칠 있다 또 오실 테니 할머니가 하고 싶은 말이 있더라도 그때 들으면 될 거라고 생각했던 것 같아요. 당장 내일 어떤 일이 일어날지 그 누구도 모르는데 바보같이요."

우재가 맥주 캔을 만지작거리면서 말했다. 평소보다 느린 어투로. 우재의 말을 듣는 동안 너무도 친숙한 슬픔이 가슴에 번져갔다. 우재의 손을 잡아주고 싶은 충동이 일었다. 우재가 가까이, 나에게 아주 가까이 다가와 있는 것 같은 기분이 들었다. 그랬기 때문에 우재가 다음과 같이 말한 것은 완전히 예상 밖의 일이었다.

"사실 오늘은 이모님이 내일 출국하시는 걸 알고 온 거예요. 전 이모님을 꼭 한번 뵙고 싶었거든요. 해미 이야기 속에 자주 등장하셔서. 해미가 아직 내켜하지 않는 것 같아 그동안 조르지 않았지만요. 하지만 이웃 할머니의 일이 있고 나니, 이모님이 다시 한국에 오시는 건 아무리 빨라도 일 년 후 아니면 이 년 후나 될 텐데 그때까지 기다릴 게 아니라 출국 전에 잠깐이라도 꼭 뵈어야겠다는 생각이 들더라고요. 그래서 소라젓 핑계로 이렇게 왔어요."

그리고 우재는 이렇게도 덧붙였다. 농담처럼, 하지만 더할 나위 없이 쓸쓸한 어조로.

"해미는 제가 이렇게 막무가내로 찾아오지 않는 한 먼저 인사시켜드릴 리가 절대 없거든요. 아시죠? 해미는 가까워지려고 아무리 노력해도 일정 거리 안으로는 들이지 않는 거."

열시가 가까운 시간, 우재는 막내 누나네 집으로 향했고 이모와 나는 집으로 돌아왔다. 이모가 공항으로 배웅 나오기로 한 엄마와 짧게 통화를 하는 사이 나는 잠옷으로 갈아입고 잘 준비를 했다. 바람이 불 때마다 내 작은 원룸의 낡은 창이 덜컹였다. 이모는 늘 그렇듯 이를 꼼꼼히 닦고 이불 안으로 들어왔다. 이모가 내 옆

에 누울 때마다 느껴지던 무게와 온기가 이제 사라질 거라 생각하
니 쓸쓸한 기분이 들었다. 어둠 속에서 협탁 위에 놓인 전자시계
의 야광 숫자만이 빛났다. 얼마나 시간이 흘렀을까? 이모가 내 이
름을 낮게 불렀을 때, 나는 누운 채로 우재가 나에 대해 했던 말을
곱씹고 있었다. '아시죠? 해미는 가까워지려고 아무리 노력해도
일정 거리 안으로는 들이지 않는 거.' 우재가 나에 대해서 그렇게
생각하고 있었고 그로 인해 상처를 받고 있었다는 사실은 무거운
추가 되어 나를 가라앉혔다. 하지만 우재의 말엔 틀린 구석이 없
었고, 내가 그렇다는 건 나 자신이 가장 잘 알았다.

"자니?"

"아니요. 이모, 잠이 안 와요?"

"응. 무슨 생각을 하니?"

"아무 생각도 안 해요."

내가 이럴 때 우재의 말에 대해서 생각하고 있다고 솔직하게 말
할 수 있는 사람이었다면 내 인생의 어떤 면이 달라졌을까?

"이모는요?"

"네 친구가 할머니 손님이 돌아가셨다는 이야기를 해서 그런지
옛 생각이 나는구나."

내 쪽으로 고개를 돌린 이모의 숨결에서 옅은 민트 향이 났다.

"무슨 일인데요?"

내가 묻자 이모는 망설임이 묻어나는 목소리로 "얘기가 긴데 너

자야지"라고 말했다.

"잠이 안 와요. 이모야말로 내일 출국해야 하는데, 주무셔야 하는 거 아니에요?"

"나도 안 졸려."

이모가 내 쪽으로 완전히 돌아눕는 기척이 느껴졌다. 나 역시 이모 쪽으로 몸을 돌린 후 이모의 다음 말을 기다렸다.

"3차 국가고시를 마치고 막 의사가 되었을 때였어."

이모가 조그마한 목소리로 들려준 건 시간제 의사로 개인병원에 고용되어 있던 시절의 이야기였다. 이모는 그 병원에서 터무니없이 적은 보수를 받으며 일하고 있었는데, 가뜩이나 의사들의 취업난이 심했던데다 외국인 여성인 이모를 받아주는 병원이 많지 않았기 때문이었다.

"그때 그 병원이 어떤 장례 업체와 계약을 맺고 있었거든."

"장례 업체요?"

"응, 사람이 병원에서 죽으면 그 병원 의사가 사망진단서를 써주어서 바로 장례를 치를 수 있지만 세상 모든 사람이 병원에서 죽는 건 아니잖니. 그치만 병원 아닌 곳에서 죽은 사람도 그 서류가 있어야만 장례를 치를 수 있거든. 그러니까 병원 밖에서 사람이 죽었는데 주치의를 부를 수 없을 경우 장례 업체랑 계약된 병원 의사들에게 연락을 해서 와달라고 하는 거지. 그런 연락을 받으면 나는 중고로 산 차를 타고 어디든지 달려가서 시체들을 살피고 진단서를 써주곤 했단다. 죽은 게 확실합니다, 열흘쯤 되었네요. 교통사고로 인한 과다 출혈이군요, 이런 식으로. 그러다보니 별의별 시체를 다 보게 되었어. 익사해서 퉁퉁 불은 시체부터, 추락해서 머리가 깨진 시체, 교통사고로 팔이나 다리를 잃은 시체도. 두 살도 채 되지 않은 아이가 자동차 바퀴에 쓸려들어가 죽은 걸 본 적도 있단다. 사람들이 계절을 골라 죽는 건 아니지만 사망진단서를 요청하는 연락은 유독 여름에 많았어. 많은 의사들이 여름에 휴가를 가니까 그랬을 거야. 나는 언젠가 개인병원을 차릴 돈을 모으고 싶었으니까 휴가 따윈 가지 않고 일을 해야 했지. 얼마 되지 않는 월급의 상당 부분을 여전히 네 외할아버지한테 보내고 있었거든. 동생들 시집 장가 갈 때까지 돈을 보태주는 것이 좋든 싫든 나의 의무라고 생각했단다. 그러던 어느 여름의 일이었어."

대부분의 의사들이 휴가를 떠나 먼 지역의 요청까지 이모에게 할당되던 8월의 어느 날, 이모는 그 일을 하며 안면을 튼 경찰로부터 전화를 한 통 받았다. 수화기를 어깨와 귀 사이에 끼운 채 수첩에 경찰이 불러준 주소를 받아 적던 이모는 뭔가 착오가 있는 것 같다고 생각했는데, 그 주소가 불과 일주일 전에 사망진단서를 써주기 위해 찾아갔던 집이기 때문이었다. "착오가 아니에요, 선생님." 경찰은 딱하다는 듯한 톤으로 말했다. "이번엔 지난주에 죽은 노인의 딸이 자살을 한 것 같아요."

놀랍게도 이모는 삼십 년도 더 넘은 세월이 흘렀는데도 여전히 그들의 이름을 기억하고 있었다. 죽은 노인의 이름은 토비아스 텐들러. 구십 세가량의 노인이 사망했다는 신고를 받고, 너무 자주 펼쳤다 접어 모서리가 나달나달해진 지도 하나에 의지해 이모가 찾아간 텐들러 씨의 집은 가구 수가 적고 근처에 울창한 숲과 밀밭이 펼쳐져 있는 시골의 오두막이었다. 토비아스 텐들러의 사망진단서를 써준 날로부터 닷새 뒤에 죽은 소피아 텐들러는 노인의 딸이자 사실상 유일한 보호자로, 노인과 연을 끊은 다른 형제자매들을 대신해서 거동이 불편한 아버지를 결혼도 하지 않고 모시며 그 오두막에 살고 있었다.

이모는 소피아 텐들러의 사망진단서를 써주고 집으로 돌아가던 밤을 영원히 잊지 못할 거라고 말했다. 시체를 보는 일은 매번 괴로웠고, 집에 돌아갈 때마다 이렇게까지 해서 돈을 벌어야 하는 처지를 한탄하곤 했지만 그날은 유난히 기분이 이상했다고.

"일주일 전까지 살아 있던 여자, 평생 돌본 아버지가 죽자 '나는 이제 어떻게 살아야 해요?' 하며 초면인 나를 붙잡고 울었던 오십대 여자의 뚱뚱하고 뜨겁던 육체가 차갑고 딱딱하게 변해 있는 모습이 머리에서 떠나지를 않았어."

소피아의 시체를 처음 발견한 건 이웃집 여자였다. 수년 동안 매일 같은 시간에 닭에게 사료를 주기 위해 마당으로 나오던 소피아의 모습이 며칠째 보이지 않자 걱정되어 창문 너머로 집안을 들여다보았고, 목을 맨 소피아를 발견했다고 말했다.

"그 사람은 왜 스스로 삶을 포기했을까? 마당엔 장작이 쌓여 있고 찬장마다 피클이며 잼이 가득 쟁여져 있었어. 아버지가 죽지 않았다면 그 여자는 겨울까지 살아 있었을 테지. 창고 앞에 쌓아둔 장작이 다 없어질 때까지. 나뭇가지마다 다시 열매가 열리고 그 열매들을 따다 만든 잼을 또 다 먹을 때까지. 그 사람은 아버지가 죽었기 때문에 죽은 거였어. 아버지가 죽고 난 후 삶의 의미를 잃었기 때문에. 그 사실이 나를 오래도록 고통스럽게 했단다."

이모의 목소리는 아주 낮고 담담했지만 그래서 더 슬프게 들렸다. 이모가 울고 있는 건 아닐까? 나는 그 사실이 이모를 왜 그토록 고통스럽게 했느냐고 묻고 싶었지만 입을 뗄 수가 없었다. 이모 옆에 누운 채 이야기가 이어지길 기다리며 어쩌면 이모는 그 여자에게서 가족을 위해 많은 것을 희생하며 살고 있는 자신과 닮은 부분을 발견했던 것은 아닐까 하고 어렴풋이 짐작만 했을 뿐. 하지만 이모는 정말 그런 마음이었을까? 그 여름밤, 혼자 시골길을 달려 집으로 돌아가는 길, 이모가 느꼈던 감정은 온전히 이모만의 것이었을 텐데. 이모가 말해주지 않는 한 나는 그것을 영영 알 수 없으리라. 어둠에 눈이 익어 이모 얼굴의 윤곽이 희미하게 보였다. 이모는 이제 다시 천장을 바라보고 누워 있었고, 어디선가 사이렌 소리가 들려오다가 멀어졌다.

"그 일을 했던 오 년간 깨달은 건 사람은 누구나 갑자기 죽는다는 거였어. 멀리서 보면 갑작스러워 보이지 않는 죽음조차 가까운 이들에겐 언제나 갑작스럽지. 그리고 또하나는 삶은 누구에게나 한 번뿐이라는 것."

그날 집으로 돌아가는 길, 이모는 고물 차의 배터리가 방전되는 바람에 밀밭 한가운데 멈춰 서서 도움을 청할 수 있는 누군가가 오기를 하염없이 기다려야 했다. 인적이 드문 길이었기 때문에 날이 새도록 오가는 차는 한 대도 없었고, 결국은 저멀리 여우 울음소리가 들려오는 들판에서 밤을 지새워야 했다. 차에서 까무룩 잠에 들었다 깼는데도 여전히 깜깜한 밤이었다. 비좁은 차 안에서 핸들에 기대어 눈을 붙인 터라 몸이 찌뿌둥해 이모는 차문을 열고 밖으로 나갔다. 추수가 끝난 밀밭 위에는 건초 더미들이 순한 짐승처럼 여기저기 웅크린 채 잠들어 있었고, 사방에선 젖은 풀 냄새가 났다.

"그날 밤, 하늘에는 별이 와락 쏟아질 것처럼 많이 떠 있었어."

그렇게 말하는 이모의 목소리엔 졸음이 섞여들기 시작했다.

"고향에 살 때 마을회관 마당에서 상영하는 영화를 어른들 몰래 보고 집으로 돌아가던 길, 고개를 넘으며 벅찬 마음으로 올려다보았던 밤하늘처럼 정말, 정말 아름다웠단다."

고개를 넘던 그 밤, 공기 중엔 복숭아꽃 향기가 가득했다고 이모는 말했다. 마을회관 담장 너머로 훔쳐본 이국의 풍경과 외국 배우의 들어본 적 없던 아름다운 노랫소리를 떠올리며 고개를 넘던 그 밤은 쏟아질 듯한 별빛으로 인해 더욱 황홀해졌다고.

본격적으로 잠을 청하려는 것인지 이모는 이불을 끌어당기며 자세를 고쳤다.

"다행이야. 네가 만나는 그 사람, 좋은 사람 같더라."

졸음 가득한 목소리로 이모가 느닷없이 우재에 대해 말해서 나는 당황했다. 그리고 내가 우재를 아직 '만나고' 있는 것은 아니라고 정정할 새도 없이 이모는 또 이렇게 말했다.

"생각이 깊은 건 좋지만 너무 많이는 하지 마. 어릴 때부터 넌 혼자 생각을 너무 많이 해 괴로워했지. 그땐 너희 가족이 모두 힘들었던 시기라 더 그랬겠지만."

이모가 손을 뻗어 내가 아이였을 때 그랬던 것처럼 내 머리를 쓰다듬었다. 이모의 손길이 닿자, 나는 오래전 이모의 집 거실에서 있던 어린아이가 되어 이십 년이 훨씬 넘게 시간이 흘렀는데도 여전히 언니를 그리워하고 있다고 말하고 싶은 충동을 느꼈다. 여전히 언니에게 마음속으로 말을 걸 때가 있다고. 상실 이후 시간이 때때로 선처럼 흐르는 것이 아니라, 쳇바퀴를 돌듯 같은 자리를 맴도는 것처럼 느껴질 때가 있다고.

"이모는 네가 찬란히 살았으면 좋겠어. 삶은 누구에게나 한 번뿐이고 아까운 거니까."

그 순간, 나는 어떤 표정을 짓고 있었을까? 그것에 대해선 알지 못했지만 나는 우리가 어둠 속에 있어서 다행이라고 생각했다.

*

　이모는 어릴 때부터 나에 대한 건 뭐든 다 꿰뚫어보는 사람이었
지만 그런 이모라도 1998년 겨울, 한수가 두번째로 나에게 국제
전화를 걸어왔던 일은 알지 못했을 것이다. 그때 나는 동산교회에
전화를 걸었지만 아무 소득을 얻지 못한 채 막다른 골목에 다다랐
다고 느끼던 중이었다. K.H.를 찾고 싶다는 마음이 간절해지면
간절해질수록 무력감 역시 점점 더 커졌다. 한국의 교과과정을 따
라잡는 데 실패해 성적은 워낙에도 형편없었지만 그해 2학기 중
간고사 결과는 더 처참했고, 엄마 아빠는 기말고사가 가까워질수
록 서로를 자주 탓했다.

　"애를 왜 독일에 데려가서."

　"애 성적이 떨어진 게 그 탓이란 거야? 당신은 애한테 관심을
갖긴 하고?"

　언니가 우리 곁을 떠난 12월이 다시 돌아온 탓이었을 테지만,
엄마 아빠가 나 때문에 다투는 소리를 들으면 나는 언니가 아니라
내가 세상에서 없어져야 마땅했다는 생각을 멈출 수 없었다. 아무
짝에 쓸모없는 나 대신 언니가 살아 있었으면 모두가 더 행복했으
리란 생각은 새까만 연기처럼 내 안에서 끊임없이 피어올랐다.

　한수의 전화가 다시 온 그날 밤에는 진눈깨비가 내리고 있었다.
저녁을 먹은 후, 가족들과 거실에 앉아 티브이를 보던 나는 엄마

가 건네주는 무선전화기를 들고 방으로 들어가 창 밑에 쪼그려앉았다. 한수는 울먹이고 있었다. 선자 이모는 이제 거동이 불편해져 휠체어를 타고 이동을 해야 한다고 했다.

"엄마는 상태가 점점 나빠지고 있어. 처음엔 오른쪽 눈이 잘 안 보인다고 했는데 이젠 아예 안 보인대. 나중엔 사지 마비가 와 꼼짝도 못하게 된다더라. 마음의 각오를 하라는데 그런 각오는 대체 어떻게 하는 거야?"

나는 더이상 작아질 수 없게 내 몸을 웅크린 채로 한수의 말을 가만히 들었다.

"엄마를 살리기 위해 내가 할 수 있는 일이 있으면 얼마나 좋을까……"

갑작스럽게 사랑하는 존재의 죽음을 맞이하는 것과 다가올 죽음을 준비하는 것. 언니를 느닷없이 떠나보낸 후, 나는 늘 둘 중 더 힘든 것은 전자일 거라고 확신해왔다. 하지만 지구 반대편에서 울먹이는 한수의 목소리를 들으며 나는 사랑하는 존재의 죽음 앞에서 덜 고통스러운 상황은 있을 수 없다는 걸 서서히 깨닫게 되었다. 한수가 소리 죽여 우는 동안 무언가를 재촉하듯 툭, 툭 공중전화카드의 잔액이 떨어지는 소리가 들렸다. 그 순간 티브이에서 재미있는 장면이 나왔는지 거실의 가족들이 웃음을 크게 터뜨려 나는 한수가 들을까봐 얼른 수화기를 손으로 막았다. 곧 있으면 크리스마스인데, 한수는 크리스마스마저도 병원에서 보낼까?

독일에선 한국과 달리 크리스마스가 온 가족이 함께 보내는 명절이었기 때문에 나는 한수가 더 걱정되었다. 한수는 몇 년 후 지금을 어떻게 기억할까? 몇 년 후엔 한수도 우리 가족처럼 다시 웃을 수 있게 될 테지. 하지만 웃는 순간에도 상실의 고통은 사실은 사라지지 않고 그 자리에 그대로 있다는 걸 나는 이미 알고 있었다. 요의 때문에 잠에서 깨어 화장실에 가기 위해 안방 앞을 지나다가 방문 틈으로 새어나오는 소리에 붙박인 듯 서 있을 수밖에 없었던 그 밤의 기억이 내게 사라지지 않고 여전히 남아 있듯이. 그건 아마도 언니가 하늘나라로 간 지 한 달도 채 되지 않은 때였을 것이다. 크리스마스트리를 꾸미기는커녕 캐럴을 듣는 것조차 고통스러워 우리 가족 중 누구도 티브이를 켜지 못하던 그 겨울의 어느 밤, 나와 해나 앞에서는 항상 괜찮은 척하려 애쓰던 엄마가 문 너머에서 울면서 아빠에게 말하고 있었다. 우리 해리는 내가 구해줄 거라고 철석같이 믿고 있었을 텐데, 어쩌지. 엄마가 반드시 구해주러 올 거라고 믿고 있었을 텐데, 내가 그애를 살려주지 못해서 어쩌지.

긴 울음 끝에 한수가 나에게 물어왔다.

"해미야, 교회에서 아무런 성과가 없었던 거지? 우린 결국 엄마의 첫사랑을 찾는 것마저도 실패한 거지?"

"아니야."

나는 나도 모르게 그렇게 말하고 흠칫 놀랐다.

"아니라고?" 한수가 무슨 말인지 이해할 수 없다는 듯 되뇌더니, 잠시 후 조금 더 커다란 목소리로 "그럼 찾았어?" 하고 물었다.

"응, 교회에서 찾았어."

"어떻게 찾았어? 아니, 그게 중요한 게 아니지. 그 사람 어디에 살아? 엄마 이야기 했어? 지금 당장 엄마를 보러 올 수 있대?"

한수는 이제 거의 소리를 지르다시피 하고 있었다. 한수의 이토록 밝은 목소리를 들은 것은 아주 오랜만이었다.

"응, 당연히 선자 이모를 기억하고 아주 그리워하고 있었어. 선자 이모가 아프다는 소식에 무척 슬프다며 울먹였어."

"엄마를 보러 와주겠대?"

나는 계획하지도 않은 거짓말이 또다시 내 입에서 술술 나오는 것이 믿기지 않았지만 거짓말은 멈춰지지 않았다.

"아니, 안타깝게도 지금 당장 보러 갈 수는 없대. 이젠 결혼해서 가정도 있고, 무엇보다 직장 때문에 지금은 불가능하다고 하더라고. 너도 기억하지? 한국은 휴가가 정말 적어서 우리 아빠도 나를 보러 거의 오지 못한 거."

"아, 그렇구나."

풀이 죽은 듯, 한수의 목소리가 다시 가라앉았다. 나는 마음이 초조해졌다.

"실망하긴 일러. 그 대신 그 아저씨가, 음…… 아저씨가 선자 이모에게 편지를 보낼 거니까."

"편지?"

그 순간, 내가 정말로 간절히 바란 건 한수의 마음에 다시 실낱같은 희망이라도 차오르는 것이었다.

"응, 직접 가지 못하는 대신에 선자 이모에게 아직 잊지 못하고 있고, 비록 함께하지 못했지만 평생 이모만을 사랑해왔다는 내용의 편지를 쓰고 싶다고 하셨어."

나의 말을 다 들은 한수는 "그거라도 정말 다행이다. 그걸 받으면 엄마가 잠깐이라도 행복해하겠지?"라고 말했다. "해미야, 정말 고마워. 너에게 내 고마운 마음을 어떻게 전해야 할지 모르겠어"라고도.

전화를 끊고 나자, 갑자기 주위가 지나칠 만큼 적막하게 느껴졌다. 전원 버튼을 누르고 수화기를 방바닥에 내려놓는데, 얼마나 꽉 쥐고 있었는지 손가락이 아파왔다. 심장이 무서울 정도로 빠르게 뛰고 있다는 사실이 그제야 느껴졌다. 독감에 걸렸을 때처럼 양볼이 뜨거웠다. 어쩌자고 거짓말을 해버린 걸까? 흥분이 가시자 이윽고 후회가 밀려왔다. 한수를 정말로 위한다면 한수에게 다시 연락해 모든 것이 거짓말이었다고 말해야만 한다고, 내 안의 누군가가 자꾸 속삭였다. 하지만 그럴 수는 없었다. 한수를 다시 좌절시키고 싶지 않았고, 무엇보다 한수가 나에게 실망해버릴 거라는 생각을 하면 무서워졌으니까. 터무니없는 거짓말을 한 나를 한수는 경멸할지도 몰랐다.

결국 K.H.를 대신해 내가 직접 편지를 쓰는 것 말고는 달리 할 수 있는 일이 아무것도 없다는 결론에 도달했을 때는 다음날 아침, 등교를 하던 중이었다. 이미 나에게는 선자 이모의 일기가 있었고, K.H.에 대한 정보라면 정리해놓은 것이 꽤 많았기 때문에 간단한 편지 정도는 나도 충분히 쓸 수 있을 것만 같았다. 어차피 선자 이모는 지금의 K.H.에 대해서 아는 것이 없으리란 사실이 내게 더욱 용기를 줬다. 그리고 보면 처음부터 전화 통화를 시켜준다거나 사진을 보내주겠다고 하지 않고 '편지'를 부치겠다고 한 걸 보면—비록 계획적으로 그런 것은 아니지만—나는 무의식적으로 그 정도는 얼마든지 꾸며낼 수 있으리란 자신감을 갖고 있었는지도 몰랐다. 시간이 조금 더 흐른 후에는 비록 가짜 편지이지만 정말 그럴듯하게 잘만 쓴다면 진짜 K.H.를 찾는 것보다 더 큰 기쁨을 선자 이모에게 안길 수 있을지도 모른다는 생각까지 들었다. (누가 안단 말인가? K.H.는 이젠 더이상 이모를 사랑하지 않을 수도 있고, 노숙자가 되어 있을 수도 있고, 이미 오래전 죽었을지도 모르는데.) 그 이후 며칠 동안 나는 K.H.의 마음을 상상했고, 비밀 노트를 펼쳐 가짜 편지를 적었다. 내가 적은 사랑의 고백이 너무 시시한 것 같을 때면 드라마와 만화에서 보았던 아름다운 대사를 떠올려보았고, 그중 가장 어른스러워 보이는 것들을 옮겨 적었다. 편지를 여러 번 고치고 또 고쳐 완성한 후에는 온 가족이 잠든 틈을 타 거실에 놓인 컴퓨터를 켜고 문서 창에 내가 쓴 편지

내용을 타이핑했다. 내 글씨체는 너무 동글동글했고, 성인 남자의
글씨체를 흉내낼 자신이 없었기 때문이었다.

하굣길, 동네 우편취급소에 찾아가 한수에게 편지를 보낸 것은
한수와 두번째 통화를 하고 일주일도 채 지나지 않은 목요일이었
다. 그토록 서두른 이유는 전화를 끊기 전, "엄마가 아직 글을 읽
고 쓰고 말할 수 있을 때 편지가 도착해야 할 텐데"라고 한수가 걱
정스럽게 말했기 때문이었다. 나는 우편취급소에서 서류봉투를
하나 산 후, 흰 봉투에 넣어 스카치테이프로 밀봉한 K.H.의 편지
와 연보라색 편지지에 보라색 젤리 펜으로 짧게 쓴 '내' 편지를 담
았다. "며칠 전 아저씨를 만나서 편지를 직접 받아왔어. 아저씨는
아주 친절하고 근사한 분이었어. 이모가 이걸 읽을 수 있으면 좋
겠다." 나는 서류봉투 위에 한수의 주소를 쓴 뒤 빨간색 네임펜으
로 AIR MAIL이라고 적었다. 독일로 보내는 편지를 부치러 자주
와 안면이 생긴 파마머리 직원 언니가 "밖이 많이 춥니? 얼굴이
새빨개" 하고 알은체를 했다.

편지를 보내고 처음 며칠간은 내 편지가 아주 그럴듯한 것 같았
고 한수와 선자 이모가 기뻐할 얼굴을 떠올리며 즐거운 마음이 되
기도 했다. 하지만 며칠이 더 지나고, 나를 사로잡고 있던 이상한
흥분과 열기가 사그라지고 나자, 걷잡을 수 없는 두려움이 엄습하
기 시작했다. 선자 이모가 내 거짓말을 알아채버리면 어쩌지? 아
무리 내가 능숙하게 거짓말을 한들, 선자 이모를 깜박 속이는 게

가능할까? 게다가 만에 하나 선자 이모가 내 편지를 의심 없이 받아들인다 해도, 내가 선자 이모와 한수를 속였다는 건 움직이지 않는 진실이었다. 그런 상념들에 시달리며 하루를 보내다 잠자리에 들면 어김없이 선자 이모와 한수가 꿈속에 찾아와 나를 원망하거나 슬픈 듯 눈물을 흘렸다. 내가 마지막 편지를 보낸 후, 한수로부터 전화가 몇 번 더 왔지만 나는 통화를 피했다("정말? 한수가 전화했는데, 정말 안 받는다고?"). 한동안 더 이어진 레나의 편지에도 더이상 회신을 하지 않았다. 나는 한수를 위로해주고 싶었지만 그러기엔 죄책감이 너무 컸고 혹시나 친구들에게 원망을 들을까봐 너무 겁이 났다. 엄마는 나에게 대체 왜 독일 친구들의 연락을 피하느냐고 물었지만 나는 아무 말도 할 수 없었다.

경비실 앞 화단에서 커다란 귤 상자 하나를 발견한 건 한수로부터 몇 차례 더 걸려온 전화를 받지 않고 넘긴 후의 어느 날이었다. 화창한 봄날이었고, 텅 빈 귤 상자는 꽃그늘 아래 버려져 있었다. 학원에 다녀오는 길, 엘리베이터가 내려오기를 기다리다가 나는 경비실 앞으로 되돌아가 봄의 풍경 속에서 이질적으로 보이던 그 상자를 주워왔다. 그날 밤, 식구들이 잠들기를 기다려 나는 독일에서 받은 편지와 나의 비밀 노트, 침대 아래 숨겨두었던 선자이모의 일기장 같은 것들을 꺼내 상자 안에 집어넣었다. 그다음엔 창고에서 박스 테이프를 찾아와 입구를 여러 번 봉했다. 마치 두번 다시 그것을 열어보지 않을 사람처럼. 너무 많은 것들이 담긴 상자는 생각보다 무거웠다. 나는 옷장 안 깊숙이, 컴컴한 어둠 속으로 그것을 있는 힘껏 밀어넣었다.

5

10월은 찬란한 계절이었다. 레나에게서 메일이 왔을 때, 나는
얇은 모직 코트 차림으로 벤치에 앉아 커다란 은행나무를 올려다
보던 중이었다. 미세먼지 하나 없이 맑은 날이었다. 청명한 하늘
위엔 뭉게구름들이 떠 있었고, 잘 익은 가을볕이 노란 잎을 단 가
지 위로 떨어져내렸다. 볕 좋은 오후에 내가 서촌의 작은 공원에
앉아 있었던 건 이모가 찍어오라고 부탁한 사진 때문이었다. 독일
에 돌아간 이후, 이모는 내게 연락해 풍경 사진을 찍어 보내달라
고 부탁했다. 표면적인 이유는 아쉽게 놓친 서울의 단풍을 구경하
고 싶다는 것이었지만 나는 이모가 나를 걷게 만들기 위해 그런
요청을 한다는 것을 알고 있었다. 내가 일을 그만두었다는 소식을
들었을 때 이모는 대수롭지 않은 척했지만 사실 마음속으로는 함

께 산책할 때를 제외하고는 대부분의 시간을 집에서만 보내던 나를 걱정했던 걸까? 아무튼 이모는 내게 외출할 명분을 만들어주고 싶어하는 눈치였고, 나는 아무것도 모르는 척 버스를 타고 시내로 나가 단풍이 물든 이곳저곳의 풍경을 찍어 이모에게 보냈다. 그러면 이모는 '아름답구나. 내일은 또 어디에 가서 찍어올 거야?' 같은 식의 짧은 답신과 함께 G시의 가을 풍경 사진을 보내왔다. 침대 시트까지 걷어내어 이불 빨래를 돌리고, 집밖을 벗어나 한낮에 사람들 사이를 걷는 것. 규칙적으로 일상을 살아내는 것. 별것 아닌 일들이지만 다시 그럴 수 있게 되어 다행이라는 생각이 들었다.

언제까지 이런 삶을 유지할 수 있을까? 은행잎이 수북이 쌓인 공원 벤치에 앉아 쉬고 있는데 갑자기 그런 질문이 떠올랐다. 통장의 잔고를 생각하면 지금이라도 구직활동을 시작해야 한다는 조급함이 일었지만, 뭘 해 먹고살아야 하나 하는 생각을 하다보면 내 인생이 어떻게 흘러가게 될지 몰라 불안했다. 하지만 적어도 나는 더이상 나의 삶을 방치하지는 않고 있었다. 그렇게 된 것만으로도 조금은 전보다 건강해진 듯한 기분이었다.

어디선가 바람이 불어왔고 노란 잎들이 군무를 추듯 천천히 떨어져내렸다. 나는 서둘러 주머니 속의 휴대전화를 꺼내어 동영상 촬영 버튼을 눌렀다. 내가 찍은 풍경을 우재에게도 보여주고 싶었지만 영상을 전송하는 게 좋을지는 망설여졌다. 이모와 셋이 함께 본 날 이후에도 우리는 드문드문 메시지를 주고받고 있었지만 우재의 답은 늦거나 짧았다. 그날을 기점으로 나는 우리 사이의 무언가가 틀림없이 훼손되었다고 느꼈는데 그것이 정확히 무엇인지는 알지 못했다.

우재에게 연락할까 말까 망설이며 휴대전화를 만지작거리고 있는데 메일이 도착했다는 알림이 떴다. 클릭해보니 레나가 보낸 것이었다. 메일 속엔 우리(나와 레나 그리고 한수)가 찍힌 사진이 첨부되어 있었다. 필름 사진을 스캔한 것이라 화질이 아주 좋지는 않지만, 그것은 내가 독일에서 지낸 마지막 해의 여름 축제 날 찍은 사진이었다. 사진 속의 우리들은 광장 한쪽에 마련된 간이 테이블 앞에 서 있다. 서로 맞추기라도 한 듯 반팔 원피스를 입은 나와 레나는 오른손을 들어 브이를 만들어 보이고 있고, 슈퍼맨이 그려진 흰 티셔츠에 청반바지 차림을 한 한수는 그 옆에 쑥스러운 표정을 한 채 차렷 자세로 서 있다. 레나가 보낸 메일은 짤막한 몇 줄로 이루어져 있었다.

너와 통화를 하고 앨범을 들춰보다 이 사진을 찾았어. 이날 기억나? 정말 재미있었는데. 네가 저번에 물어본 것 생각해봤는데, K.H.의 성이 무엇이었는지는 기억나지 않고—사실 이름도 난 기억나지 않아. 그런데 우리가 성을 알았나? 성은 끝까지 모르지 않았어?—네가 여름 축제 전날 선자 이모를 우연히 만나서 이름에 대한 힌트를 얻었다고 했던 것만 기억나.

네가 거의 확실하다고 해서 축제 날 우리가 무척 신이 났었지. 이름을 유추할 수 있는 별명을 선자 이모가 알려줬다고 했던 것도 같아. 그 별명 때문에 수업시간에 자꾸 불려 나갔다고 했던가. 하지만 오래전이라 이 기억이 맞는지는 자신이 없네. 그런데 정말 K.H.는 왜?

축제 전날 내가 선자 이모를 만났던가? 왜 만났지? 나는 레나가 쓴 메일을 몇 번 반복해 읽고 휴대전화를 주머니 속에 넣었다. 길 건너편에서는 나보다 훨씬 앳된 얼굴을 한 전경 둘이 은행잎이 떨어져내리는 고궁의 담벼락을 따라 이야기를 나누며 걸어가고 있었다. 나는 그들을 잠시 바라보다 다시 걷기 위해 자리에서 일어섰다.

"이모는 어디 가셨니?"
여름 축제가 시작되기 하루 전인 금요일, 선자 이모가 이모를 찾아왔을 때 나는 이모의 집 식탁에서 『데미안』을 펼쳐놓고 졸고 있었다. 내가 『데미안』을 읽고 있던 건 엄마와의 약속 때문이었다. 대화는 곧잘 하지만 독해와 작문 실력은 여전히 부족한 나에게 엄마는 방학 동안 독일어 소설책 한 권을 다 읽으면 원하는 물건 하나를 상으로 사주겠다고 약속했던 것이다. 한 권 읽는 게 뭐 그리 어렵겠나 생각하고 엄마가 건네는 책을 덥석 받아들었지만 방학이 끝나가도록 나는 『데미안』을 열 장도 채 읽지 못한 상태였다. 이야기 자체도 어렵게 느껴졌지만 재미를 느낄 만하면 사전을 찾아야 하는 단어들이 튀어나와 몰입을 방해했다.

"네, 잠깐 볼일 때문에 병원에 가셨어요. 금방 돌아오실 거예요."

나는 갑작스러운 선자 이모의 방문에 놀라 현관문을 닫지도 않고 엉거주춤 뒤로 물러섰다. 선자 이모는 잠시 망설이는 것 같더니 신발을 벗고 집안으로 들어와 가져온 쇼핑백을 싱크대 위에 올려놓았다. 선자 이모에게서는 짭조름한 간장 냄새가 났다. 나중에 알게 될 거였지만 선자 이모는 축제에서 팔 한국식 족발을 연습삼아 만들어보고 이모에게 맛을 보라고 가져온 거였다.

"마실 것 드릴까요?"

손님이 오면 엄마나 이모가 그랬던 것처럼 선자 이모에게 물었다.

"그럼 물 좀 줄래?"

나는 선자 이모에게 물 한 잔을 따라 건네고 식탁으로 돌아가 앉았다. 선자 이모는 내 맞은편 자리에 의자를 빼고 말없이 앉았다. 어른 손님을 혼자 응대하는 일에 익숙하지 않은데 그 상대가 말수 적은 선자 이모이다보니 너무 어색했다. 선자 이모는 손수건을 꺼내어 이마의 땀을 닦았다. 식탁 위에는 사전과 필통, 볼펜, 샤프 같은 것이 너저분하게 흩어져 있었다. 나는 이모가 얼른 돌아오길 바라며 책을 읽는 시늉을 했다.

"뭘 읽고 있니?"

원래도 잘 읽히지 않는 책이었지만 선자 이모의 존재를 의식한 탓인지 집중이 더 잘 안 되어 같은 문단을 몇 번이나 반복해서 읽고 있는데 선자 이모가 말을 걸어왔다.

"『데미안』이요."

나는 책을 덮어 표지를 보여주었다.

"내 안에서 우러나오는 대로 살고자 했을 뿐인데, 그것은 어째서 그토록 어려웠던 걸까?"

선자 이모는 책을 건네받아 한 구절을 한국어로 번역해 조그맣게 소리 내어 읽고는 "책이 네게 어렵지는 않니?" 하고 물었다.

"너무 어려워요."

질문이 끝나기도 전에 내가 대답하자 선자 이모가 웃었다. 늘 무표정한 선자 이모가 웃자 내내 느끼던 어색함이 조금 옅어졌다.

"작가가 되고 싶다더니 열심이구나. 나는 그 책을 중학교 3학년이 되어서야 읽었는데."

선자 이모의 입에서 흘러나온 '작가'라는 단어를 듣자 나는 너무 어색한 나머지 까맣게 잊고 있었던―어떻게 그럴 수가 있었을까? 그때 내 인생은 온통 선자 이모의 첫사랑 찾기를 중심으로 돌아가고 있었는데―우리의 프로젝트가 떠올랐고 그러자 어쩌면 이 불편한 시간이야말로 K.H.에 대해 조금 더 파고들 절호의 기회일지도 모른다는 생각이 들었다. 선자 이모는 『데미안』의 앞쪽 몇 장을 훑어보기 시작했다. 어떻게 대화의 물꼬를 터야 자연스러울까 고민하며 그런 선자 이모를 훔쳐보고 있는데, 선자 이모가 갑자기 나에게 이렇게 물어왔다.

"연애소설 쓴다던 건 잘 진척되고 있니?"

"아니요."

나는 선자 이모가 먼저 말을 꺼내준 것이 기뻐 황급히 대답했다.

"잘 안 써져?"

선자 이모가 책을 내려놓고 나를 보며 물었다.

"네, 꽉 막혔어요. 도움이 필요해요."

"도움?"

"네."

나는 의자를 조금 당겨 앉으며 싱긋 웃었다.

몇 주 전 한수의 집에서 다 함께 수제비를 먹은 날, 나는 선자 이모에게 남자 주인공의 이름을 정하기가 어렵다며 조언을 구했다. 물론 그건 경훈, 경호, 광휘, 강호 따위의 이름들 중 K.H.의 이름이 있는지 확인하기 위해 내가 나름으로 고안해낸 거짓말이었다. 어떻게 해야 K.H.에 대한 힌트를 조금이라도 더 얻어낼 수 있을까? 나는 내 앞에 앉은 채 나의 말을 기다리고 있는 선자 이모를 바라보며 재빨리 머리를 굴렸다.

"전에 소설 속 주인공인 간호사가 한국에 있을 때 좋아하던 남자랑 이다음에 돈을 많이 벌어서 독일에서 다시 만나기로 하고 헤어졌다고 말씀드렸잖아요. 근데 다시 만났는데 남자가 그 여자를 알아보지 못하는 거예요."

"왜 알아보지 못하는데?"

"음…… 그건…… 그건 남자 주인공이 독일에 도착해서 여자 주인공을 만나러 오는 길에 열차 사고를 당해서 기억을 다 잃어버렸기 때문이에요."

나는 한국에 있을 때 보았던 만화에서 열차 사고로 기억상실증에 걸린 남자 주인공을 떠올리며 말했다.

"사고를 당한 남자 주인공이 병원에 실려오는데 그게 하필 여자 주인공이 일하는 병원이에요. 그래서 둘이 병원 복도에서 운명적으로 재회를 하거든요."

'운명'이라는 것이 모든 사랑 이야기의 핵심이라고 믿고 있던 나는 갑작스럽게 지어낸 이야기의 전개가 퍽 마음에 들었다.

"그런데 남자 주인공이 여자 주인공을 하나도 기억하지 못해요."

"너무 슬픈 이야기구나."

"네, 그치만 걱정 마세요. 이 이야기는 해피엔딩이니까요. 여자 주인공이 남자 주인공을 정성껏 돌보면서 둘 사이의 추억을 이야기해주고 이름도 기억해내게 해주거든요. 그 덕분에 결국엔 남자가 기억을 되찾고요. 그런데 추억거리로 쓸 만한 에피소드가 좀처럼 떠오르지 않아서 이야기가 영 나아가질 않아요."

거기까지 말하고 나는 선자 이모의 눈치를 살폈다. 선자 이모는 아무것도 의심하지 않는 것 같았고 다음 말을 기다리는 것처럼 보이기까지 했다. 나는 용기를 내어 다시 입을 열었다.

"이모 생각엔 어떤 추억거리가 있을 거 같아요? 이모가 좋아했던 사람이랑 있었던 추억 중에 쓸 만한 거 있으면 얘기 좀 해주시면 안 돼요?"

돌이켜보면 그날 선자 이모는 이례적으로 이야기를 많이 했다. 지금은 세세한 내용을 모두 잊었지만—노트 여기저기에 남아 있는, 여전히 알아볼 수 없는 메모들을 언젠가 모두 해독하면 기억해낼 수 있을지도—이모가 돌아오기 전까지 내가 선자 이모와 꽤 많은 이야기를 나눴던 사실만은 기억이 난다. 선자 이모가 웃기도 했던가? 아마 그랬을 것이다. 첫사랑에 대한 이야기라고 말하진 않았지만 선자 이모는 내가 소설에 쓸 만한 추억담을 꽤 여럿 내 앞에 펼쳐놓았다. 선자 이모는 그날 왜 나에게 많은 이야기를 들려줬을까? 선자 이모도 나와 단둘이 있는 상황이 어색해서 침묵을 깨고 싶었던 걸까? 아니면 청소년기의 K.H.처럼 '소설을 쓰고 있는' 나를 돕고 싶은 마음이 생겼던 걸까? 이제 와서 보면 선자 이모가 돕고 싶었던 건 내 소설 속 두 주인공들이었을지도 모르겠다는 생각이 든다. 이모가 돌아오고 족발을 같이 맛본 후 선자 이모가 집으로 돌아가기 위해 현관에서 신발을 신다·말고 내 쪽으로 고개를 돌리더니 나만 들을 수 있게 귓속말로 "소설이 잘 풀려서 꼭 해피엔딩이 되면 좋겠다"라고 속삭였으니까.

선자 이모가 살던 동네에 가보고 싶다는 마음이 든 건 이모에게 풍경 사진을 보내주기 위해 이번에는 정동길을 따라 걷던 중이었다. 날씨가 아주 좋았고, 걷는 동안 더워져 나는 목에 두르고 있던 스카프를 풀어 어깨에 걸친 천가방 속에 넣었다. 평일 이른 오후라 그런지 거리에는 사람들도 차도 많지 않았다. 나는 서울시립미술관에 들러 단풍이 든 뜰의 사진을 찍은 후 붉은 벽돌이 깔린 도로를 따라 걸었다. 관광객처럼 보이는 젊은 외국인 커플이 정동극장 건물 앞에서 휴대전화를 든 채 팔을 쭉 뻗어 셀카를 찍고 있었다. 사진을 찍다 눈이라도 감았는지 포즈를 취하던 커플 중 한 명이 웃음을 터뜨렸다.

그들을 보는데 불과 몇 개월 전, 나와 우재가 이곳을 걸었던 날이 떠올랐다. 그날 우리는 대학 시절 씨네큐브에서 영화를 보고 똑같은 길을 걸었던 일을 회상하면서 걸었다. 둘 다 아직 서울 지리를 잘 몰랐고 우리 사이엔 한 사람이 더 들어갈 만큼의 거리가 있었지만, 처음으로 단둘이 학교 근처를 벗어나 만난 것이라 걷는 내내 가슴이 두근두근했던 그때. 우재 역시 그때를 떠올렸던 걸까? 우재는 푸른 회화나무 앞에 이르렀을 때 발걸음을 멈추더니 나에게 갑자기 손을 좀 잡아도 되느냐고 물었다. 느닷없이 무슨 말인가 싶어 쳐다보는데, 우재의 눈빛이 뜻밖에 매우 진지했다. 영문을 모르겠지만 그 진지한 눈빛 때문에 내가 천천히 손을 내밀자 우재가 내 손을 잡아 깍지를 꼈다.

"아, 스무 살의 나한테 말해주고 싶다. 이 불쌍한 놈아, 넌 십구 년이 지나서야 드디어 해미의 손을 잡을 수 있게 되니 마음을 비우라고."

내 손을 잡고 감격스러운 듯 말하는 우재 때문에 풋, 웃음이 터졌던가. 우리가 손을 잡고 걷던 그날 우재는 나에게 아주 가까이 다가와 있었다. 하지만 지금 나는 우재에게서 너무 먼 곳에 있었다.

우재를 떠올리며 가을 풍경 속을 걷다가 문득 깨달았다. 그간 알아차리지 못했지만, 우재에겐 한수를 떠올리게 하는 구석이 있었다. 기억 속 한수보다 우재가 덩치도 크고 외향적인 편이었지만 사람을 조심스럽게 대하고 타인의 마음을 염려할 줄 안다는 점이 그랬다. 우재의 그런 면에는 위로 누나만 셋이 있다는 사실이 영향을 미친 것 같았다. 오래전, 우재가 취해서 자기가 태어나지 않았더라면 누나들이 더 행복했을 거라는 말을 한 적이 있었는데, 그 말이 내 마음에 오래 남았다.

우재가 한 말 중에 기억에 남는 건 이런 것도 있었다. 비교적 최근의 일로, 우재와 한강 변의 벤치에 앉아 배드민턴을 치거나 자전거를 타는 사람들을 바라보고 있는데 어떤 맥락에서 그런 생각이 떠올랐는지 우재가 갑자기 이런 이야기를 했다.

"예전에 아는 선배가 하는 기차역 근처 약국에 채용되어 일한 적이 있었거든. 기차역 근처긴 하지만 조금 변두리에 있어 사람들의 왕래가 많지는 않은 곳이었어. 일은 별로 없고, 조그마한 약국은 전면이 유리라 바깥을 구경하는 게 낙이었지. 그런데 한파가 몰려왔던 어느 추운 겨울날 노숙자 한 명이 약국 앞을 계속 왔다 갔다하는 거야. 나가서 왜 그러시냐고 물어보니 너무 추워서 얼어 죽지 않으려고 계속 걷는 거래. 따뜻한 약국 안으로 혼자 들어와서 유리 앞에 몸을 드러냈다 사라지길 반복하는 그 사람을 보는데 마음이 너무 불편하더라고. 약국에 잠깐 들어와서 몸 좀 녹이라고 하면 어떨까, 그런 생각이 들더라. 마침 나 혼자 근무하는 날이기도 했고, 연말연시에 착한 일 좀 해도 될 것 같았지. 근데 있잖아. 아저씨가 약국에 들어오면 마음이 편해질 줄 알았는데, 그게 또 아닌 거야. 왜냐하면 냄새가 너무 지독했거든. 정말 너무너무 지독했어. 가까이 다가올수록 너무 지독했어. 그래서 다음날 그 아저씨가 또 들어와 있어도 되냐고 묻는데 들어오란 말을 할 수가 없었어. 오늘은 안 돼요. 그다음날 또, 오늘도 안 돼요. 그런데 어느 날 출근해서 약국 문을 열려고 하는데 문 앞에 똥이 한 덩어리 있는 거야. 김이 모락모락 나는 똥이."

"똥?"

"응. 똥. 선배가 시시티브이를 돌려봐야 한대서 같이 봤는데, 똥을 누고 간 사람이 그 노숙자였어."

우재는 무릎을 손바닥으로 몇 번 쓸면서 말했다.

"해미야, 사람들은 누구나 자기가 처한 위치에서 상대를 바라보잖아? 그건 인간으로 태어난 이상 어쩔 수 없는 일이고. 하지만 가끔 그 사람이 나 때문에 느낀 모멸감을 되갚아주기 위해 인적이 드문 새벽 일부러 찾아와 똥을 누고 간 게 아닌가 싶을 때가 있다. 그래서 그 똥을 떠올리면 그런 생각이 들어. 아무리 인간에게 한계가 있다 해도, 한 사람이 다른 사람에게 그토록 모멸감을 느끼게 해서는 안 되었던 게 아닌가 하는."

우재는 잘 있을까? 우재에게서는 며칠째 연락이 없었다. 우리는 이대로 멀어지고 마는 걸까? 내 곁을 스쳐간 지난 인연들처럼. 책상 위에서 진즉 시들어버린 수국을 생각하자 마음 깊은 곳에서부터 슬픔이 번져갔다. 내가 먼저 연락을 해야 한다는 걸 알면서도 선뜻 용기가 나지 않았다.

그런 상념에 잠겨 있는데 누군가 나를 툭툭 쳤다. 몸을 돌려 보니 셀카를 찍고 있던 그 외국인 커플이었다. 커플의 부탁대로 정동교회 앞에서 사진을 찍어주기 위해 그들의 휴대전화를 건네받았다. 가을 햇살에 노랗고 빨갛게 물든 나뭇잎들은 예배당의 붉은 벽돌과 짙푸른 하늘을 배경으로 더없이 아름다웠다. 몇 장의 사진을 찍는 사이 예배당의 문이 열리고 사람들이 나왔다. 비슷한 옷

차림과 머리 모양을 한 육칠십대의 여성들이었다. 그들이 검은 철문 쪽을 향해 걸어나오는 것을 보다보니 문득 선자 이모가 살아 있고 한국에 남아 계속 교회를 다녔다면 저런 모습으로 늙어 있을까 하는 궁금증이 일었다. 소리 높여 찬송가를 부르거나 사람들과 어울려 왁자지껄하게 예배당을 빠져나오는 선자 이모의 모습은 쉽게 상상이 되지 않았다. 교회를 다니던 어린 선자 이모의 모습은 어땠을까. 문득 서울에서 그렇게 멀리 떨어진 곳도 아닌데 선자 이모가 살던 동네에 지금껏 가볼 생각을 한 적이 없다는 사실이 새삼 의아하게 느껴졌다. 집으로 돌아가는 길에 나는 버스 안에서 선자 이모가 다니던 교회 이름을 검색했다. 동산교회. 선자 이모의 동네엔 딱 하나뿐인 곳.

*

다음날 일찍 사과를 한 알 먹고 외출 준비를 했다. 다행히 날씨가 맑았고, 토요일 낮인데도 지하철 안에는 사람이 많지 않았다. 선자 이모가 살았던 동네에 가본 적은 없었지만, 그곳을 상상해본 일은 많았다. 일기를 토대로 한 나의 상상 속에서 어린 선자 이모가 배회하던 그곳에는 커다란 배들이 정박한 부두가 있었고—부둣가에서는 말린 생선을 파는 좌판들 때문에 사시사철 소금 냄새가 났다—녹음이 싱그럽게 우거진 높은 언덕과 그 꼭대기에 올라

가면 바라볼 수 있는 푸른 수평선이 있었다. 옹기종기 모여 있는 색색 지붕의 단층집들을 좁은 골목이 촘촘히 잇고 있었고. 내가 미처 상상하지 못한 것은 이제는 선자 이모가 살던 동네에도 아파트가 그렇게나 많이 들어서 있으리란 사실이었다. 선자 이모가 기억하던 시절로부터 오십 년 가까운 세월이 흘렀으니 너무 당연한 일이었는데도 나는 아파트들이 즐비한 풍경을 처음 보았을 때 당혹감을 느꼈다. 선자 이모의 일기 속에 등장하는 장소들은—구체적 상호나 명칭이 나와 있는 곳이 많지는 않았지만—대체로 사라져 자취를 찾을 수 없었다.

그래도 몇몇 장소들은 남아 있었다. 선자 이모가 중학교 시절 반공 영화를 관람했다는 애관극장이나, 책을 사러 갔다가 K.H.와 우연히 마주쳤다던 대한서림 같은 곳들을 발견할 때마다 반가운 마음이 들었다. 이런 곳을 선자 이모가 걸었겠구나, 생각하면 눈길이 닿는 자리마다 애틋한 마음이 생겼다. 낡은 골목들 사이를 부지런히 걷다 갑자기 허기가 일었을 땐 신포시장을 찾았는데 그건 이모의 일기장에서 팥 도너츠를 사 먹었던 일화를 읽은 기억이 났기 때문이었다. 하지만 팥 앙금이 든 도너츠를 파는 가게는 눈에 띄지 않아서 대신 어느 허름한 국숫집에 들렀다. 식당 안에는 열 개 남짓한 테이블밖에 없었고, 얇은 점퍼를 입은 노인들이 그 테이블을 각자 하나씩 차지하고 칼국수를 먹고 있었다. 저 노인들은 이곳에 얼마나 살았을까? 이 가게는 선자 이모가 살던 당시에도 있었을까? 나는 문가에 있는 빈 테이블에 자리를 잡고 앉았다. 조미료 맛이 많이 나긴 했지만 칼국수 국물은 따뜻했고 김치도 적당하게 익어 맛있었다.

"여기에서 장사를 오래하셨나요?"

칼국숫값을 계산하며 내가 묻자 주인인 듯한 늙은 여자는 내 쪽엔 눈길도 주지 않고 대답했다.

"오래했지."

"예전에 시장에 팥 도너츠를 파는 가게가 있었나요?"

늙은 여자는 그제야 고개를 돌려 나를 쳐다보았다.

"그런 거 파는 데도 있었겠지. 있다 사라지는 가게가 한둘인가."

선자 이모가 다니던 교회는 신포시장에서 걸어서 이십 분 정도 걸리는 거리에 위치해 있었다. 갈색 벽돌로 된, 세월을 탄 듯 낡아 보이는 건물이었고 그 앞엔 마리골드와 국화가 활짝 핀 작은 화단이 있었다. 별관처럼 보이는 또다른 건물에서는 아이들의 웃음소리가 들려왔다. 어린 선자 이모가 성경과 찬송가 책을 옆구리에 낀 채 종종걸음으로 예배당으로 들어가는 모습이 머릿속에 그려졌다. 나는 천천히 교회 건물을 향해 걸어갔다. 화단 뒤에 숨어 있던 고양이 한 마리가 내 발소리에 고개를 빼꼼 빼고 나를 바라봤다.

"고양이야, 내가 여기에서 선자 이모 첫사랑의 흔적을 발견할 수 있을까?"

고양이가 내 질문에 답을 하듯 야옹 소리를 냈다. 사실 나는 큰 기대를 갖고 있지는 않았다. 오래전 교회에 전화를 했을 때 '기호'라는 이름을 가진 선자 이모 또래 신도의 기록을 찾지 못했던 기억이 있었으니까. 하지만 선자 이모를 아는 사람이라면? 이름도, 나이도 정확하지 않은 그 첫사랑 상대가 아니라 실체가 분명히 존재하는 선자 이모를 아는 사람이라면 적어도 한 명 정도는 찾을 수 있지 않을까? 독일로 가기 전의 선자 이모를 아는 누군가라면 지금까지 내가 추측과 상상만으로 채웠던 빈칸들에 꼭 들어맞는 답을 줄 수 있을지도 몰랐다. 그런 의미에서 이 교회가 첫사랑을 찾는 이 기나긴 여정을 계속해야 할지 아닐지를 판단하는 계기가 되어줄 거란 예감이 어렴풋이 들었다. 결국 나는 몇 번을 망설이다가 교회의 문을 열었다. 예배가 없는 교회 안은 적막하고 공기마저 차가웠다. 나는 복도를 따라 걸어가 사무실처럼 보이는 방 앞에 서서 반쯤 열린 나무문에 노크를 했다.

열 평도 채 되지 않을 듯한 사무실 안에서 나를 홀로 맞이한 사람은 아주 작은 체구의 깡마른 노인이었다. 여든 살이 훌쩍 넘어 보이는 그녀는 풀색 털실로 짠 조끼를 입고 돋보기를 낀 채 무언가를 읽느라 매우 집중한 모습이었다.

"무슨 일인가요?"

노인은 내가 책상 가까이 다가가자 그제야 고개를 들더니 돋보기를 벗고 나를 보았다. 노인의 목소리가 체구에 비해 너무 크고 카랑카랑해 나는 조금 당황했다.

"사람을 찾고 있는데요."

"무슨 사람이요?"

"예전에 이 교회를 다녔던 사람들을 기억하는 사람을 찾고 있어요."

나는 노인에게 K.H.를 찾는 이유에 대해 최대한 간략히 설명했다. 노인은 잠자코 듣더니 골치가 아프다는 듯 머리를 흔들며 "그러니까, 진짜 찾는 사람은 나이나 이름을 정확히 모른다는 거죠?" 하고 되물었다. 그러고는 웅차, 하며 책상 가장 아래 서랍을 열었다.

"찾을 수 있을지 모르겠네. 이 교회에서 나만큼 이곳에 대해 잘 아는 사람은 없는데 독일에 간 여자애에 대해선 기억나는 게 없으니까. 나는 여길 칠십 년째 다니고 있어요. 그사이 담임목사님도 세 번이나 바뀌었지. 교인들도 그 긴 세월 동안 다 뿔뿔이 흩어졌고요. 그래도 그 또래 중에 아직 우리 교회 다니는 사람이 한둘은 있을 거예요."

자신을 윤권사라고 소개한 노인은 서랍에서 커다란 장부 하나를 꺼낸 뒤 돋보기를 다시 쓰고는 페이지를 한 장 한 장 넘겼다.

"어디 보자. 김장로님도 아마 그 시절 우리 교회를 다녔을 테고, 박권사님도 다니셨을 것 같고."

책상 위에 놓인 메모지에 몇 사람의 이름과 전화번호를 적은 후 윤권사는 장부를 덮었다.

"선자 이모와 같이 교회를 다니셨을 법한 분들인가요?"

"그래요. 그렇다고 이분들이 그 이모라는 분을 안다는 보장은
없지만."

나는 윤권사가 내게 그 메모를 건네줄 거라고 생각했다. 그렇지
만 그녀는 대신 책상 위에 놓인 유선전화의 수화기를 들었다. 나
는 그녀가 전화를 돌리는 동안 무얼 해야 할지 몰라 주위를 두리
번거리다가 사무실에 놓인 장의자에 엉거주춤 앉았다. 오래 걸은
터라 다리가 아팠다. 구석에 비치된 정수기에서 물도 한잔 따라
마시고 싶었지만 컵이 보이지 않았다. 윤권사는 손님에게 물을 건
네거나 의자에 앉으라고 권유해주는 유형의 사람이 아니었지만
일 처리가 아주 빨랐고, 매사에 단도직입적이었다. 순식간에 선자
이모를 기억하고 있는 사람들과 통화할 기회를 얻은 건 그 덕택이
었다. 1960, 70년대부터 교회에 다녔다는 세 명의 교인은 선자 이
모와 나이 차이가 나 특별히 친분이 있지는 않았지만 간호사를 하
려고 독일로 간 '언니'가 교회에 있었다는 사실만큼은 기억하고
있었다.

"아아, 그래요. 그 언니 이름이 임선자였어요?"

하지만 그뿐, 정말로 선자 이모에 대해서 아는 사람은 없었다.
그나마 선자 이모를 가장 잘 기억하는 사람은 윤권사가 '최장로'
라고 부르던 사람이었다.

"그 언니는 무척 내성적이었어요. 중고등부가 같이 준비하던 성탄 연극제나 부활절 연극제 때도 절대 무대에 오르지 않겠다며 허드렛일을 자처했으니까요. 모두들 연기를 하고 싶어서 잡일은 중학생들에게 떠넘겨지곤 했는데, 중학생들 사이에 그 언니가 끼어 있어서 처음 말을 해본 기억이 나요."

최장로의 목소리는 활달하고 성가대를 오래 한 사람처럼 울림이 좋았다.

"달리 기억나시는 건 없나요? 친하게 지냈던 분 연락처라든지, 유달리 가깝게 지낸 남학생이 있었다든지요."

"글쎄요, 너무 오래전 일이라. 당시 같이 교회 다녔던 사람들은 다 이사가서 연락이 끊겼어요. 교회에선 여학생들이랑 남학생들이 어울리는 일이 많았으니 친한 남학생이 있었을 수는 있을 텐데, 그 언니가 누구와 친했는지를 알 만큼 내가 그 언니와 가깝지도 않았고요."

최장로는 미안하다는 듯이 말끝을 흐렸다. 충분히 예상한 일이었지만 힘이 빠지는 건 어쩔 수 없었다. 그래도 이미 통화가 상당히 길어졌고, 더이상 사람들을 귀찮게 할 수는 없었기 때문에 나는 감사 인사를 전하며 전화를 끊을 생각이었다.

"아, 어쩌면 우리 오빠가 다녔던 고등학교 문예부 남학생이랑 친했을 수도 있겠어요."

"문예부 남학생이요?"

256

'문예부'라는 단어에 목소리가 높아졌다. 최장로는 내 목소리에서 기대를 읽었는지 얼른 "네, 이건 그냥 추측이지만요" 하고 덧붙였다.

"왜 그렇게 생각하셨어요?"

"음…… 그게, 옛날엔 학교마다 문학의 밤 행사 같은 게 많았어요. 시 낭송도 하고 피아노 연주도 하고. 그러면 이웃 학교 학생들이 초대받아 놀러가곤 했는데…… 이야기를 하다보니 내가 중학교 2학년 때인가, 오빠네 학교 축제에 선자 언니가 와 있었다고 해 놀랐던 기억이 떠올랐어요."

"선자 이모가 거기 있는 게 그렇게 놀랄 일이었나요?"

"그게, 그 언니가 고등학생이 아니었거든요. 제지 공장에서 일했나? 신발 공장에서 일했나? 그런데 그 언니가 여고 교복을 빌려 입고 거기에 교회 친구랑 와 있었다고 하더라고요. 거기서 시 낭송을 했던 사람이 우리 교회 다니던 오빠 후배였나 그랬는데, 같은 교회 사람들이라면서 그 언니들을 오빠한테 소개해줬다고 했던 것 같아요. 그 남학생이랑 특별히 친하지 않았다면 굳이 교복까지 빌려 입고 거길 갔을까?"

"혹시 그 후배라는 남성분 이름을 아시나요?"

나는 수화기를 고쳐 쥐며 다시 물었다. 내 목소리가 너무 컸는지 다시 독서에 열중해 있던 윤권사가 깜짝 놀란 얼굴로 나를 쳐다봤고, 나는 목소리를 도로 낮췄다.

"그 남성분이 혹시 서울에 있는 명문 사립대에 진학하셨을까요?"

"그런 것까진 모르죠. 교회에 오빠 후배가 몇 있었다는 건 알지만 누가 문예부였고 누가 그때 시 낭송을 한 사람인지는."

만약 최장로가 오지랖이 넓은 사람이 아니었다면―그녀의 표현이었다. "걱정 마요. 내가 오지랖이 넓은 게 하나님께서 내게 주신 유일한 단점이자 장점이니까."―나는 크게 낙담하고 말았을 것이다. 하지만 다행히 최장로는 시간이 많았고―이 역시 그녀의 표현이었다. "할일도 없고 심심하던 차에 잘됐지. 어차피 트로트 가수 나오는 방송이나 보고 있었는데 뭘."―흔쾌히 자신의 오빠―그는 교회에 다닌 적이 없다고 했다―에게 바로 연락해 그 후배가 누구인지를 물어봐주겠다고 말하고는 전화를 끊었다. 모든 게 너무 빠르게 진행되어 조금 얼떨떨했다. 마치 급물살에 휘감겼다가 뭍에 던져진 느낌이었다. 설마 정말 이렇게 K.H.를 찾게 되는 건가? 그런 말도 안 되는 행운이 일어난다고?

"그래서 찾으려는 사람은 찾은 거예요?"

윤권사가 내게 물었다.

"알아보고 전화를 준다고 하셨어요."

"최장로가 도움이 될 줄 알았지. 최장로에게 하나님이 주신 유일한 단점이자 장점이 오지랖이 넓은 거니까."

내가 남긴 전화번호로 최장로가 다시 연락해온 건 집으로 돌아가는 길이었다. 해질녘이었고 주말 저녁을 즐기러 나온 사람들로 붐비는 차이나타운을 관통해 지하철역으로 향하던 중이었다. 최장로의 오빠가 알려준 후배의 이름은 이영오. 길거리에 서서 최장로가 불러주는 대로 K.H.라는 이니셜과 아무 상관 없어 보이는 그의 이름과 전화번호를 받아 적는 동안 노랗거나 붉은 간판들 사이로 가로등 불빛이 들어왔다. 양파 볶는 냄새와 향신료 냄새가 환풍기를 타고 흘러나왔다. 기름때가 들러붙은 격자무늬 창틀이 바람에 흔들렸다. 그 모든 풍경이 내게 아주 낯선 곳에 던져진 듯한 느낌을 불러일으켰다.

"꼭 찾았으면 좋겠네요. 그 어린 나이에 독일에 가서 고생만 했을 텐데, 너무 딱해."

최장로에게 감사 인사를 한 뒤 전화를 끊고 메모지를 반으로 접어 지갑 안에 넣었다. 이 사람이 K.H.가 아닐 수도 있지만 만약 그렇더라도 또하나의 실낱같은 연결고리가 되어줄지도 몰라. 그렇게 생각하려 했지만 그런 희망만으로 또 한번 일면식도 없는 사람에게 연락하려니 망설여졌다. 자료에만 근거해 누군가를 찾아나가는 것과 직접 사람을 만나는 것은 다른 차원의 일이었다. 알지 못하는 누군가를 만나고, 그들의 사연을 듣는 일. 기자로서 취재할 때도 그랬지만 타인의 인생에 흙 묻은 신발을 신고 들어가는 불청객이 될지 모른다고 생각하면 내 마음은 매번 갈피를 차릴 새

없이 흐트러지곤 했다. 무얼 하든 덧없다는 익숙한 무력감이 나를 엄습했다. 그날 저녁 우재를 만나지 않았더라도 나는 이영오에게 전화를 걸었을까?

하지만 지치고 피곤한 몸을 이끌고 집으로 돌아가던 길, 오피스텔로 이어지는 골목의 편의점 앞에서 나는 익숙한 옆모습을 발견했다. 그건 마지막으로 보았을 때 앉았던 파라솔 아래서 발끝을 내려다보며 조용히 앉아 있는 우재였다. 우재라니. 사실 처음 그 실루엣을 보았을 땐 우재란 걸 믿을 수가 없었다. 한동안 먼저 연락해오는 일 없이 내가 메시지를 보낼 때만 간단한 답장을 보내오더니 최근 들어서는 그마저도 안 하던 우재가 나를 찾아오리라고는 생각하지 못했기 때문이었다. 하지만 다가갈수록 그건 틀림없는 우재였고, 그래서 나는 꼼짝 않고 앉아 있는 실루엣을 향해 "우재야" 하고 이름을 불렀다.

"오늘도 서울에 경조사가 있었어?"

언제부터인가 우리 사이에 더이상 필요하지 않게 된 '경조사'를 핑계삼아 나는 애써 밝은 투로 말을 건넸다.

"아니, 오늘은 너를 보러 약국 문 일찍 닫고 왔어."

"오래 기다렸니? 전화를 하지."

"그냥. 좀 걸을까?"

"밥부터 먹으면 안 될까. 나 너무 배고파."

우리는 횡단보도를 건너서 시장 초입의 작은 동남아 식당에 갔다. 구운 고기완자가 들어간 분짜와 게살국수를 시켰는데, 고기완자는 불맛이 나고 돼지 뼈와 해산물로 낸 육수는 간이 적당해 맛이 좋았다. 우리는 같은 그릇에서 국수를 건져 먹으면서 별다른 말을 하지 않았다. 손님이 들어와 문이 열릴 때마다 주변 공기가 차가워졌다가 다시 안온해졌다. 제주에서 바로 왔는지 피로해 보이는 우재에게 마음이 쓰였다. 연락이 없는 동안 어떻게 지냈느냐고 묻고 싶었지만 말을 고르는 사이 식사가 끝났다.

밥을 먹은 후엔 걸어서 이모와 즐겨 찾던 천변까지 갔다. 그때까지 별말이 없던 우재는 벤치에 자리를 잡고 나서 오래전 우리가 스물한 살이었을 때의 이야기를 꺼냈다. 늦봄, 아버지가 뇌출혈로 쓰러지셨다는 소식을 듣고 우재가 갑자기 제주로 내려갔던 때의 일이었다.

"그때 기억나?"

"그럼, 기억하지."

그날 밤 우재는 내게 전화를 했다. 우재가 해미야, 중환자실은 너무 추워, 라고 말했던 기억이 났다.

"그때 너는 내게 아무것도 묻지 않았지. 아버지가 어떠신지, 내 마음이 어떤지. 우린 그날 같이 밤새도록 음악을 듣기만 했잖아."

오래전 기억인데도 휴대전화를 든 채 침대 옆에 쭈그리고 앉아서 우재에게 들려주기 위해 틀었던 〈Across the Universe〉 〈가리워진 길〉 〈추억의 책장을 넘기면〉 따위의 옛날 옛적 노래들이 머릿속에 저절로 재생되었다. 공백이 생기지 않도록 연달아 재생시켰던 노래들.

"그때 나는 네가 나에게 아무것도 묻지 않아주는 게 참 좋았어. 어떤 말도 하고 싶지 않았고, 네가 나를 배려하느라 아무것도 묻지 않는다는 걸 알았거든. 그때 나한테는 그걸로 충분했던 것 같아. 근데 해미야, 요즘엔 그런 생각이 든다. 어쩌면 그때 우리에겐 용기가 없었던 게 아닐까 하는. 그래서 우리의 관계도 십여 년 전에 그렇게 흐지부지 끝난 건 아니었을까."

우재는 말을 하는 내내 정면을 바라보고 있었다. 나는 우재의 이야기를 들으면서 또다시 밤이 왔구나 생각했다. 너무 어두워 풀숲도 그 뒤의 강물도 잘 보이지 않았으니까. 어둠이 번득이는 하천 위로 나를 떠나간 옛 연인들의 얼굴이 떠올랐다가 가라앉았다. 한때는 뜨겁고 또 애틋했으나 결국엔 비슷한 말로 원망하며 나를 홀로 밤 속에 버려두고 간 사람들.

"해미야, 아무것도 묻지 않는 것이 네가 상대를 배려하는 방식이란 걸 알아. 그래서 나는 그걸 존중해주려고 노력해왔고. 하지만 나는 이제 그걸로는 모자란 것 같아. 나는 네가 조금 더 간섭해주면 좋겠고 어리광을 부려주면 좋겠고, 누굴, 왜 찾고 있는지도 말해주면 좋겠다. 나만 너를 보러 오는 게 아니라 너도 내 안부를 궁금해하며 제주로 만나러 와줬으면 좋겠고."

우재는 이제 내 쪽을 보고 있는 것 같았지만 나는 고개를 돌리지 못하고 무릎 끝만 내려다보았다.

"그러니까 내 말은 이렇게 쌀쌀할 땐 코앞에 너희 집이 버젓이 있는 걸 둘 다 알면서 여기 이러고 있을 게 아니라 따뜻한 네 집에 가서 이야기하면 얼마나 좋겠냐 이 말이야."

무거워지려는 분위기를 가볍게 만들고 싶은 것인지 우재가 재킷을 벗어 내 어깨를 덮어주며 말했다.

"너 춥잖아. 나 안 추워."

"난 더 안 추워."

우재의 입가에는 희미한 미소가 걸려 있었다. 우재는 계속 '배려'라고 말했지만 우재가 알지 못하는 건 그해 늦봄 우재를 위한 마음으로만 아무것도 묻지 않았던 게 아니라는 사실이었다. 그럼 그건 무엇이었을까? 어둑해진 천변에서 우재가 덮어준 재킷의 온기를 느끼며 그건 누구의 삶에 깊이 관여하는 것을 두려워하는 마음일 뿐이었을지 모른다는 생각을 했다. 우재는 몰랐겠지만, 그후로 우리의 관계가 그렇게 흐지부지 끝나버린 것은 내가 그날 이후 조금씩 우재의 연락을 피했기 때문이었다. 피했다고? 피한 것이다. 달아난 것이다. 나에게 다가와 마음의 문고리를 잡고 흔드는 우재로부터. 그때 내가 원했던 건 누군가의 삶에 내가 또다시 영향을 미치게 되리라는 그 무시무시한 가능성으로부터 도망치는 것뿐이었으니까.

"미안해. 내가 욕심이 너무 많아져서."

우재의 긴장한 듯한 목소리를 듣자 어둡고 단단하게 얼어붙었던 내 마음에 파문이 일었다. 이대로 도망쳐 또다시 소중한 사람을 잃고 말 거야? 내 안의 누군가가 속삭이는 소리가 들렸다. 나무들이 잎을 모두 잃고, 곧 눈이 오고 강이 꽁꽁 얼 텐데, 눈이 녹고 강이 녹으면 또 꽃이 필 텐데. 그 모든 풍경 어디에도 이제 우재는 없을 텐데. 쌀쌀한 바람에 나무들이 너울댔다. 가로등 불빛에 천변 너머에서 가을의 잎들이 가볍게 흩날리는 것이 보였다. 생각해야 해. 내 안의 누군가가 다시 속삭였다. 생각해야만 해. 너는 어떻게 살아가고 싶은지.

나는 어떻게 살고 싶지?

더 이상 도망치기만 하면서 살고 싶지는 않았다.

그렇다면 이제 어떻게 해야 하지?

조깅을 하는 사람들이 우리가 앉은 벤치를 스치고 지나갔다. 찰방거리는 물소리 사이로 멀리서 차들이 달리는 소리가 섞여들었다. 선자 이모의 첫사랑을 다시 찾기 시작한 이래 나는 내가 왜 이일에 집착하는지 줄곧 궁금했다. 그렇게 오래전 일을 왜 가만히 덮어둘 수 없는지, 이 과정이 지금의 나에게 어떤 의미를 갖는지. 우재는 기도하는 사람처럼 고개를 숙인 채 깍지 낀 손을 무릎 위에 올려놓고 있었다. 비가 그친 거리를 함께 걸을 때면 내 팔을 살짝 당겨 웅덩이를 피하게 해주고 해가 들이치면 이마에 차양을 만들어주던 우재의 손을 보며 나는 이제야 어렴풋이 그 이유를 알 것만 같았다.

"아니야, 우재야. 나쁜 건 네가 아니라 나야."

*

이영오를 만난 건 어느 어린이도서관에 있는 카페에서였다. 나는 한눈에 이영오를 알아봤는데 그건 이영오의 외양이 내가 짐작했던 것과 닮아서가 아니라, 삼십 분 전 카페에 도착해 그를 기다리는 동안 아이들을 동반한 여성들로 가득한 그곳의 문을 열고 들어오는 육십대 후반의 남자는 단 한 사람도 없었기 때문이었다. 백육십오 센티미터 정도 되는 키에, 머리숱이 적은 이영오. 그는 밤색 셔츠를 베이지색 면바지 속에 집어넣은 차림새로 테가 굵은 안경을 꼈고 왕진 가방처럼 보이는 낡은 가죽 가방을 한 손에 들고 있었다. 이영오가 주문한 아메리카노를 대신 받아서 자리로 돌아와 그의 앞에 앉았다. 이영오의 얼굴은 주름투성이라 전화 통화를 하며 상상한 것보다 더 나이가 들어 보였다. 내가 자리에 앉자 그는 오랫동안 생활 가전을 만드는 회사를 다녔다는 말과 함께 은퇴한 이후에는 동화구연지도사 자격증을 따서 도서관을 돌아다니며 아이들에게 동화를 들려주고 있다고 자신을 소개했다.

"만나고 싶은 사람을 찾는 데 내가 과연 도움이 될까요?"

처음 이영오에게 전화를 걸었을 때, 최장로 오빠의 일 년 후배라는 그는 임선자라는 이름조차 기억하지 못했다. 독일로 간 간호조무사라는 설명을 더하자 오랜 기억 속에서 선자 이모를 찾아냈고, "맞아요. 우리 교회에 그런 사람이 있었습니다"라고 말했다. 선자 이모를 어렴풋이 알긴 했지만 도움이 될 만한 기억은 없다고 했는데도 내가 그를 만나기로 마음먹은 건 처음 통화를 마치고 며칠이 지난 후 그가 나에게 다시 전화를 걸어 보여줄 것이 있다고 말했기 때문이었다.

"보여주실 것이 무엇인가요?"

커피를 한 잔씩 앞에 놓고 앉은 채 가벼운 인사말을 주고받다가, 나는 단도직입적으로 물었다. 이영오는 김이 오르는 커피를 후루룩 소리 내어 마신 뒤 잔을 내려놓고 말했다.

"그게, 문집입니다."

"문집이요?"

그의 입에서 튀어나온 '문집'이라는 단어가 나의 관심을 이끌어냈다.

"혹시 성탄 무렵 교회에서 만들었던 문집 말인가요?"

"그래요. 그걸 본 적이 있나요?"

"아니에요. 그냥 이야기만 들었어요."

나는 선자 이모의 일기 속에서 문집이라는 단어가 등장하던 대목을 떠올리며 얼버무렸다. 이영오는 아주 먼 곳을 바라보는 사람처럼 아련한 눈빛으로 이야기를 시작했다.

"아가씨의 전화를 받고, 옛 시절 생각에 꽤 오래 잠겨 있었어요. 잊고 산 줄 알았던 기억인데, 한번 그 끄트머리를 잡아당기자 거기에 매달려 있던 것들이 꼬리를 물고 따라오더라고요. 교회에 다니던 시절은 저에겐 무척 행복했던 시절입니다. 대학에 들어가고 나서, 시절이 시절인 만큼 학생운동에 참여하다가 무신론자가 되어 더이상 교회에 발도 붙이지 않는 사람이 되어버렸지만, 중고등학교 시절엔 교회에서 살다시피 했었죠. 신앙심이 깊어서라기보다는 거기에 가야 여자애들과 교류도 하고 문화생활이란 걸 할 수 있었으니까요."

거기까지 말한 이영오는 잠시 말을 멈추더니 커피를 한 모금 더 마셨다. 카페 안은 조금 소란스러웠지만 그가 하는 말을 알아듣기 어려운 정도는 아니었다.

"아가씨가 말한 대로 우리 교회에는 문집을 만드는 서클이 있었습니다. 임선자는 나와 함께 그 서클의 멤버 중 하나였지요. 아가씨 전화를 끊고 나서, 혹시나 하고 옛날 물건들을 모아놓은 창고를 뒤지다 후배들이 준 문집을 찾았습니다."

그렇게 말하며 이영오는 들고 온 가방에서 빛이 바랜 작은 책자 하나를 꺼냈다. '동산의 꿈'이라는 제목 밑에 서툰 솜씨로 크리스마스트리와 눈사람이 그려진 책자였다.

"이게 선자 이모가 한국에 있을 때 만든 문집인가요?"

"그래요. 여기 보면 1971년 12월이라고 적혀 있지요."

이영오는 표지에 적힌 날짜를 가리키며 말했다.

"내가 그 무렵 서클 활동을 소홀히 해 백 퍼센트 확실하다고 말할 수는 없지만 지금 이 책자에 적힌 글씨를 쓴 사람이 아마도 임선자였을 거예요. 여기 맨 마지막 장을 보면 편집후기 밑에 임선자 이름이 단독으로 적혀 있지요? 아가씨가 알지 모르겠지만 옛날에는 지금같이 컴퓨터가 없었으니 문집을 만들 때면 글씨를 제일 잘 쓰는 아이가 철심으로 파라핀 종이에 글을 옮겨 적곤 했답니다. 그 작업이 끝나면 파라핀 종이를 등사기에 끼우고 잉크를 묻힌 등사용 롤러로 밀었죠. 그러면 밑에 깔아둔 일반 종이에 글씨가 그대로 찍혔고, 그 종이들을 모아서 한데 묶었어요. 편집후기에 등사기를 밀어준 사람의 이름을 같이 올리는 경우도 있긴 했지만 서클의 전통대로라면 편집후기를 쓰는 건 글씨를 파라핀 종이에 옮겨 적는 사람이었지요. 그러니 아마도 이건 임선자의 글씨체일 겁니다."

나는 일기를 통해 익숙해진 선자 이모의 글씨체—일기장에서보다 조금 더 반듯한 궁서체였다—로 쓰인 책장을 한 장, 한 장 넘겨보았다. 짤막한 시와 수필로 이루어진 특별할 것 없는 문집이었다.

"저번에 통화했을 때 잠깐 이야기하긴 했지만 최장로님 말씀으로는 선자 이모가 고등학교 축제에 구경을 가신 적이 있다던데, 선생님이 다니신 학교 남학생 중에 문집을 같이 만든 사람은 없었을까요?"

나는 문집을 테이블 위에 내려놓으며 물었다.

"어디 보자."

이영오는 문집을 다시 집어들더니 차례를 손가락으로 훑기 시작했다.

"여기 이름이 실려 있는 사람들 중에는 김성봉하고 황재선이가 우리 학교 출신인 것 같네요. 임선자와 친했는지 어땠는지는 모르겠어요."

나는 휴대전화의 메모장을 열어 (역시 K.H.라는 이니셜과는 무관해 보이는) '김성봉'과 '황재선'을 입력했다.

"혹시 이분들 연락처를 알고 계실까요?"

어쩌면 K.H.라는 것이 이름의 이니셜이 아니었던 건 아닐까 생각하면서 나는 이영오에게 물었다. 이영오는 다시 커피를 한 모금 들이켜더니, 잔을 내려놓고 고개를 저었다.

"내가 교회 사람들과 연이 끊긴 지 오래라 이 문집에 글을 실은 그 누구의 연락처도 몰라요. 하지만 이 둘만큼은 고등학교 후배들이니 찾아볼 방도가 있을 거예요. 구해다줄까요?"

나는 부탁한다고 말한 후 잠시 망설이다가 그 당시 교회에 다니던 또래 중에 '기호'란 이름을 가진 사람은 없었는지 물었다.

"글쎄요. 너무 오래전 일이라."

이영오는 고개를 젓더니 의자 등받이에 등을 기대며 말했다.

"임선자에 대해 기억하는 게 많지 않아 안타깝네요. 도움이 되면 좋을 텐데. 나이를 먹으면 어떤 기억들은 더없이 생생해지기도 하는데, 임선자에 대한 기억은 거의 없어요. 아마 임선자가 눈에 띄지 않는 사람이었기 때문에 더 그럴 겁니다. 임선자는 뭐랄까, '평범'이란 단어와 가장 잘 어울리는 사람이었어요. 아, 저렇게 아무의 눈에도 띄지 않고, 조용히, 모난 데 없이 평생 살겠구나, 싶은 그런 사람들이 있지요? 오해하지 말아요. 그 친구가 보잘것없는 삶을 살 거 같았다, 뭐 그런 의미가 아닙니다. 평범한 삶은 축복이지요. 내 나이 정도가 되면 다 알아요. 하여튼 그래서 임선자가 간호조무사가 되어 독일에 간다는 이야기를 들었을 때 남자아이들끼리 안쓰러워했던 기억은 있습니다. 가난이 그 아이를 운명에 없는 선택지로 내몬 것 같았으니까요. 독일 남자한테 무슨 일을 당해서 평생 결혼도 못하고 사는 건 아닐까 다들 걱정을 했었죠. 그런데 타지에서 고생만 하다가 젊은 나이에 죽었다니, 참 안된 일입니다."

살짝 열린 창문으로 거리의 소음이 흘러들어왔다. 건너편 자리에 앉은 예닐곱 살 정도 되는 아이들이 유치원에서 있었던 일을 큰 소리로 이야기하기 시작했다.

"그런데 아가씨, 임선자와 친하게 지냈던 남자를 왜 그렇게 열심히 찾는지 물어봐도 됩니까?"

문득 카페가 추운 것처럼 느껴져 나는 두 손으로 커피잔을 감쌌다.

"그분에게 반드시 전해줘야만 하는 물건이 있어요."

"물건?"

이영오가 호기심어린 눈으로 내게 다시 물었다.

"네, 선자 이모가 돌아가시기 전에 제게 전해달라고 남기신 일기와 편지예요."

*

덧없이 툭, 툭 떨어지던 목련 꽃잎들이 떠오른다. 등교할 때는 탐스럽게 활짝 피어 있었는데 하굣길엔 바닥에 떨어져 더없이 초라하게 밟혀 있던 봄날의 꽃잎들. 그러니까 이건 내가 선자 이모의 일기장과 독일에 살던 시절을 떠올리게 하는 물건들을 귤 상자에 밀봉하기 약 일주일 전의 일이다.

학원에 갔다가 집에 돌아와보니 책상 위에 우편물이 하나 놓여 있었다. 보낸 사람은 한수. 한수가 우편물을 보내온 것은 아주 오랜만이었다. 전화를 걸어봤자 내가 받지 않기 때문에 편지를 쓴 것일까? 오후의 햇살에 얼룩진 우편물—일반 편지봉투가 아니라 규격이 조금 더 큰 서류봉투였다—위에 적힌 한수의 글씨체를 보자 반가운 마음과 죄책감이 동시에 일었다. 무슨 이야기가 들어 있을까 궁금했지만 봉투를 열어볼 엄두는 좀처럼 나지 않았다. 그렇다고 그걸 차마 버릴 수는 없었고, 나는 그 우편물을 내 책상 서랍 안쪽, 엄마가 함부로 열어볼 수 없는 곳에 감춰둔 채 며칠을 흘려보냈다. 하지만 밥을 먹거나 교복을 갈아입을 때, 양치를 하거나 거실에 앉아 엄마 아빠나 해나와 함께 티브이를 볼 때에도 한수의 편지는 내 머릿속 한구석에 자리잡은 채 절대 떠나지 않았다. 며칠 후, 침대에 누워 잠을 청하다가 좀처럼 잠에 들 수 없어 지쳐버린 나는 자리에서 일어나 서랍 속에 숨겨둔 우편물을 꺼냈다. 책상 스탠드만 밝혀놓은 채 봉투의 겉면을 손가락 끝으로 가만히 만져보았는데 도톰하고 네모난 무언가가 만져졌다. 대체 뭘까? 나는 결국 커터로 조심스럽게 서류봉투의 위쪽 모서리를 잘랐다. 서류봉투 속에 들어 있는 건 두 개의 밀봉된 편지봉투였다. 비슷하게 생겼지만 하나의 겉면엔 한수의 글씨로 '해미에게', 다른 하나의 겉면엔 선자 이모의 글씨로 'K.H.에게'라고 적혀 있다는 것만은 달랐다.

K.H.에게?

나는 이게 무슨 상황인지 이해할 수가 없었다. 상황을 이해하기 위해선 한수의 편지를 읽어야 했지만 용기가 나지 않았다. 그렇다고 그 두 개의 편지봉투를 다시 서류봉투 속에 집어넣고 아무 일도 없었던 양 잠을 청할 수도 없는 노릇이었다. 나는 결국 한참을 망설인 끝에 깊은 한숨을 쉬고는 내 이름이 적힌 편지봉투를 열었다.

해미에게.

잘 지내고 있어?

최근 네게 전화를 몇 번 걸었지만 통화를 할 수가 없어 걱정이 된다. 무슨 일이 있는 건 아니지? 레나를 통해 소식을 들었을지 모르겠지만 나는 이제 베를린에 와 있어. 막자 이모네 집에. 기억나, 막자 이모? 이모도 신경을 많이 써주고, 학교에 전학 수속을 마친 지도 벌써 여러 날이 지났는데 여기의 매일매일은 너무 낯선 것 투성이야. 바뀌어버린 세상에 주눅이 들 때면 네가 불쑥불쑥 생각나더라. 한국 사람인 너는 독일에 와서 어떻게 그렇게 적응을 잘할 수 있었을까? 사실 너는 내가 짐작한 것보다 훨씬 더 많이 외롭고, 힘들었던 게 아닐까? 내가 겪기 전엔 상상할 수 없는 일들이 너무도 많다는 걸 나는 엄마를 잃고 나서야 배우고 있어. 네가 여자 형제를 잃었다는 이야기를 내게 처음 아주 어렵게 했던 그날, 나는 네 심정의 얼마큼을 이해하고 있었던 걸까.

네 얼굴을 보고 이야기를 하고 싶지만, 너는 한국에 나는 베를린에 있어 그건 불가능하지. 전화라도 연결이 된다면 목소리로나마 직접 전하고 싶은 이야기들이 있었어. 하지만 통화가 되지 않으니 하는 수 없이 이렇게 편지를 쓰는 중이야. 너도 알겠지만 나는 글씨가 엉망이고, 글을 쓰는 데 영 취미가 없잖아. 작가가 되려는 네가 보기에 내 글은 형편없겠지만 그래도 더이상은 미루고 싶지 않아 이렇게 네게 보낼 편지를 적어봐. 사실 벌써 여러 번 앞부분을 고쳐쓴 거니까 글솜씨가 형편없어도 이해해줘.

우선은 고맙다는 말을 하고 싶어. 네가 엄마의 첫사랑을 찾아준 것에 대해서. 네가 서둘러준 덕분에 그 아저씨의 편지를 받았을 때 엄마는 몸이 아주 많이 아파 자주 구토했지만 아직 글을 읽을 수는 있었어. 엄마의 첫사랑이 편지를 보내왔다고 내가 말했을 때 엄마의 표정을 네게도 보여줄 수 있었다면 참 좋았을 텐데. 우리 엄마가 표정이 없는 건 너도 알지? 나는 엄마의 눈이 그렇게까지 커질 수 있는 줄 몰랐어. 사실 나는 엄마에게 우리가 엄마의 일기장을 훔쳐보고 있었고, 심지어는 내가 그 일기장들을 모두 너에게 보내버렸다는 걸 어떻게 알려야 하나 걱정이 많았어. 하지만 사실대로 말하지 않고는 네가 어떻게 그 아저씨를 찾았는지 설명할 방법이 없었기 때문에 할 수 없이 솔직히 모든 것을 말했거든? 어째서 엄마의 첫사랑을 우리가 찾기 시작했는지. 엄마를 기쁘게 해주기 위해 우리가 그간 무슨 노력들을 해왔는지. 엄마가 화를 내도 어쩔 수 없다고 생각했어. 첫사랑을 찾았다는 기쁨이 우리의 잘못으로 인해 화나는 마음보다 더 크기만을 속으로 빌고 또 빌었지. 엄마를 기쁘게 해주고 싶었을 뿐인 우리의 간절한 마음이 전달되기만을 바라며. 다행히 엄마는 혼내는 대신 나를 힘껏 껴안아주었어. 그때 나는 얼마나 행복했는지 몰라.

해미야, 네가 편지를 보내준 덕분에 우리 엄마와 나는 엄마의 상태가 급격하게 나빠지기 전 이 주가량을 정말로 행복해했어. 엄마가 책이 읽고 싶다고 해서, 집에서 엄마의 낡은 책을 가져다주기도 했지. 『생의 한가운데』라는 책이었던 것 같은데, 맞나? 아무튼. 엄마가 읽을 수는 없었지만.

이젠 괜찮을 줄 알았는데 엄마와의 마지막을 쓰려니 너무 슬프다. 너무 슬퍼서 길게는 더이상 쓸 수가 없을 듯해 얼른 본론을 말해야겠어.

해미야, 나는 너에게 진짜 커다란 빚을 지었어. 죽을 때까지 갚아도 다 갚지 못할 빚이란 걸 알아. 그런 주제에 또 이렇게 네게 부탁할 일이 있어서 편지를 쓰고 있다니 나도 내가 너무 뻔뻔한 것 같다. 하지만 해미야, 우리의 우정을 생각해서 한 번만 더 내 부탁을 들어줄 수 없을까? 이 편지를 읽을 때면 이미 보았겠지만, 나는 이 편지와 함께 또다른 편지 한 통을 동봉할 거야. 그 편지를 쓴 사람은 우리 엄마야. 엄마는 건강이 악화돼 더이상 편지를 쓸 수 없게 되기 전까지 틈틈이 첫사랑에게 답장을 썼어. 그 편지를 K.H.에게 전해주길 바라. 그리고 그때 네가 가지고 있는 엄마의 일기장들도 그 사람에게 같이 전해줄 수 있을까? 그것이 엄마의 부탁이었거든. 일기장을 소중히 간직해줄 사람에게 맡기고 싶댔어. 그렇게만 해준다면 언젠가 우리가 다시 만나게 될 때 내가 너의 소원을 열 개쯤 들어줄게. 무엇이 되어도 좋아.

그리고 무슨 일이 있는지 모르겠지만 이 편지를 받는다면 답장을 해주거나 내게 전화를 해주면 안 될까? 아래에 내 새 주소와 전화번호를 적어둘게. 너와 연락이 닿지 않아 마음이 너무 불안하니까 짧게라도 소식을 전해주면 좋겠어. 엄마가 세상을 떠난 이후, 나는 누구든 연락이 되지 않으면 이 세상에서 없어진 게 아닐까 하는 생각에 쉽게 두려워져버리거든.

너의 진정한 친구, 한수

*

이영오와 헤어져 집으로 돌아왔을 때는 이미 해가 져 집안이 어
둑어둑했다. 들어오자마자 형광등을 켜고 냉장고에 있는 것들로
간단히 요기를 하며 습관적으로 휴대전화를 확인했다. 당연하게
도 우재로부터의 연락은 없었다. 피곤한 탓인지 우재에게 연락을
하고픈 충동이 일었다. 우재는 잘 있을까? 우재와 천변 벤치에 앉
아 마지막으로 이야기를 나눴던 밤으로부터 벌써 여러 날이 지났
다. 그날 밤 내 문제를 해결하지 않은 상태로는 마주볼 용기가 나
지 않는다며, K.H.를 반드시 찾아낸 뒤 내가 먼저 꼭 연락하겠다
고 말했을 때 괴로운 듯 오래도록 머리를 두 손으로 감싸고 있던
우재는 이내 말했다. "너무 오래 기다리게 하진 마. 손잡는 데만
십구 년 걸린 거 알지. 그렇게 또 기다리게 하면 우리 환갑이다."

그리고 헤어지기 전, 우재는 나에게 해외 사이트에서 중고로 구
한 케르테스의 사진집을 선물로 주었다. 엘리자베스에게 헌정된
그 사진집에는 아내가 죽은 이후 큰 슬픔에 잠겨 있던 사진작가
가 찍은 쉰세 장의 폴라로이드 사진이 담겨 있었다. 나는 책장에
서 사진집을 꺼내어 폴라로이드 사진 속 엘리자베스를 상징하는
오브제인 유리 공예품을 가만히 들여다보았다. 더할 나위 없이 영
롱하게 빛나는 유리 오브제. 케르테스는 사진을 찍으며 무엇을 느
꼈을까? 그런 생각을 하며 사진집을 몇 장 넘겨보다가 나는 새롭

게 알게 된 사실을 노트북에 정리하기 위해 책상 앞에 앉았다. 얼른 K.H.를 찾고 싶다는 조바심을 느끼며. 커다란 소득을 기대하고 이영오를 만난 것은 아니었지만 새롭게 정리할 만한 것이 많지 않았고, 아쉬운 마음이 드는 건 어쩔 수 없었다. 선자 이모는 그럼 그날 왜 교복까지 빌려 입고 그 학교 문학의 밤에 갔을까? 김성봉과 황재선 둘 중 한 사람을 좋아했던 걸까? 그렇다면 왜 그의 이니셜이 K.H.이고 나는 그의 이름이 '기호'일 거라고 철석같이 믿고 있었던 걸까? 풀리지 않는 의문들이 꼬리에 꼬리를 물었다.

모든 정보들이 너무 얽혀 머릿속이 혼란스러워지자 귤 상자 속에 그대로 있을 선자 이모의 편지가 문득 떠올랐다. 이영오에게 말하기 전까지 내가 그 누구에게도 그 존재를 언급한 적 없던 편지. K.H.를 다시 찾아보기로 한 이후, 막다른 벽에 부딪혔다는 생각이 들면 그 안에 어떤 결정적 단서가 있을 수 있는데도 어째서 내겐 그걸 열어보고픈 마음이 좀처럼 생기지 않는지 궁금할 때가 있었다. 이제 와 짐작해보면 그 편지봉투를 열어 훼손하는 순간, K.H.를 찾으려는 나의 이 여정이 무의미해지리라고 나는 무의식적으로 생각했던 건지도 모르겠다. 과거와 달리 이번엔 내게 주어진 전달자로서의 역할만을 충실히 이행하는 것. 한수와 선자 이모의 바람을 있는 그대로 들어주는 것. 그런 일로 속죄할 수 있으리라 생각하는 것은 그저 자기 위안에 불과하단 걸 알면서도, 앞으로 나아가기 위해서 나에겐 그런 게 필요했는지도. 결국 김성봉이

나 황재선의 연락처를 이영오가 알려준다면 직접 연락해보는 것이 지금으로선 내가 할 수 있는 최선이라는 생각이 들었다. 그 둘 중 누구도 K.H.가 아닐 수 있었지만 그렇더라도 그들을 만나면 선자 이모의 첫사랑을 찾는 데 필요한 중요한 무언가를 얻게 될지도 몰랐다.

"아가씨가 찾으려는 사람이 누구인지는 모르겠지만 꼭 찾을 수 있기를 바랍니다. 긴긴 세월 지나 과거의 사람이 다시 찾아오는 건 틀림없이 근사한 일일 테지요."

카페 앞에서 헤어지면서 이영오는 그렇게 말하고는 내게 악수를 청했다. 그는 내게 꼭 돌려달라고 신신당부를 하며 자신이 오랫동안 간직한 문집들을 빌려주기까지 했다. 단 한 번도 만난 적 없는 낯선 이를 위해 선선히 자신의 시간과 물건을 내어주는 마음은 어디에서 오는 걸까?

이튿날 나는 밀린 청소와 빨래를 하며 하루종일 이영오의 소식을 기다렸으나 연락은 오지 않았다. 그날 밤, 책상 위에 꺼내둔 문집을 제대로 살펴보기 시작한 건 뭐가 됐든 조그마한 단서를 하나라도 찾아야 실망스러운 마음을 달래고 잠에 들 수 있을 것 같았기 때문이었다. 이영오가 내게 빌려준 문집은 총 두 권으로 각각 71년과 72년에 만들어진 것이었다. 나는 침대 헤드에 몸을 비스듬히 기댄 채 그 두 권 중 우선 71년 문집의 맨 뒷장을 펼쳤다. 그곳에는 이영오의 말대로 편집후기가 실려 있었는데, 그의 말에 따르면 선자 이모가 쓴 것으로 추정되는 편집후기는 "한 해의 끝에서 아쉬움이라는 단어를 생각한다. 하지만 뒤돌아보면 인생의 곳곳에는 들판에 숨어 있는 제비꽃처럼 아름다운 순간들이 있다. 사랑하며 살기에도 부족하다"라는 문단으로 시작했다. 나는 천천히 선자 이모가 쓴 글을 읽어나갔다. 밤이 깊어졌고, 창틈으로 차가운 바람이 들어오는 것이 느껴졌다. 내가 가본 그 교회의, 어쩌면 내가 잠시 앉아 있기도 했던 그 협소한 사무실에서 십대의 선자 이모는 홀로 원고지에 적힌 다른 이들의 글을 옮겨 적고 있었겠지? 그러고 있노라면 선자 이모를 만나기 위해 몰래 찾아온 수줍은 고등학생이 사무실 문을 조용히 열고 들어왔을까? 문집을 넘겨보는 동안, 선자 이모의 일기 속에서 읽었던 그런 어느 밤의 풍경이 머릿속에 그려졌다.

이렇게 사방에서 겨울 냄새가 나기 시작하면 교회 사무실에서 문집을 만들던 일이 떠오른다. 문집을 만든다는 그럴듯한 핑계로 통금 시간이 지나고도 집밖에 있을 수 있었으니 얼마나 좋았는지. 옮겨 적어야 하는 양이 매번 적지 않아 손이 아프긴 했지만 그럴 때면 나는 내 글씨체가 예쁜 편이라는 게 기뻤다. 왜냐하면 사무실에서 혼자 글을 옮겨 적는 내게 네가 커피를 타서 가져다주면서 "혼자 다 하느라고 많이 힘들지?" 하고 말을 걸어주곤 했으니까. 그 시절 우리는 커다란 양은 주전자에 커피를 끓이곤 했지. 조개탄 난로 위에 오랫동안 올려놓아 졸아든 커피는 유난히 달고 뜨거웠어. 너는 그 뜨거운 커피를 내게 가져다주곤 내가 앉아 있는 책상 건너편에 앉았다. 다른 아이들이 너를 찾아올 때까지. "나는 신경쓰지 말고 하던 거 해." 너는 그렇게 말했어. 하지만 네가 내 곁에 있으면 글씨를 쓰면서도, 커피를 마시면서도 내 정신은 온통 네게로만 향했다. 그러면 나는 느낄 수 있었어. 너의 시선이 내게서 떠나지 않는 걸. 네가 나와 같이 있는 것이 그저 좋아서 내 앞에 가만히 앉아 있다는 걸. 네가 먼지가 묻었다며 내 머리카락을 건드리거나 내 입술을 빤히 바라볼 때면 성탄이 가까운 시기라 교회에 사람이 많았는데도 나는 꼭 너와 단둘이서만 있는 것처럼 가슴이 뛰었단다. 너는 몰랐겠지만. 너와 같이 있는 시간은 늘 그렇게 달고 뜨겁고 썼어. 지금도 그래서 겨울 냄새가 나기 시작하면 나는 달고 뜨거운 커피를 탄다. 하지만 그때 그 커피 맛은 아무리 흉내를 내려 해도 좀처럼 재현이 되지가 않아.

내가 천근호라는 이름을 발견한 건 71년도의 문집을 대충 훑은 후 72년도 문집을 펼쳤을 때였다. 71년도 문집을 읽을 때와 마찬가지로 선자 이모와 김성봉, 그리고 황재선이 쓴 글만 신경써서 읽을 뿐 나머지 페이지는 무심하게 일별하다가 나는 72년도 편집후기란에서 임선자라는 이름과 나란히 적힌 그 이름을 발견했다. 천근호? 나는 자리에서 일어났다. 책상 위에 놓여 있던 메모지를 찾아 그 위에 영문으로 그의 이름을 적어보았다. Cheon Geun-ho 아니면 Cheon Keun-ho. 나는 내가 적은 글자 속 K와 H에 동그라미를 그렸다. K.H.? 나는 책상 의자에 걸터앉은 채 문집에 실린 이름들을 다시 한번 쭉 훑었다. 두 권에 실린 글의 주인들 중 K.H.라는 이니셜에 부합하는 사람은 천근호밖에 없었다. K.H.는 근호의 이니셜이었나? 그렇다면 나는 왜 그토록 오랫동안 K.H.가 '기호'의 약자일 거라고 믿어버렸던 걸까? 레나의 메일에는 내가 "거의 확실하다고"까지 말했다고 적혀 있었다. "이름을 유추할 수 있는 별명을 선자 이모가 알려줬다고 했던 것도 같아. 그 별명 때문에 수업시간에 자꾸 불려 나갔다고 했던가." 그 순간, 까맣게 잊고 있던 기억이 섬광처럼 머릿속을 스쳤다. 세부사항을 기억하지 못했던 여름 축제 전날, 선자 이모가 나에게 말하는 장면이었다. 선자 이모는 나의 앞에 앉아 식탁 위에 놓여 있던 주간지로 부채질을 하고 있다. 여전히 이모의 집이고, 우리 둘뿐이다.

"에피소드로 쓸 만한 걸 알려달라는 거지? 내가 좋아했던 사람이 기억을 잃었다면 어떻게 그 사람에게 자신의 이름을 떠올리게 해줄 건지. 글쎄다…… 뭐가 좋을까?"

선자 이모는 잠시 고민을 하더니 살짝 웃으면서 말한다.

"이런 건 어떨까? 이름과 관련된 그 사람 별명이나 추억 같은 걸 알려주는 거야. 당신은 이름 때문에 이런 별명으로 놀림을 받곤 했어요, 이렇게."

"별명이요? 예를 들면 어떤 거요?"

나는 묻는다. 그리고 선자 이모의 눈치를 한번 보고는 조금 더 용기를 낸다.

"이모가 좋아했던 사람도 별명이 있었어요?"

"음…… 그러니까, 예를 들면 이런 걸 변형해서 써볼 수도 있겠지."

선자 이모는 말한다. 평소와 다르게 조금 들뜬 듯한 얼굴은 소녀처럼 보인다.

"이모가 예전에 좋아했던 사람은 이름 때문에 수학 시간이 너무 싫었다고 했거든? 이름이 수학 시간에 쓰는 용어랑 똑같아서 수학 시간마다 선생님이 나와서 문제를 풀어보라고 했대. 소설 속 주인공 이름도 그런 식으로 만들어볼 수 있지 않을까? 김도형이라든가, 이상수라든가?"

선자 이모와 헤어지고 집으로 돌아온 나는 침대 위에 엎드린 채 선자 이모가 남긴 힌트를 바탕으로 K.H.의 이름을 유추하며 저녁나절을 보낸다. 엄마가 밥 먹으러 나오라고 부엌에서 소리를 지를 때까지. 두 글자로 된 수학 용어와 발음이 같고 K.H.라는 이니셜에 부합할 만한 이름이 뭐가 있지? 두 가지 조건에 맞는 수학 용어들 중 그날 저녁 내 머릿속에 떠오른 건 '괄호'와 '기호'밖에 없다.

세상에 '괄호'라는 이름을 가진 사람이 어디 있어? 나는 벌떡 일어나 노트에서 이름들을 쭉 적어둔 페이지를 찾아 펼친 후 기호라는 이름에 동그라미를 세 번 친다. 그러고도 흥분이 가시지 않아 별을 두 개 더 그리고 날아오르듯 침대 위로 다시 몸을 던진다. 그 당시 내가 '근호'를 떠올리지 못한 이유는 하나밖에 없다. 그때는 아직 '근호'라는 수학 용어를 배우지 못했던 것이다. 내가 '근호'라는 한국어 단어를 배우게 되는 것은 귀국한 이후이니까. 하지만 그것을 배울 때 나는 이미 선자 이모와 나누었던 대화를 까맣게 잊고 있었을 것이다.

K.H.의 이름이 '기호'가 아니라 '천근호'일 거라 짐작하게 된 이후부터는 모든 것이 수월했다. 처음엔 이영오나 최장로에게 천근호의 연락처를 아느냐고 물어볼까 하는 생각도 했지만 그들이 선자 이모와 함께 교회에 다니던 사람들과 대부분 교류가 끊겼다고 말했던 게 곧바로 기억났다. 오지랖이 넓은 게 단점이자 장점이라던 최장로는 나의 연락을 귀찮아하지 않을지도 몰랐지만 이미 내게 호의를 베푼 사람들을 또다시 번거롭게 하는 건 썩 내키지 않았다. 일단 혼자 힘으로 알아보려고 K.H.가 다녔을 거라 추정되는 고등학교와 대학들의 동문회에 다시 전화를 돌렸을 때, 전화를 받은 동문회 직원들은 대부분 나를 기억하고 있었다. 나는 이번에는 천근호라는 이름의 동문이 있는지 확인해달라고 부탁했다.

"이름이 바뀌었네요?"

"네, 착오가 있었어요."

천근호라는 이름이 내가 연락을 돌린 다섯 개의 대학 중 한 군데의 독문과 74학번 동문 리스트에 존재한다는 사실을 마침내 확인했을 때 나는 얼마나 기뻤던가. K.H.가 유령이 아니라 실체를 가진 사람이란 걸 마침내 확인하긴 했지만 연락이 닿는 데까지는 시간이 조금 더 걸렸다. 74학번은 물론 혹시 몰라 73, 75학번까지 영문, 불문, 독문과 졸업생 목록을 뒤져가며 천근호를 찾는 데 적극적으로 도움을 준 직원은 막상 내가 연락처를 알려달라고 했을 때 단호한 말투로 그건 불가능하다고 말했다.

"개인정보지 않습니까? 아무에게나 넘길 수는 없죠."

갑작스러운 태도 변화에 당혹스러웠지만 아무리 생각해봐도 내가 '아무나'가 아니라고 주장할 근거는 없었다. 게다가 나는 성가신 부탁을 하는 입장이었다.

"그러면 천근호씨에게 제 연락처를 대신 전해주실 수는 있을까요?"

나는 전화번호를 가르쳐준 후 혹시 모른다는 생각에 이메일 주소도 남겼다.

"독일로 간호조무사가 되어 떠난 임선자씨를 대신해 전달해야 하는 물건이 있다고 전해주시길 꼭 부탁드립니다."

연락처를 남긴 지 열흘쯤 되던 날 저녁, 재활용품을 버리고 집으로 들어가려는데 전화벨이 울렸다. 낯선 번호로 전화가 걸려올 때마다 긴장하며 받았지만 매번 설문조사나 광고를 목적으로 하는 전화일 뿐이어서 이번에는 별 기대가 없었다.

"임선자씨 지인이 찾으신다고 해서 전화를 드렸습니다."

나는 놀라 찬 바람이 부는 분리수거장에 우뚝 섰다.

"네, 천근호씨를 찾고 있습니다."

"제가 천근호입니다만."

수화기 너머 상대가 말했다.

"천근호씨, 본인……이신가요?"

"그렇습니다."

나는 뒤죽박죽 뒤섞인 퍼즐 상자를 연 듯한 혼란스러운 기분을 느꼈다. 종착점이라고 생각한 지점에서 새로운 문이 열리고 있었다.

선자 이모의 첫사랑의 흔적을 찾아 파독간호사 이모들의 집을 방문하던 그 시기에 한수와 나는 K.H.가 어떤 사람일지 자주 상상해보곤 했다. 한수는 엄마의 첫사랑 상대로 언제나 마르고 조용한 남자를 떠올렸다. 읽던 책장을 덮고 창밖을 바라보며 우수에 젖는 어떤 남자를. 그런 남자에 대한 한수의 묘사를 들으면 나는 자연스럽게 그 옆에 앉아 있는 수줍은 선자 이모의 모습을 상상할 수 있었다. 둘이 깍지 껴 손을 잡고 어른들의 눈을 피해 걷거나 짧은 입맞춤을 나누는 모습은 언제나 우리 중 누구도 가본 적 없던 한국의 항구도시를 배경으로 내 머릿속에 그려졌다. 하지만 나는 한수와 달리 K.H.의 구체적인 모습은 그려볼 수 없었다. 그것이 늘 이상했는데 K.H.에 대한 단서는 내가 한수보다 훨씬 더 많이 알고 있었기 때문이었다. 마침내 천근호와 조우했을 때, 나는 내가 번번이 K.H.를 구체적으로 상상하는 데 실패한 이유를 알 수 있었다. 선자 이모가 일기에서조차 애써 감추어놓았던 것이 무엇이었는지를.

초인종을 누르자 중년의 가사 도우미가 나를 거실로 안내했다. 천근호는 화분이 가득한 거실의 소파에 앉아 있었다.

"멀리까지 오느라 고생했어요. 내가 다리가 이래서."

천근호가 치맛자락을 들어 깁스한 다리를 보여주었다. 퇴행성 관절염 때문에 발목 수술을 하고 입원해 있느라 연락이 늦어졌다고 천근호는 지난 전화 통화에서 내게 설명한 바 있었다. 천근호 옆에 놓인 작은 테이블에는 자사호 세트와 쿠키 몇 조각이 놓여 있었다. 나는 천근호가 손짓하는 대로 대각선에 놓인 소파에 걸터앉았다.

"무이암차예요."

천근호가 차를 따라 건네며 말했다. 실내용 원피스를 입고 있는 천근호는 염색할 시기를 놓쳤는지 귀밑까지 오는 단발머리의 뿌리 부분이 하얬고, 목소리가 듣기 좋게 낮았다. 선이 단정하면서도 지적인 느낌을 주는 얼굴이었는데, 나는 내가 단 한 번도 상상해본 적 없는 모습을 한 K.H.에게서 눈을 뗄 수가 없었다. 지난 통화에서 천근호는 본인이 맞는지 확인하는 나에게 왜 자꾸 묻느냐고 되물었다. "남성분일 거라고 생각했어요." 내가 혼란스러운 마음을 진정하지 못한 채 말했을 때 천근호는 이름 때문에 그런 오해를 많이 받는다며 낮게 웃었다. 천근호가 사는 집은 사십 평이 넘어 보이는 크기의 아파트였고, 꽤 넓은 거실에는 오래된 짙은 밤색의 원목 가구들이 놓여 있었다. 피아노 위에는 코바늘로 뜬 직물이 덮여 있고 가족사진이 담긴 액자가 서로 다른 크기로 세 개 놓여 있었다. 그런데도 나는 이 집에서 천근호가 혼자 살고 있는 듯한 느낌을 받았는데, 집안이 유난히 적막하기 때문인지 집안의 모든 사물들이 흐트러짐 없이 놓여 있는 탓인지는 알 수 없었다. 서로 소개를 위해 간단한 대화를 주고받는 동안 성별 빼고는 천근호에 대해 내가 유추한 것들이 대부분 맞았다는 걸 확인할 수 있었다. 그녀는 고등학생 시절 신춘문예에 몇 번 응모해본 적 있는 문학청년이었고, 명문 사립대에서 독문학을 전공했으며, 재학 시절 부모의 성화에 못 이겨 결혼을 하면서 포기하긴 했지만 유학을 계획한 적이 있었다. 결혼한 이후엔 직장을 갖지 않은 채 줄곧 가정주부로 살았고, 아들들이 출가하고 남편과 사별한 지금은 취미로 백화점 문화센터에서 하는 글쓰기 수업을 찾아다니고 있다고 했다.

어떻게 이야기를 시작해야 할지 고민한 것이 무색하게, 대화는
자연스럽게 선자 이모에 대한 쪽으로 흘렀다.

"그렇군요. 선자가 결혼을 해 아이를 낳았었군요."

천근호의 얼굴에 아주 잠시 슬픔인지 회한인지 알 수 없는 기색
이 비쳤다가 사라졌다.

"처음 동문회에서 연락을 받고 놀랐어요. 임선자라는 이름을 다
시 듣게 될 줄은 몰랐거든요. 무척 그리운 이름이네요. 선자가 어
떻게 세상을 떠났나요?"

"뇌종양이셨어요."

천근호는 애통하다는 듯이 눈을 질끈 감았다.

"얼마나 됐나요?"

"꽤 오래됐어요. 1999년에 돌아가셨거든요."

내 말에 그녀는 놀란 듯 눈을 다시 뜨고 나를 쳐다봤다. 불과 며
칠 전 선자 이모의 유품을 전해주겠다는 낯선 이의 연락을 받은
그녀로서는 선자 이모가 그리 오래지 않은 과거에 세상을 떠났다
고 이해하는 게 자연스러운 일이었을 것이다. 그녀는 왜 이제야
자신을 찾았는지 궁금하다는 얼굴로 나를 물끄러미 쳐다보았다.

"사과드려야 할 게 있어요."

마침내 내가 말했다.

"오래전, 선자 이모가 돌아가시기 직전에 제가 천근호 선생님인
척하고 편지를 쓴 일이 있습니다."

나는 그렇게 된 경위를 상세히 설명했다. 천근호의 이름을 도용해 거짓 편지를 쓰고 모두와 연락을 끊었다는 이야기에 가까워질수록 참담해지려는 마음을 애써 밀어내며 과장이나 은폐 없이 최대한 사실대로 말하기 위해 단어를 골랐다. '첫사랑'이라는 단어는 망설인 끝에 사용하지 못하고 대신 '많이 그리워한 사람'이라는 표현을 썼는데, 천근호를 향한 선자 이모의 마음은 내가 알고 있었지만 그것이 상호적인 감정이었는지, 그렇지 않았다면 적어도 그것을 천근호가 인지하고 있었는지 확신할 수 없었기 때문이었다. 어느 쪽이든 천근호가 선자 이모의 첫사랑이라는 걸 내가 알고 있다는 사실을 그녀가 어떻게 받아들일지 알 수 없었고, 혹여나 나의 방문이 그녀에게 상처가 되지는 않을까 조심스러웠다.

천근호는 차를 한 모금도 마시지 않고 이야기를 들었다. 선자 이모가 세상을 떠난 후 그 아들로부터 일기장과 편지를 대신 전해 달라고 부탁받았다는 이야기까지 듣고 나서 그녀는 참았던 숨을 내쉬듯 크게 심호흡을 했다. 갑자기 쏟아진 너무 많은 정보를 소화하기가 어려운 듯 혼란스러워하는 표정이었다.

"이것이 편지와 일기장이에요."

처음 마주했을 때에 비해 십 년은 늙어버린 듯한 그녀는 말없이 내가 건네는 것들을 받아들었다.

"아, 정말 선자의 글씨체네요."

천근호가 아주 귀한 것을 만지듯 글씨가 적힌 편지봉투의 겉면을 손바닥으로 쓸어내렸다. 나는 깊은 생각에 빠져 있는 듯한 천근호를 바라보다가 자리에서 일어났다. 천근호에게 고맙다고 인사를 한 후 아파트의 긴 복도를 천천히 통과해 밖으로 나왔다. 당장이라도 비가 쏟아질 듯 날이 흐렸고, 아파트 입구의 화단에는 목장갑 한 켤레와 경축이라고 붓글씨로 쓴 분홍색 리본이 버려져 있었다.

천근호와 헤어져 집으로 들어서자마자 갑자기 피로가 몰려왔다. 나는 옷을 갈아입지도 않은 채 쓰러지듯 침대에 누웠다. 잠에서 깼을 땐 사방이 어둑어둑했다. 침대에 누워 가만히 천장을 보는데 내게 더이상 할일이 남아 있지 않구나, 하는 생각이 들었다. 마침내 해냈다는 안도감과 함께 허탈감이 밀려왔다. K.H.를 만나 선자 이모의 일기장과 편지를 전해주고 나면 속죄가 완성되고 내 삶이 송두리째 바뀔지도 모른다는 기대를 했지만 그런 일은 물론 일어나지 않았다. 어둠 위로, 일기에서 본 것인지 내가 상상하는 것인지 알 수 없고 확인할 길 역시 더이상 없는 어떤 장면 속에서 선자 이모가 천근호의 모습을 닮은 어린 소녀와 아카시아가 핀 둑길을 걷는 모습이 그려졌다. 옷깃을 빳빳하게 다린 교복을 입고 양갈래 머리를 한 천근호를 황홀하게 바라보는 선자 이모. 이제껏 걸어온 여정의 종착지가 여기였다니. 우리는 한 사람에 대해 얼마나 알 수 있을까?

어둠 속에서 빗방울이 창문을 두드리는 소리가 어렴풋이 들려왔다. 가을비치고는 꽤 거센 비가 내리는지 빗소리가 점점 빠르고 선명하게 들렸다. 일어나서 옷도 갈아입고 뭔가를 먹어야 할 텐데, 하고 생각했지만 움직이고 싶은 마음이 들지 않았다. 빗줄기가 조금 잦아들었을 때야 나는 내가 왜 이렇게 무기력하고 참담한 기분을 느끼는지 알 수 있었다. 천근호가 여자라는 것을 안 순간부터 애써 외면하려 했지만, 선자 이모는 K.H.로부터 전송되었다는 편지가 내가 쓴 거짓 편지라는 사실을 알 수밖에 없었다. 나는 용의주도하게도 그 거짓 편지에 '기호'라는 이름을 단 한 번도 언급하지 않았지만 '아내'라는 단어는 썼으니까. "너를 보러 가고 싶어 아내한테 댈 핑계도 생각해놨어. 그런데 휴가 날짜를 갑자기 받는 것만은 내 의지로 어떻게 할 수가 없구나." 선자 이모가 모든 진실을 알았을 거라고 생각하면 어둠 속에 버려진 듯한 기분이 되었다. 선자 이모는 모든 걸 다 알고 있었으면서 왜 내게 K.H.에게 편지를 전하라고 한 것일까? 이모 나름의 방식으로 거짓말쟁이에게 주는 벌이었을까?

내가 천근호로부터 메일을 한 통 받은 건 그로부터 한 달가량이 지났을 때였다. 산책을 하고 집에 돌아와 맥주를 마시며 메일함을 열어보았는데 낯선 주소로 이런 메일 한 통이 도착해 있었다.

해미씨,

　해미씨를 만나고 선자의 편지와 일기들을 읽으며 여러 날
을 보냈습니다. 해미씨가 한 달 전 앉아 있던 거실에서요. 그
거실은 저녁이 되면 석양이 내려앉습니다. 저는 아침에 일어
나서부터 해가 질 때까지 창가에 앉아 일기를 읽고 또 읽었어
요. 그리고 어느 날 빛이 사위어 어둑어둑해진 거실에 앉아 있
다가 당신에게 편지를 써야겠다는 결심을 했습니다. 그러고도
이 글을 시작할 때까지 몇 번이나 창을 열었다 닫기를 반복했
지만요. 사실 이 글을 완성할 수 있을지, 전송 버튼을 누를 수
있을지 나는 아직 모릅니다. 내가 낸 용기가 쓰는 동안 사라지
지 않아 이 편지가 부디 당신에게 전해지기를 바라며 글을 시
작해보고 있을 뿐이에요.

　우선 선자의 일기와 편지를 잊지 않고 내게 전해주어 고맙
습니다. 당신이 나를 찾아온 날엔 모든 것이 너무 당혹스러워
인사도 제대로 하지 못했어요. 그렇게 오랫동안 당신이 선자
와의 약속을 잊지 않고 지켜준 덕분에 선자가 독일에서 살아
왔던 시절, 특히 연락이 끊기고 난 이후 선자가 살아낸 삶을
내가 엿볼 수 있었습니다.

　같은 동네에 살았던 선자와는 중학교 문예부에서 처음 만
났지요. 우리는 만나자마자 급속도로 가까워졌습니다. 봄날의

나른한 고양이 같던 선자. 그 어린 나이에도 선자는 말이 거의 없어 겉으론 고요해 보였지만 알고 보면 늘 호기심으로 빛났고, 손을 뻗어 잡으려 하면 사라져버릴 준비를 하는 사람 같아 눈을 뗄 수가 없었어요. 선자가 고등학교에 진학하지 못했지만 우리는 중학교를 졸업한 이후에도 만나 책을 같이 읽거나 이야기를 나누곤 했지요. 고등학교에서도 문예부에 든 제가 책을 소개해주는 일이 더 많았지만 책을 더 빨리, 많이 읽던 건 선자였어요. 루이제 린저도 그 시절 같이 읽었습니다. 그리고 독일에 가는 걸 꿈꾸게 되었죠.

아주 유복한 건 아니었지만 선자네보다 상황이 나았던 나는 대학 진학이 불가능한 상황은 아니었기 때문에 독일에 유학 가는 꿈을 품어볼 수 있었어요. 그러나 고등학교 진학도 어려웠던 선자에게는 아주 막연한 꿈이었지요. 파독간호조무사 모집 공고를 보기 전까지는요. 처음엔 독일에서 삼 년간만 살아볼 요량으로 떠났던 선자는 그곳에 계속 남고 싶다고 했지요. 그리고 선자는 내가 독일에 가게 되면 그곳에서 함께 살자고 말했습니다. 독일은 한국에서 아주 먼 곳이고, 우리를 아무도 모르는 곳에서는 우리가 원하는 삶을 살 수 있을 거라고 생각했어요. 하지만 아시다시피 그 약속은 지켜지지 않았습니다. 부모님의 뜻을 거스를 만큼 용기가 없었던 제 탓이지요. 게다가 독실한 기독교 가정에서 모태 신앙을 갖고 자란 저는 세월이 흐를수록 저 자신을 있는 그대로 받아들이기가 힘들었어요. 저는 제 안에서 일어나는 감정의 동요나 통제할 수 없는 끌림이 건실한 남자를 만나 가정을 이루고 살면 한때의 바람처럼 지나갈 거라고 믿고 싶었지요. 선자와의 약속을 저버린 채 가정을 이루고 아이들을 키우면서 저는 나쁘지 않은 삶을 살았습니다. 대기업 임원까지 지낸 남편과 미국의 명문대로 유학 간 아이들. 남들은 저의 삶을 부러워했고, 저 역시 커다란 굴곡이나 파고 없이, 미간을 잠깐 찌푸렸다 펴면 될 정도의 근심만 있는 내 삶에 어느 정도 만족하며 산다고 생각했어요. 하지만 이번에 선자의 일기를 읽고 내가 살아오는 내내 마음 한편에 선자에 대한 그리움과 미안함, 나 자신을 기만하며 사는 듯한 괴로움을 지니고 있었다는 걸 깨달았습니다. 재로 덮어버려 진즉 꺼뜨린 줄 알았던 불씨가 아직도 타고 있다는 사실에 회한이 밀려와 아주 오랜만에 눈물이 났습니다. 평생 그 누구에게도 말할 수 없는 감정이었지만요.

선자에 대해 품었던 마음을 태어나 처음으로 다른 사람에게 털어놓는 글을 쓰는 지금 저는 무척 떨리고 두렵습니다. 하지만 선자의 일기를 읽어나가며, 행간에 숨겨진 진실들을 짜맞춰 나를 찾아왔다는 당신에겐 나와 선자 사이에 존재했던 것을 감추려 해봤자 아무런 의미가 없다는 걸 알았습니다. 그래서 용기를 내어 이 글을 쓰고 있는 것이지요.

선자의 일기들과 편지는 누구의 눈에도 띄지 않게 잘 보관
하려 합니다. 그리고 내가 죽을 때 아이들에게 함께 태워달라
고 말할 거예요. 선자가 이런 식으로라도 나에게 전했던 마음
들을 나는 이제라도 소중히 간직하고 싶거든요. 하지만 생전
에 아이들에게 선자와의 관계를 들키고 싶지는 않아요. 아이
들은 이해할 수 없을 거고, 상처를 받을지도 모르니까요. 선자
가 소중한 만큼, 아니 그 이상으로 제게는 제 아이들이 소중하
다는 걸 선자도 이해할 수 있겠지요. 그러니 해미씨, 당신에게
연락하는 것도 이것이 처음이자 마지막입니다. 당신도 더는
나를 절대 찾지 말아주세요. 그렇지만 당신에게 이렇게 메일
을 쓰는 것은 다시는 찾지 말아달라는 말을 하기 위해서만은
아닙니다. 긴긴 시간 동안 나를 찾아 헤매주어 고맙다는 말을
하기 위해서만도 아니에요.

해미씨, 당신은 나에게 선자가 마지막으로 쓴 편지를 전해
주었죠? 테이프가 봉해진 상태를 봤을 때 당신은 선자가 쓴 편
지를 읽지 않은 것 같아요. 아마도 착하고 마음 여린 아이였던
당신은 거짓말로 편지를 썼다는 죄책감 때문에 미안해서 몰
래 편지를 훔쳐 읽을 생각도 하지 않았던 거겠죠. 저는 선자가
쓴 편지를 당신에게도 전해주고 싶어 이 메일을 쓰고 있습니
다. 편지를 읽어봤는데, 선자의 마지막 편지는 나에게 쓴 것이
지만 동시에 어렸던 당신에게 쓴 것처럼 읽히기도 했기 때문

이에요. 그러니 부디 내가 스캔해서 보내는 이 편지를 읽기 바랍니다. 그리고 오랫동안 품고 있었던 죄책감을 씻어버리기를 바라요.

다시 한번, 영영 만날 수 없을 줄 알았던 선자를 내게 데려다줘서 고맙다는 말을 전합니다. 앞으로 당신이 살아갈 모든 날들에 축복이 있기를 기원하며.

11월의 어느 밤, K.H.

에필로그

비행기가 활주로를 따라 움직이기 시작한다. 이윽고 중력을 거스르며 비행기가 서서히 떠오르는 것이 느껴진다. 덧창을 열어둔 타원형 창문으로 도시가 조금씩 멀어지는 것이 보인다. 거대하게 느껴지던 것들도 하늘 높은 곳에서 보면 형체를 확인할 수 없을 만큼 작은 점이 되었다가 사라지겠지.

오랫동안 나는 비행기를 타면 슬퍼지곤 했다. 그때마다 나의 첫 비행 경험이 언니를 잃은 후 가족이 흩어져 독일로 갔던 것이었기 때문은 아닐까 생각했었다. 그런데 지금 제주도로 가는 비행기 안에서 나는 엄마와 해나, 그리고 내가 독일로 떠나던 그날의 기억이 아니라 전혀 다른 장면을 떠올리고 있다. 그건 난생처음 비행기를 타고 독일로 향하는 파독간호사들로 가득한 객실 안의 풍경이다. 어찌해야 좋을지 몰라 망설이다가 결국엔 신발을 벗어 들고 기내에 탑승하던 여성들. 수하물마다 풍기던 고추장 냄새, 김치 냄새, 깻잎장아찌 냄새. 긴장한 기색이 역력한 그들은 제각각 저마다의 사연을 품고 있었을 것이다. 그리고 그 비행기 안에는 나의 이모들도 있었을 것이다. 돈을 벌기 위해 아이들과 남편을 한국에 두고 홀로 비행기에 오를 수밖에 없었던 누군가가 혼자 조용히 흐느끼는 소리를 들으며 울적해지다가도 차창 밖 드넓은 목화밭처럼 펼쳐져 있는 구름 벌판을 보며 자신들이 선택한 인생이 앞으로 어떤 모습으로 펼쳐질지 황홀하게 그려보던 오행자와 최말숙, 그리고 임선자.

나는 천근호의 메일을 받은 이후 선자 이모가 입원해 있던 병실 풍경을 몇 번이고 상상해보았다. 상상 속에서 선자 이모와 한수는 사방이 눈부실 정도로 새하얀 공간에 있었다. 유리창을 통해 들어온 햇살에 부드럽게 감싸인 병실. 한수는 간이침대에 엎드려 숙제를 하고 있고―독일 병실에도 간병인용 간이침대가 있던가? 아마 아니었을 것 같지만―식기들이 부딪히는 소리, 간호사들이 환자에게 주의를 주는 소리, 살짝 열어놓은 창문 틈으로 들려오는 새들의 지저귐 같은 것들이 공간에 가득했다. 그리고 이모는 햇살이 잘 드는 창가에 앉아 천근호에게 편지를 썼다. 이십 년의 세월이 흐른 후에야 천근호와 내가 읽게 될 바로 그 편지. 이미 여러 번 읽어서 눈앞에 없어도 내용을 떠올릴 수 있는 그 편지에서 선자 이모는 흔들리는 필체로 내가 쓴 가짜 편지를 받은 날을 묘사하고 있었다.

한수가 내 첫사랑의 편지가 도착했다며 네 이니셜이 봉투에 쓰인 편지를 가져왔을 때 얼마나 놀랐던지. 있을 수 없는 일이라고 생각했으면서도 가슴이 뛰었단다. 네 편지를 전해준 것은 아이들이야. 사랑스러운 나의 아들 한수와 그 친구들이지. 네 이니셜이 적힌 편지를 몇 번이나 읽었다. 네 입을 통해선 한 번도 들어본 적 없는 사랑의 말이 가득한 편지였어. 너의 말로, 보다 분명하고 선언적인 말로 듣는 날이 오기를 간절히 바랐던 열렬한 고백들이 거기에 적혀 있었지. 우리는 단 한 번도 세상의 많은 이들처럼 뜨거운 고백을 주고받지 못했잖아. 네게 듣고 싶은 말이 있어도 묻질 못했고, 내가 하고 싶은 말이 있어도 다른 말로 대신해야 했어. 널 향해 꺼지지 않는 숯처럼 타오르는 마음이 너를 상하게 할까봐, 너를 세계에서 고립시키고, 외롭게 만들고, 이해받지 못하는 사람으로 만들까봐. 너의 손에 깍지를 낀 채 걷고, 너의 긴 속눈썹에 입술을 갖다대보고, 네 향긋한 품에 내 얼굴을 묻고 잠드는 상상을 수도 없이 했으면서도, 나는 네 마음을 그저 짐작하고 내 마음을 조심스레 암시하면서 두려워만 하다가 너를 잃었다. 이제야 하는 말이지만 네가 결혼을 한다고 했을 때는 죽고 싶었어. 정말 죽으려고도 했지. 하지만 죽지는 못했다. 그래서 너처럼 가정을 이뤄보려 한 거야. 그러면 평온해질 수 있지 않을까 기대하면서. 하지만 평온해지지 않았지. 아이들의 아빠에게는 미안한 마음이 커. 우리가 결국 헤어진 것은 어쩌면 내가 더이상 나를 기만하며 살고 싶지 않아졌기 때문인지도 모르니까. 그래도 그를 만나 내게 귀하디귀한 아이들이 생겼으니 후회는 없단다.

아이들의 이름은 한미와 한수야. 내 옆에서 숙제를 하겠다던 한수는 지금 의자에 앉아 졸면서 잠꼬대를 하고 있다. 집에 가서 쉬라고 해도 면회 시간 내내 병실에 계속 붙어 있어. 누나인 한미는 애써 씩씩한 척하지만 한수는 불안을 잘 감추지 못하지. 불안을 능숙하게 감추는 아이도, 감추지 못하는 아이도, 두고 갈 생각을 하면 서로 다른 이유로 가슴이 뜯기는 것처럼 아파온다. 사람들에겐 누구나 기댈 곳이 필요하잖니. 어른이 되어도 그런데, 나의 아이들은 아직 너무나도 어리구나.

건강 상태 탓에 한 번에 이어 쓰기가 어려웠는지, 한수와 한미 언니에 대한 걱정과 미안함, 친자매처럼 아이들을 대신 돌봐주고 행정 처리를 도와주는 다른 이모들에 대한 고마움이 길게 이어지던 편지는 잠시 중단되었다. 선자 이모는 이틀 후에 다시 펜을 들었는데, 앞 페이지보다 조금 더 알아보기 힘든 필체로 병실에 앉아 꼼짝 않고 있으면 옛 기억들이 생생히 떠오른다고 적었다.

오늘 아침엔 수년 전 이혼 서류에 도장을 찍은 직후, 아이들을 친한 간호원 언니에게 맡겨놓고 독일에서 가장 높은 알프스산 봉우리인 추크슈피체에 홀로 찾아갔던 날의 일이 떠올랐어. 오래전 전혜린의 책에서 읽은 후 언젠가는 한번 가봐야지 하고 생각했었거든. 5월이었고, 호수는 에메랄드빛으로 잔잔하고 주위를 둘러싼 자작나무와 전나무들이 연초록빛 반짝이는 잎사귀를 흔들었지. 그런데 산악열차를 타고 산꼭대기에 오르자 모든 것이 바뀌고 설국의 풍경이 펼쳐졌어.

선자 이모는 그렇게 썼다. 모든 것을 압도하는 추위와 흰빛의 장엄함에 눈물이 날 것만 같았다고.

흰 눈에 뒤덮인 전나무들과 끝도 없이 펼쳐진 산맥들은 정말 장관이었단다. 이 산맥들이 이탈리아와 프랑스, 스위스, 오스트리아, 그리고 슬로베니아까지 연결되어 있다는 걸 내게 알려준 건 독일에 와 처음 만났던 어학 선생님이었어.

그날 밤엔 별들이 놀랍도록 가까운 곳까지 쏟아졌단다, 라고 선자 이모는 썼다.

　나는 추위를 이기기 위해 뜨겁게 데운 맥주를 마시며 파도처럼 넘실대는 눈 덮인 산맥들과 밤하늘의 별들을 바라보았어. 아주 오랫동안 좋은 것, 아름다운 것을 보면 네가 떠오르곤 했단다. 하지만 그날 밤엔 그러지 않았지. 너의 웃는 얼굴, 진지한 표정, 깊은 눈매 그 어느 것도 떠오르지 않았어. 아득해질 정도로 아름답고 광활한 풍경을 망연히 바라보고 있는데 이상하게도 이 거대한 세계에 완전히 홀로 버려진 듯한 느낌이 들었다. 내가 너무 멀리, 외딴 곳으로 떠내려온 것만 같은 느낌. 가족들과 떨어져 있는 외로움이나 두 아이를 홀로 키워야 한다는 경제적 부담감 같은 건 그래도 견딜 수 있었어. 하지만 내가 원했던 삶에서 멀어져 실패하고 있다는 생각은 나를 이 넓디넓은 우주에 버려진 고아처럼 느끼게 했다.

　그런데 오늘 아침에 침대에 누운 채 추크슈피체의 별이 쏟아지던 풍경을 떠올리는데 갑자기 네가 과학 시간에 배웠다며 오래전 들려주었던 이야기가 생각이 나더라. 개개의 인간들의 몸을 구성하는 아주, 아주 작은 요소인 원자는 멀고도 먼 옛날 폭발한 어느 별에서 왔다는 말. 기억나니? 이런 기억들은 대체 어디에 있다 튀어나오는 걸까? 지난 수십 년 동안 새까맣게 잊고 살았는데. 아무튼 오늘 아침엔 그 말을 곱씹어보다가 이런 깨달음을 얻게 되었단다. 우리는 모두 그 자체만으로도 태초의 별만큼이나 아름다운 존재들일지도 모른다는 깨달음 말이야.

어린 시절 나는 늘 『생의 한가운데』 속 주인공인 니나를 동경했지. 소심하고 주저하는 성격 때문에 니나처럼 삶을 살아내기 위해 기꺼이 위험을 감수하지 못하는 스스로를 탓하기도 했단다. 내가 조금 더 용감했다면, 관습으로부터 더 자유로웠다면, 더 근사한 인생을 살 수 있지 않았을까 싶어서. 하지만 나는 이제 그렇게 생각하지 않아. 아마도 누군가의 눈에 나는 극동의 가난한 분단국가에서 외화벌이를 위해 팔려온 노동력일 뿐일 거야. 다른 누군가에겐 가난한 집에서 태어난 막내딸이거나 이혼녀, 뇌종양으로 단명한 비극의 주인공일 뿐일지도 모르고. 하지만 나는 내 마음의 소리에 귀를 기울이며 뚜벅뚜벅 걸어 이탈리아와 프랑스로, 스위스와 오스트리아로, 슬로베니아로 이어지는 광대한 산맥의 높은 봉우리에 올라서기도 했단다. 물론 나는 사랑하는 사람과 행복한 가정을 이루지 못했고, 늘 동경했던 시인이 되지도 못했고, 뼈아픈 시행착오를 수도 없이 겪었어. 하지만 내 삶을 돌아보며 더이상 후회하지 않아. 나는 내 마음이 이끄는 길을 따랐으니까. 그 외롭고 고통스러운 길을 포기하지 않았다는 자긍심이 있는 한 내가 겪은 무수한 실패와 좌절마저도 온전한 나의 것이니까. 그렇게 사는 한 우리는 누구나 거룩하고 눈부신 별이라는 걸 나는 이제 알고 있으니까.

또다시 상태가 안 좋아진 탓인지 한동안 중단되었던 편지, 놀랍게도 끝내 단 한 번도 K.H.의 진짜 이름을 적지 않은 그 편지는 그로부터 나흘 후 훨씬 더 알아보기 힘든 필체로 이렇게 마무리되었다.

이제는 편지를 계속 쓰기가 어려울 것 같아. 한수는 내가 네게 답장을 쓴다는 사실에 지난 며칠 무척 행복해했어. 나 때문에 많이도 운 한수에게 웃음을 줄 수 있다는 사실이 기뻐 생각보다 긴 편지를 쓰게 되었다. 처음엔 한수를 위하는 마음으로 쓰기 시작했는데 쓰는 동안 나 역시 기적을 꿈꾸며 행복했단다. 아주 작은 가능성이라도 있으면 사람은 희망을 보지. 그리고 희망이 있는 자리엔 뜻밖의 기적들이 일어나기도 하잖니. 그래서 나는 유리병에 담아 대서양에 띄우는 마음으로 이 편지를 네게 보낸다. 나를 위해 너의 편지를 전해준 아이들의 마음이 나를 며칠 더 살 수 있게 했듯이, 다정한 마음이 몇 번이고 우리를 구원할 테니까.

제주도행 항공권을 사기 전, 언니의 기일을 즈음해 나는 아주 오랜만에 부산에 가서 가족들과 며칠을 보냈다. 추석에도 찾아오지 않았다고 서운해하던 엄마 아빠는 못 본 사이에 많이 노쇠한 듯했지만 혈색이 좋아 보였다. 언니의 기일엔 아침 일찍 엄마 아빠를 따라 작두차를 보온병에 가득 담아서 장산에 올랐다. 산에서 내려와 집에 도착할 즈음엔 해나가 조카를 데리고 와서 다 같이 언니가 좋아하던 굴솥밥을 겨울 무를 잔뜩 넣고 지어 먹었다. 어느새 훌쩍 커버린 조카―이름은 아인이다―는 생명력 넘쳤다. 부드럽고 투명한 피부, 통통하고 앙증맞은 연분홍색의 손바닥과 발바닥. 아이는 끊임없이 말을 하고, 춤을 추고, 손짓을 했다. 엄마랑 이모랑 잠깐만 나갔다 올게, 하면 "빨리 와야 해"라고 의젓하게 말하고, "이모 여기 아파" 하면 다가와서 얼굴에 호― 입김을 불어줬다. 엄마가 동치미가 맛있게 익었다고 해서 조카가 낮잠 자는 사이 해나와 같이 동네 슈퍼로 고구마를 사러 나갔다. 슈퍼에 가는 길에 이제 겨우 두 돌이 된 아이가 이해할 수 있는 게 너무 많아 놀랍다고 하니, 해나는 내가 본 건 새 발의 피도 안 된다고 대답했다. 저렇게 조그만 생명체가 이해 못하는 게 하나도 없다고.

이제는 얼굴에 기미가 생긴 동생과 고구마를 구워 호호 불어 먹으면서 밀린 이야기들을 나누다가 나는, 해나가 나보다 훨씬 어려 언니에 대한 기억도 적을 것이기 때문에 나만큼 슬프지 않으리라 오랫동안 단정해왔다는 걸 인정하게 됐다. 그건 나의 착각이었다는 걸. 우리는 누구나 자신만의 방식으로 슬픔에서 회복하고 있었던 것인지도.

"미안해. 나는 오랫동안 나만 괴로운 줄 알았어."

한참 만에 용기를 내어 사과하자 해나는 웃으면서 "언니, 원래 사람들은 다 자기를 중심으로 생각하는 거야"라고 말했다. "그중 조금 더 성숙한 사람은 사과를 할 수 있는 거고."

잠에서 깼는지 방밖에서 조카가 다시 뛰어다니며 엄마 아빠의 혼을 빼놓는 소리가 들려왔다. 힘이 넘치는 아이 때문에 정신이 하나도 없다고 말하면서도, 엄마 아빠는 전에 없이 사이가 좋았고 많이 웃었다. 우리는 아주 많이 웃었다.

나는 아주 오랫동안 한수를 구원해주고 싶어 거짓말을 했다고 생각했다. 하지만 지금 생각해보면 내가 구원하고 싶었던 건 정말 한수였을까?

비행기가 곧 하강할 테니 자리로 돌아가 안전벨트를 매라는 기내 방송이 나온다. 화장실에 갔었는지 자기 좌석을 찾아 돌아가는 대여섯 살 정도 되어 보이는 남자아이가 아빠에게 건네는 질문이 들려온다.

"아빠, 제주도에 가면 뭐가 있어?"

"한라산도 있고, 돌하르방도 있고, 야자수도 있지."

"야자수?"

"응, 야자수."

대학교 1학년의 끄트머리, 우재와 내가 단둘이 제주도의 바닷가를 거닐던 그 겨울밤의 풍경에 대해서도 말하고 싶다. 끝없이 밀려오는 파도 소리만 들릴 뿐 고요했던 그 밤바다에도 해변을 따라 늘어선 야자수들이 있었다. 아마도 우재와 단둘이 있다는 사실에 달떴던 거겠지만 나는 평소보다 말을 많이 했고, 어떻게든 둘만의 시간을 조금 더 이어나가고 싶었다.

"제주도는 정말 한국 같지가 않아. 야자수가 이렇게 많다니. 동남아도 하와이도 아닌데 신기해."

그러자 우재가 말했다.

"근데 해미야, 재미있는 이야기 하나 해줄까? 원래 제주도에는 야자수가 한 그루도 없었다?"

"진짜?"

"그렇잖아. 생각해봐. 야자수는 아열대 지방에서 자라는 식물인데, 제주도가 조금 덥기는 하지만 아열대기후는 아니잖아."

"그러면?"

"나도 어른들에게 들은 이야기인데 예전엔 왕벚나무 편백나무 같은 것들이 길거리에 많았대. 그런데 70, 80년대에 제주도를 관광지로 개발하는 사업이 시작되면서 아름다운 남국의 경관을 연출하기 위해 야자수들을 정책적으로 수입해 심었다더라. 그래서 진짜인지 모르겠지만 여기 야자수들은 열매를 맺지 못한대."

그 이야기에 오래전 독일에서 살던 시절의 우리 가족이, 무엇보다 나의 이모들이 떠올라버린 건 왜였을까? 황량한 바닷가에 묵묵히 서 있는 야자수들을 보면서, 이국적인 풍경을 위해 뿌리째 뽑아 기후와 토양도 맞지 않는 곳에 심었다니 너무하네, 정말 너무해, 슬프고 사나워졌던 그 밤의 마음은 지금도 선명히 생각난다. 하지만 이제 그보다 더 간직하고 싶은 건 고운 모래사장에 털썩 주저앉으며 우재가 한 말이다.

"그런 야자수들이 살아남아 이젠 제주의 일부가 되었으니, 정말 아름다운 일이지?"

착륙 준비를 위해 덧창을 열어달라고 승무원들이 이야기하며 복도를 지나다닌다. 비행기가 기울고, 타원형의 창 너머로 푸른 바다와 은빛 모래밭이 서서히 다가온다. 가까이 다가오는 풍경을 바라보며 나는 독일 땅으로 착륙하는 비행기를 상상한다. 이모들을 태웠고, 나와 엄마, 아빠, 해나를 태웠으며, 머지않은 미래에 레나와 한수, 그 밖의 수많은 그리운 이들의 안부를 물으러 갈 나를 태울 그 비행기를. 창밖에는 어느새 눈송이가 흩날리고 있다. 민들레 꽃씨를 닮은 눈송이들은 춤을 추듯이, 완만한 곡선을 그리며 가볍게 하강하는 중이다. 얼마 안 있어 내가 탄 이 비행기도 착륙할 것이다. 천천히 속도를 줄여서. 온통 흰빛으로 눈부실 활주로 위로. 나는 창밖을 바라보다 등을 바로 세우고 자세를 고쳐 앉는다. 비행기 바퀴가 곧 지면에 닿기를 기다리면서. 그러고 나면 우재에게 전화를 걸고 이렇게 말해야지.

안녕, 그동안 잘 지냈지? 나는 지금 막 도착했어.

* '파독간호사'라는 용어가 독일로 이주한 한인 간호사와 간호조무사들을 수동적 존재처럼 인식하게 만든다는 문제점을 안고 있으나 이 책에서는 소설적 필요에 따라 가장 널리 통용되는 표현인 '파독간호사'를 그대로 사용했다. 같은 이유에서 간호사/간호조무사 역시 구분이 꼭 필요하지 않은 경우 관습적 사용에 따라 혼용했다.

* 최말숙이 유복한 출신의 멋쟁이로 자유를 찾아 독일에 왔고 자동차를 구입했다는 설정은 박경란의 『나는 파독간호사입니다』(정한책방, 2016)에 실린 이묵순의 인터뷰와 이영숙의 에세이 『누구나 가슴 속엔 꿈이 있다』(북스코프, 2009)에 등장하는 K의 상황 등을 참조해 만들었으나 특정 인물과는 관련이 없다.

* 151쪽 임선자의 일기에 적혀 있는 글귀는 안톤 슈나크의 「우리를 슬프게 하는 것들」(『우리를 슬프게 하는 것들』, 차경아 옮김, 문예출판사, 2017)의 일부이다.

* 한국 간호사 강제송환 반대 운동에 대한 정보와 「재독 외국인 간호원 송환 문제에 대한 호소문」 일부 및 196쪽 "Wie lange noch sollen Menschen wie Waren hin- und hergeschoben werden?(얼마 동안이나 사람들이 물건처럼 이리저리 보내져야 하는가?)"라는 문장은 서울역사박물관 주최 기획전 〈국경을 넘어 경계를 넘어—독일로 간 한국 간호 여성들의 이야기〉(2017. 6. 27.~10. 9.) 전시 도록에서 가져왔다.

* 간호조무사 출신 의사 오행자가 장례 업체와 계약을 맺은 개인병원에 채용되어 사망진단서를 작성하러 다니는 설정과 오행자의 개인병원을 외국인 환자들이 자주 찾는 설정은 『누구나 가슴 속엔 꿈이 있다』에서 참고했다.

* 307~308쪽 제주에 이식된 야자수에 관한 사실과 우재의 마지막 대사는 문학평론가 양경언의 인스타그램(@redsea32) 게시 글에서 빌려 가공했다.

* 그 외에 소설에 등장하는 여러 간호사·간호조무사와 광부들의 에피소드 및 설정은 아래의 자료들을 폭넓게 참고해 재구성한 것으로 실제 인물, 사건과는 관련이 없다.

김학선·홍선우·최경숙, 「파독간호사 삶의 재조명」, 한국직업건강간호학회지 제18권 2호, 2009, 174~184쪽.

나혜심, 「파독 한인 여성 이주노동자의 역사―1960~1970년대 한인 간호 인력 독일행의 원인」, 『서양사론』 100호, 2009, 255~285쪽.

박경란, 『나는 파독간호사입니다』, 정한책방, 2016.

박찬경, 클라우스 펠링, 『독일로 간 사람들―파독 광부와 간호사에 관한 기록』, 눈빛, 2003.

서울역사박물관 주최 기획전 〈국경을 넘어 경계를 넘어―독일로 간 한국 간호 여성들의 이야기〉(2017. 6. 27.~10. 9.) 전시 도록.

이영숙, 『누구나 가슴 속엔 꿈이 있다』, 북스코프, 2009.

이효선·김혜진, 「생애사 연구를 통한 이주 여성 노동자의 삶의 재구성―파독 간호사 단일사례 연구」, 『한국여성학』 제30권 1호, 2014, 253~288쪽.

이희영, 『경계를 횡단하는 여성들―분단과 이주의 생애사 연구』, 푸른길, 2022.

정선이·김순애·김숙영·이주영, 「1960~70년대 파독간호사의 문화갈등과 자아정체성」, 한국엔터테인먼트산업학회논문지 제11권 3호, 2017, 71~86쪽.

작가의 말

"노동력을 불렀더니 사람이 왔네.
Wir riefen Arbeitskräfte, und es kamen Menschen."

2020년 7월 25일. 이 소설의 씨앗이 내게 날아온 날짜를 기억한다. 『여름의 빌라』를 출간한 직후였고, 비슷한 시기에 시집을 낸 친구의 집에서 아끼는 이들과 밥을 먹던 중이었다. 그즈음엔 주변에서 장편소설로 써보라며 해주는 이런저런 이야기를 많이 들었지만, 어떤 이야기에도 마음이 쉽게 움직이지 않았다. 하지만 그날 그 여름의 식탁에서 '파독간호사'에 대한 어떤 일화를 듣고 첫 장편소설을 마침내 쓸 수 있을 것 같다는, 다른 사람이 아닌 나만 쓸 수 있는 이야기가 분명 있을 것 같다는 예감에 오랜만에 가슴이 뛰었다. 그날 내가 떠올렸던 이야기, 내가 쓰고 싶었고 쓸 수 있으리라고 믿었던 이야기와 실제로 완성된 이야기 사이에는 꽤 큰 간극이 있지만, 첫 장편을 쓸 수 있으리라는 예감으로 벅차올랐던 그 마음만큼은 오래도록 잊지 못할 것이다.

소설로 이미 다 한 이야기에 사족을 붙이는 일은 썩 내키지 않지만, 이번 소설에서 '거짓말'이 이야기를 추동하는 중요한 요인인 만큼 나도 이 지면을 빌려 『눈부신 안부』를 쓰며 하고 만 몇 가지 거짓말을 고백하려 한다. 이 소설에서는 실제로 일어났던 일들이 여럿 언급되거나 암시되지만 많은 경우 소설적 필요에 의해 현실과 다르게 가공되었다. 예를 들어 안드레 케르테스 전시회의 경우, 성곡미술관에서 실제로 그 전시가 열린 건 2017년 6월 9일부터 9월 3일까지이지만, 『눈부신 안부』에서는 그로부터 훨씬 후인 어느 해의 정초에 열린 것으로 되어 있다. 실제 전시에서 아이디어를 얻긴 했지만 그 전시와 소설 속 전시 사이의 공통점이라고는 안드레 케르테스의 사진이 전시되었다는 것과 인용된 벽면의 글귀뿐이다.

소설 속에서 중요하게 다뤄지는 1994년의 가스 폭발 사고는 여러모로 아현동에서 발생한 참사를 연상하게 하지만 소설 속 인물들과 실제 피해자 사이에는 아무런 관련이 없다. 소설의 주요 배경인 독일의 G시 역시 많은 부분 가공된 허구의 공간이며 그곳의 간호 노동자들도 모티프가 된 실제 도시에 살았던 이들과 무관하게 창작된 인물임을 밝혀둔다.

이 외에도 소설이라는 장르적 특성상 이야기를 만들며 하고 만

크고 작은 거짓말들이 많이 있지만, 마지막으로 꼭 언급하고 싶은 한 가지는 소설 속 "도서관에 틀어박혀 읽은 많은 자료 속에서 가장 빈번히 발견한 단어는 아마도 오래전 '윤리'가 강조했던 것처럼 '가난'이나 '희생' '애국' 같은 말일 것이다"라는 문장이다. 소설을 써나가는 데 필요했기 때문에 과장해서 쓰긴 했지만, 독일로 이주했던 한인 간호 여성들을 '희생'이나 '애국'의 프레임으로 단순화해서 바라보지 않으려 한 최신 연구 자료들을 장편소설을 준비하는 동안 자주 발견했다. 전형성을 탈피한 간호 여성 캐릭터를 만들어냈다고 생각하며 흡족해하고 있노라면 얼마 후 내가 상상해낸 인물보다 훨씬 더 진취적이고 급진적으로 살았던 실존 인물들의 사례를 맞닥뜨리는 일이 잦았다. 그러므로 『눈부신 안부』를 쓰기까지 내게 영감을 준 여러 간호 여성들의 주체적인 삶에 내가 많은 부분 빚졌음을 적어둔다.

소설을 쓰는 사람으로 살아가는 시간이 쌓일수록 글쓰기에서 나 혼자 할 수 있는 일은 아주 적은 몫일 뿐이라는 생각을 하게 된다. 이번 소설을 쓰고 나서는 그런 확신이 더 깊어졌다. 내가 계속 쓰는 사람으로 있을 수 있는 건 부족한 나를 누구보다 걱정하고 응원해주는 가족이 있기 때문임을 안다. 바쁜 중에 추천사를 써준 정세랑 소설가와 안미옥 시인, 여러모로 애써준 문학동네의 관계자분들이 있어 부족한 원고가 한 권의 책이 될 수 있었다. 이 소설의 시작과 끝을 준 양경언 평론가, 지난 삼 년간 일면식도 없는 내가 궁금한 것이 생겼다며 느닷없이 연락할 때마다 단 한 번도 곤란한 기색 없이 취재에 응해준 한민오님, 해미를 나보다 더 애틋하게 여겨주고 미흡한 초고에 끊임없이 애정과 지지를 보내준 정은진 편집자가 없었더라면 단언컨대 『눈부신 안부』는 이 세상에 존재할 수 없었을 것이다. 이 외에도 일일이 호명하지 못할 만큼 아주 많은 분들이 소설을 쓴다는 이유 하나만으로 기꺼이 주변 사람들을 소개해주고 자신의 이야기를 들려주셨다. 모든 분께 고개 숙여 감사의 마음을 전하고 싶다.

등단 십이 년 만에 처음으로 장편소설을 세상에 내놓는다. 나의 첫 장편을 기다려준 독자들에게 이 이야기가 반가운 안부의 인사가 되어줄 수 있었으면 좋겠다. 이 책이 누구든 필요한 사람에게 잘 가닿아 눈부신 세상 쪽으로 한 걸음 나아갈 힘을 줄 수 있었으면. 긴 시간 온 마음을 다해 품고 있던 한 세계를 드디어 떠나보내지만 생각보다 작별이 견딜 만한 건, 소설을 읽어줄 독자들이 있는 한 『눈부신 안부』 속 인물들과 영원히 이어져 있을 수 있으리라는 믿음 때문일 것이다.

당신의 안부가 궁금한 봄날에,
백수린

문학동네 장편소설
눈부신 안부
ⓒ백수린 2023

1판 1쇄 2023년 5월 24일
1판 10쇄 2024년 9월 16일

지은이 백수린
책임편집 정은진 | 편집 여승주 정민교
디자인 최윤미 이주영 | 저작권 박지영 형소진 최은진 오서영
마케팅 정민호 서지화 한민아 이민경 왕지경 정경주 김수인 김혜원 김하연 김예진
브랜딩 함유지 함근아 박민재 김희숙 박다솔 조다현 정승민 배진성
제작 강신은 김동욱 이순호 | 제작처 영신사

펴낸곳 (주)문학동네 | 펴낸이 김소영
출판등록 1993년 10월 22일 제2003-000045호
주소 10881 경기도 파주시 회동길 210
전자우편 editor@munhak.com | 대표전화 031) 955-8888 | 팩스 031) 955-8855
문의전화 031) 955-2696(마케팅) 031) 955-1922(편집)
문학동네카페 http://cafe.naver.com/mhdn
인스타그램 @munhakdongne | 트위터 @munhakdongne
북클럽문학동네 http://bookclubmunhak.com

ISBN 978-89-546-9937-2 03810

www.munhak.com